THE SIGMA FORCE SERIES ④

ロマの血脈

［上］

ジェームズ・ロリンズ

桑田 健［訳］

The Last Oracle
James Rollins

シグマフォース シリーズ④

竹書房文庫

THE SIGMA FORCE SERIES
THE LAST ORACLE
by James Rollins

Japanese translation rights arrangement with
BAROR INTERNATIONAL
through Owl's Agency Inc., Tokyo Japan

目次

上巻

主な登場人物

グレイソン（グレイ）・ピアース……米国国防総省の秘密特殊部隊シグマの隊員
ペインター・クロウ……シグマの司令官
モンク・コッカリス……シグマの隊員
キャット・ブライアント……シグマの隊員。モンクの妻
ジョー・コワルスキ……シグマの隊員
シャイ・ロサウロ……シグマの隊員
リサ・カミングズ……米国の医師
アーチボルド・ポーク……米国の神経学者
エリザベス・ポーク……米国の人類学者。アーチボルドの娘
ルカ・ハーン……ロマ（ジプシー）の男性
ハイデン・マスターソン……英国の心理学者
ジョン・マップルソープ……米国国防情報局の部局長
ユーリ・ラエフ……ロシアの科学者
サヴィーナ・マートフ……ロシアの少将
ニコライ・ソロコフ……ロシアの上院議員
エレーナ・オゼロフ……ニコライの補佐官
サーシャ……ロシアの少女
コンスタンティン……ロシアの少年
キスカ……ロシアの少女
ピョートル……ロシアの少年。サーシャの双子の弟
マータ……チンパンジー

ロマの血脈　上

シグマフォース シリーズ④

シェイとブライスへ
二人とも最高だ

ナショナルモール——ワシントンDC

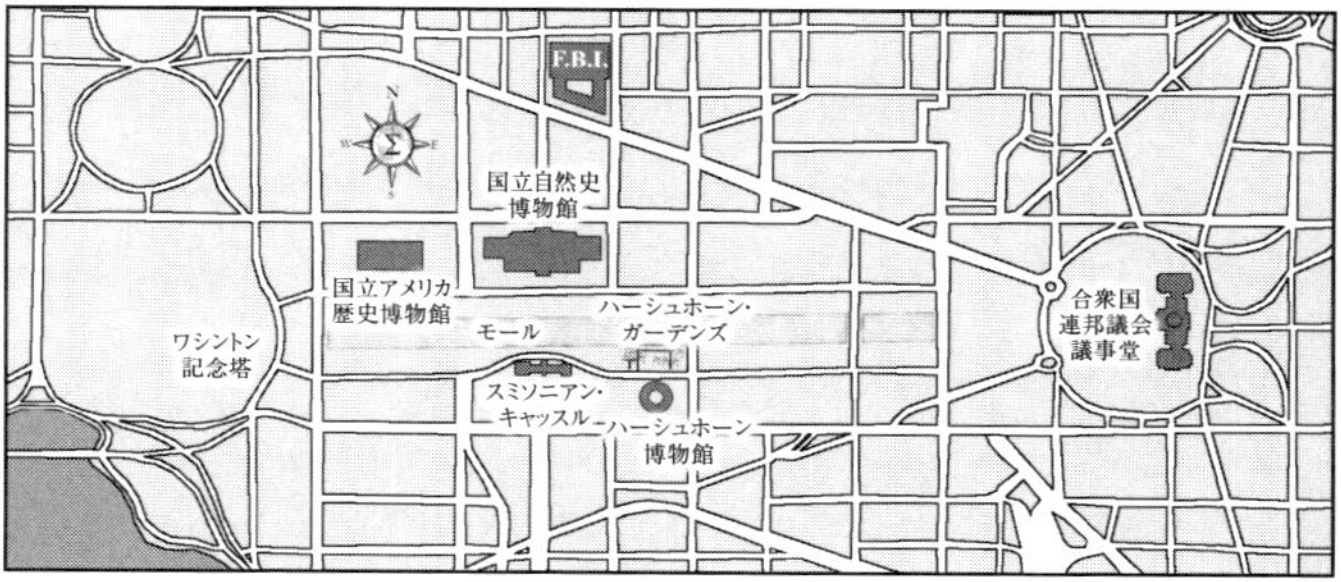

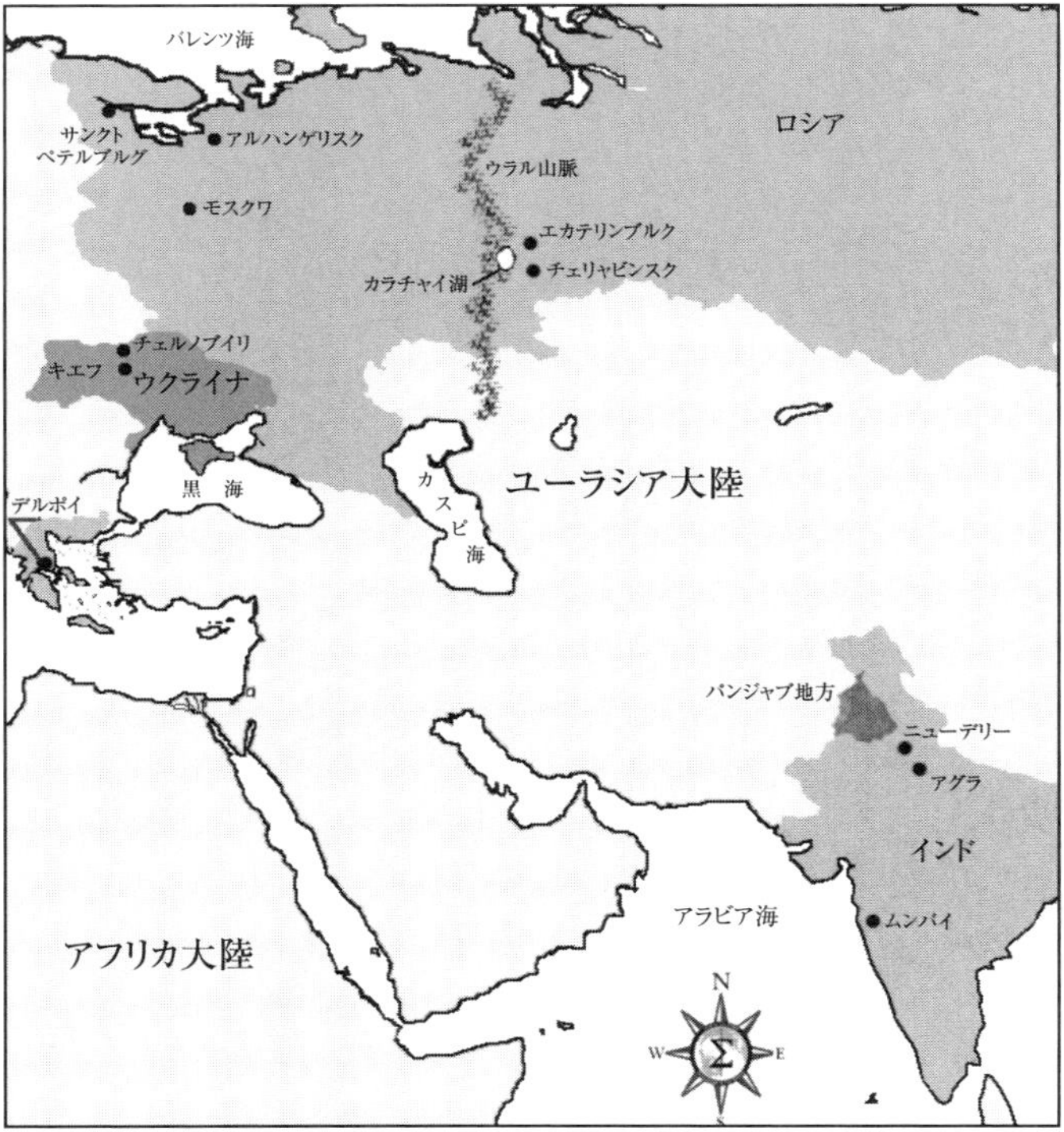
バレンツ海
ロシア
サンクト
ペテルブルグ
アルハンゲリスク
ウラル山脈
モスクワ
エカテリンブルク
チェリャビンスク
カラチャイ湖
チェルノブイリ
キエフ
ウクライナ
黒 海
カスピ海
ユーラシア大陸
デルポイ
パンジャブ地方
ニューデリー
アグラ
インド
アラビア海
ムンバイ
アフリカ大陸
N
W
E
S

歴史的事実に関して

人類に与えられた最高の祝福は、狂気によりもたらされた。狂気は神からの贈り物である。

——ソクラテス、デルポイの巫女に関して

多くの神々を祭った古代ギリシア人は、預言の持つ力を強く信じていた。ヤギの内臓から前兆を読むことができる者や、生贄《いけにえ》の炎から立ちのぼる煙に未来を見ることができる者、投げ捨てた骨を占って出来事を予知できる者を、古代ギリシア人はあがめた。その中でも、最も崇拝されていた人物が、デルポイの巫女《みこ》である。

二千年近くにわたって、厳重な警護のもとに置かれた女性たちが、パルナッソス山の山腹にあるアポロン神殿の内部で生活した。預言者として選ばれた一人の女性には「ピュティア」の名が与えられ、その地位は代々引き継がれた。霧に包まれてトランス状態に陥ったピュティアは、日常的なものから深遠なものまで、未来に関する質問に答えた。

ピュティアの信奉者の中には、プラトン、ソフォクレス、アリストテレス、プルタルコス、オウィディウスなど、ギリシアやローマの歴史上の錚々《そうそう》たる人物が名前を連ねていた。初期のキリスト教徒たちでさえも、彼女を崇拝していた。ミケランジェロはシスティーナ礼拝堂の天井に、キリストの再臨を預言するピュティアの姿を大きく描いている。

しかし、その実態は、謎めいた答えで大衆を惑わすペテン師だったのだろうか？　ただ一つ、議論の余地のない事実が存在する。古代世界の王たちや征服者たちの崇拝を集めたピュティアの神託は、人類の歴史を変える力を持っていた。

ピュティアに関する多くは謎と神話のベールに包まれたままだが、二〇〇一年に新たな事実が明らかになった。考古学者と地質学者のチームが、パルナッソス山の直下に奇妙な配列のテクトニック・プレートを発見した。プレートの隙間からは炭化水素ガスが放出されており、そのガスに含まれるエタンにはトランス状態に陥ったような高揚感と幻覚をもたらす作用がある。このガスは歴史上の記録として残っている霧と同じ物質である。

科学によってピュティアの秘密の一つが発見されたものの、究極の真実はいまだに解明されていない。

神託は本当に未来を予知していたのだろうか？　あるいは、神がもたらした狂気だったのだろうか？

汝《なんじ》自身を知れ。さすれば、汝は世界と神を知るだろう。

——デルポイの神殿に刻まれた碑文

プロローグ

三九八年
ギリシア　パルナッソス山

彼らは私を殺しにやってくる。

女性は神殿の入口に立っていた。白い亜麻布を腰のベルトで留めただけという薄着の彼女は、体を震わせた。だが、彼女の骨の髄《ずい》にまで走った寒気は、夜明け前の冷気のせいではない。

眼下に目を向けると、パルナッソス山の斜面を炎の川のように伝う松明《たいまつ》の列が見える。「神聖なる道」と呼ばれる石畳の道を、ジグザグに進みながらアポロン神殿へと向かっている。その歩みに合わせて、剣を楯に打ちつける音が響く。ローマ軍の歩兵隊は、五百人ほどいるだろうか。道沿いには、破壊された記念碑や、はるか昔に略奪された宝物庫が点々と続いている。燃えるものには、すべて火が放たれていた。

廃墟の中を松明の火が揺れながら進むにつれ、かつてこの地が繁栄を極めていた当時の姿が、炎の中に幻影のように浮かび上がってくる。金や宝石であふれていた宝物庫、第一級の芸術家の手による数多くの彫像、巫女《みこ》の神託を聞くために集まった大勢の人々。

それも過去の話だ。

この一世紀の間、ガリア人の侵攻やトラキア人の略奪により、デルポイは衰退の一途をたどっていた。だが、何にも増して、人々から顧みられなくなったことが大きい。巫女の神託を求める人は、ほとんど訪れなくなった。妻の貞節を疑うヤギ飼いや、コリント湾を横断する航海の吉兆を占ってほしいという船乗りくらいしか姿を見せない。

終わりが近づいている。デルポイの神託は、終焉《しゅうえん》の時を迎えようとしていた。三十年間にわたって預言を行なってきた彼女が、「ピュティア」を名乗る最後の人物となる。

デルポイの最後の巫女。

そんな自分の身に、最後の難題が突きつけられようとしている。

ピュティアは東の方角へと目を向けた。空が白み始めている。

〈おお、暁《あかつき》の女神エオスよ、アポロンを急がせたまえ。四頭の馬を日輪の馬車へつなぐように〉

ピュティアの従者を務める一人の若い巫女が、背後の神殿の内部から姿を現した。「私たちと一緒にいらしてください」ピュティアよりも年下のその巫女は懇願した。「まだ間に合います。ほかの者たちと一緒に、山上の洞窟へと逃れることができますから」

ピュティアは巫女を落ち着かせようとその肩に手を置いた。夜のうちに、ほかの巫女たちは岩の間を縫って標高の高い地点へと逃れていた。デュオニソスの洞窟に隠れていれば安全だろう。しかし、ピュティアにはここで果たすべき最後の務めがあった。

「ピュティア様、最後の神託を行なう時間はとてもありません」

「行なわなければならないのよ」

「それならば、今すぐになさってください。さもないと、手遅れになってしまいます」

ピュティアは若い巫女から顔をそむけた。「七日目の夜明けまで待たなければ。それが私たちの決まりだわ」

前日の日没後、ピュティアは準備を始めた。カスタリアの銀の泉で沐浴《もくよく》を済ませ、カソティスの泉の水を飲み、神殿の外にある黒の大理石の祭壇で月桂樹の葉を燃やす。彼女は定められた通りに儀式を行なった。何千年も昔、初代のピュティアが行なったのと同じように。

ただし、今回は清めの儀式を行なうピュティアの傍らに、別の人物がいた。

少女が一人。十二歳になったばかりだ。

〈こんなに幼いのに、不思議な子だわ〉

ピュティアが身を清めている間、少女は泉の中に裸で立っていた。一言も発することなく、片方の腕を前に伸ばして、指を開いたり閉じたりしているだけだった。自分にしか見ることのできない何かを、手のひらでつかみ取ろうとしているかのような仕草だった。この子にこのような苦しみを与え、同時に祝福を与えた神は、いったい誰なのだろうか？　アポロンでないことは確かだ。しかし、三十日前にこの子が口にした言葉は、神が少女の口を借りて伝えたものとしか思えない。その言葉が広まって怒りを煽《あお》ったために、松明を手にした兵士がデルポイへと向かっている。
そもそも、この子をここへ連れてきてはいけなかったのだ。
デルポイが自然に人々の記憶から忘れ去られるなら、甘んじて受け入れなければならないと
ピュティアは考えていた。彼女は何代も前のピュティアが語った言葉を思い出した。何百年も
前に生涯を終えたその巫女の言葉は、今にして思えば不吉の前兆だったのだ。
アウグストゥス皇帝は、今は亡きその巫女にこう訊ねた。「なぜこの頃、神託の数がめっき
り減ったのだろうか?」
巫女は答えた。「ヘブライ人の男の子、祝福された人々の中に立つその神が、私にこの神殿
を去るよう命じる……」
その言葉は、見事なまでに的中した預言となった。キリストの教えの隆盛とともに帝国は衰
退し、かつての栄光を取り戻すという望みは完全に潰《つい》えた。
そして今から三十日前、奇妙な少女が彼女のもとへと連れてこられた。
ピュティアは炎の列から視線をそらし、アポロンの神殿の内部にある至聖所《しせいじょ》へと目を向けた。
少女はその中で待っている。
少女はここから遠く離れたキオスの町の孤児だった。昔から、そのような子供たちを連れて
この神殿を訪れる人は多かった。手にある者たちの世話は、巫女たちに託そうということな
のだろう。だが、子供が受け入れられることはほとんどなかった。申し分のない資格を持った

少女だけが、神殿にとどまることを許された。手足が長く、目が澄んでいて、けがれていない少女たち。資質の劣る者たちに対して、アポロンは神託を与えないからだ。

そのため、この痩せ細った少女がアポロンの神殿の石段に裸で連れてこられた時、ピュティアはほとんど目もくれなかった。みすぼらしい身なりで、黒い髪はぼさぼさ、肌には疱瘡《ほうそう》の跡が残っている。しかし、そのような見た目とは別に、ピュティアはその少女のどこかがおかしいと感じた。例えば、常に体を前後に揺らしているところだ。その視線は目に映るものをとらえることなく、さまよっているかのようだった。

少女を連れてきた者たちは、その子が神懸《かみがか》っていると述べた。一目見ただけで一本のオリーブの木に茂る葉の数を言い当てたり、ヒツジに手を触れるだけで子ヒツジが生まれる時期を予知したりできるというのだ。

そうした話を聞き、ピュティアは興味をそそられた。彼女は少女に向かって、神殿の入口に立つ自分のもとへと来るように呼びかけた。少女は言われた通りにしたが、その動きはどこかぎこちなかった。風が少女を石段の上へと吹き上げているかのようにも見えたものだ。ピュティアは少女の手を取り、石段のいちばん上に座らせた。

「名前はなんていうの?」ピュティアは痩せた少女に訊ねた。

「その子の名前はアンシアです」下で待っている連れの者が答えた。

ピュティアは少女の顔をじっと見つめた。「アンシア、なぜここに連れてこられたのかわかる?」

「あなたの家が空いているから」少女は石段に視線を向けたまま、初めて言葉を発した。

〈少なくとも、ちゃんとしゃべることができるのね〉ピュティアは神殿の内部へと目を向けた。神殿の中央の広間では、暖炉の火が赤々と燃えていた。確かに、今は広間に誰もいない。しかし、少女の言葉にはそれ以上の意味合いが含まれているような気がする。

それは少女の物腰のせいかもしれない。どこか不思議な、心ここにあらずといった雰囲気。片足はこの世界を踏みしめているのに、もう片方の足は別の世界にあるかのような。

少女は澄んだ青い瞳でピュティアを見上げた。無垢《むく》なその瞳とは不釣り合いな言葉が、少女の唇から漏れる。

「あなたは年をとっている。もうすぐ死ぬ」

石段の下から、連れの者が少女を叱ろうとした。だが、ピュティアは穏やかな言葉で語りかけた。「私たちはみんないつか死ぬのよ、アンシア。それがこの世界の定めなのよ」

少女は首を横に振った。「ヘブライ人の男の子は違う」

不思議な二つの瞳がピュティアを食い入るように見つめている。ピュティアの両腕に、ぞっとするような感覚が走った。少女はキリストが創始した新しい教えや血にまみれた十字架について教わっているに違いない。そう思いながらも、ピュティアは少女の言葉が気にかかった。少女の声にもどこか不思議な響きがあった。

〈ヘブライ人の男の子……〉

何代も前のピュティアが語った、破滅の預言。

「でも、別の人が来る」少女は続けた。「別の男の子が」

「別の男の子ですって？」ピュティアは顔を近づけた。「誰のこと？　どこから来るの？」

「私の夢の中から」少女は片方の手のひらで自分の耳をこすった。

少女に何か不思議な力が秘められていることを察したピュティアは、さらに探りを入れた。

「その男の子って？」ピュティアは訊ねた。「いったい誰なの？」

少女の答えを耳にして、その場に集まった人々は息をのんだ。そのような言葉は、神を冒瀆《ぼうとく》するに等しい。

「ヘブライ人の男の子の兄弟」そう言いながら、少女はピュティアのスカートの端を強く握り締めた。「その子は私の夢の中で燃える……そして、何もかも燃やしてしまう。あとには何も残らない。ローマでさえも」

この一カ月の間、ピュティアはこの破滅の預言について、もっと詳しく引き出そうと試みた。仲間の巫女たちのもとに連れていったりもした。だが、少女は自分の殻に閉じこもってしまうばかりで、一言もしゃべろうとしなかった。けれども、まだ一つだけ方法が残されている。

もしこの少女が本当に神の祝福を受けているのであれば、アポロンの吐息の力――神託の霧が、この謎めいた少女の中に閉ざされた何かを解き放ってくれるはずだ。

だが、そのための時間は残されているのだろうか？

誰かが肘に触れたのを感じて、ピュティアは我に返った。「ピュティア様、太陽が……」若い巫女が促した。

ピュティアは東の方角へと目を向けた。空が赤く輝き、日の出が近いことを示している。下からは、ローマ軍の叫び声が響く。少女の言葉は人づてに広まった。破滅の預言は瞬く間に伝わり、皇帝の耳にまで届いてしまったのだ。皇帝からの使者が訪れ、悪魔に取りつかれた少女をローマへ引き渡すようにと要求した。

ピュティアは要求を拒絶した。神はこの少女を彼女のもとへ、アポロンの神殿へと遣わされたのだ。この少女の力を確かめてからでなければ、疑問の答えを得てからでなければ、ローマ軍の手に渡すわけにはいかない。

東の方角では、日の出直後の陽光が朝の空を明るく染め始めた。

七の月の七日目の夜明け。

ようやくこの時が訪れた。

ピュティアは松明を手にした兵士たちの列に背を向けた。「さあ、急がないといけないわ」

ピュティアは素早く神殿の内部へと移動した。そこでも炎が燃えている。だが、それは神殿の聖なる暖炉で燃える心地よい炎だった。年長の巫女が二人、暖炉の火の番をしていた。年をとっているため、洞窟への険しい山道を登れない巫女たちだ。

ピュティアは感謝を込めた目で二人に向かってうなずきながら、暖炉の前を通り過ぎた。

神殿の奥には階段があり、至聖所へと通じている。神に仕える巫女だけが、地下の至聖所への立ち入りを認められていた。階段を下りるにつれて、大理石の壁が未加工の石灰岩へと変わっていく。階段の下には小さな洞窟が広がっていた。はるか昔にヤギ飼いによって発見されたと伝えられる洞窟だ。洞窟の入口に近づいたそのヤギ飼いは、アポロンの発する甘い香りの霧を吸い込み、奇妙な幻覚を見たという。

今朝こそ、神の授けるその力が必要とされている。

洞窟の中では、少女がすでに待っていた。小さな体には大きすぎる祭服《アルバ》を身にまとい、神聖なオムパロスを支える青銅製の三脚台の横にあぐらをかいて座っている。オムパロスは人の腰くらいの高さがある半球形の石で、「世界のへそ」「宇宙の中心」を表しているとされる。

洞窟の内部にはほかに、三脚台の上に乗せられた座席があるだけだ。床に走る大地の裂け目をまたぐように設置されている。アポロンの霧には慣れているはずのピュティアさえも、地下から立ちのぼるアーモンドの花のような香りを強く意識した。

神の吐息。預言の呼気。

「時間よ」ピュティアは後について洞窟へと下りてきた若い巫女に告げた。「子供を連れてきて」

ピュティアは三脚台へと向かい、その上に腰かけた。床の裂け目の上に座ると、アポロンの発する霧に体が包まれる。「急いで」

若い巫女は少女を抱きかかえ、ピュティアの膝の上に乗せた。ピュティアは少女を優しく揺すった。まるで母親が自分の子供にするかのように。だが、少女はそんな優しさにもまったく反応を見せない。

ピュティアは大地の隙間から湧き出る神の吐息の影響をすでに受けていた。手足にうずくような感覚が走る。アポロンが体内に入り込むにつれて、喉に軽い熱を覚える。視界が狭まり始めた。

しかし、体は少女の方がずっと小さい。神の吐息の影響をより強く受けているはずだ。少女の頭が後ろに倒れた。まぶたはすでに閉じている。長時間にわたってアポロンの支配下に置かれれば、この子の命は持たないだろう。たとえそうだとしても、もしわずかでも望みがあるのならば、この少女には質問に答えてもらわなければならない。

「子供よ」ピュティアの声が響き渡る。「その男の子のことを、その子がささやいた破滅のことを、詳しく教えなさい。彼はどこに現れるのか？」

小さな唇がわずかに開き、かすかな声を発した。「私から生まれる。私の夢の中から」

小さな指がピュティアの手をつかむと、強く握り締めた。

少女の唇からは、次々と言葉が漏れてくる。「あなたの家は空いている……あなたの泉は涸《か》れてしまった。けれども、新たな神託の泉が流れる」

少女を包み込むピュティアの両腕がこわばった。この神殿に荒廃の影が忍び寄ったのは、もうずいぶん前のことだ。「新たな泉……」彼女の声には期待が込められていた。「このデルポイに？」

「違う……」

ピュティアの呼吸が速くなる。「それなら、泉はどこに湧き出るのか？」

少女の唇が動いたが、言葉は出てこない。

ピュティアは少女を強く揺すった。「どこなの？」

少女の片腕が力なく上がり、手のひらがピュティアの腹部に触れた。

その瞬間、ピュティアの体は映像に包まれた。少女の腹部から、少女の子宮からあふれ出る、銀色の水。新たな泉。だが、これはアポロンが見せている光景なのだろうか？　それとも、自分の希望が見せている光景なのだろうか？

そんな夢想を悲鳴が切り裂いた。それに続いて、強い口調の声が洞窟内にこだまする。階段の方からよろめきながら近づいてくる人影が見える。暖炉の火の番をしていた、年長の巫女の一人だ。片手で肩を押さえている。手のひらの下は血で真っ赤だ。指の間からは黒い矢じりが突き出ていた。

「もう間に合いません」巫女は大声で叫ぶと、膝から崩れ落ちた。「ローマ人が……」

ピュティアの耳には巫女の言葉が届いていたが、心は霧に包まれた状態のままだった。目には少女から流れ出る泉の映像がくっきりと浮かんでいる。神託の力の新たな源泉。それと同時に、ピュティアの鼻はローマ人の松明が放つ煙を感じ取っていた。血と煙のにおいが幻覚へと侵入してくる。銀色の泉に細い深紅の筋が混じり、未来へと向かって流れていく。

彼女の腕に抱かれた少女の全身から、不意に力が抜けた。神の吐息である霧のせいで、完全に意識を失ってしまっている。それでもなお、ピュティアは幻覚を凝視し続けた。濃い色をした水の流れが、黒い人影へと変わっていく……男の子の影。その背後で、炎が燃え上がる。

一カ月前の少女の言葉が、ピュティアの脳裏によみがえった。

〈ヘブライ人の男の子の兄弟……その子が世界を燃やす〉

ピュティアは力なく横たわる少女を抱きかかえていた。少女の預言は、破滅と救済の両方を暗示している。少女をローマ帝国軍の手に委《ゆだ》ね、そんな不確かな未来はここで消し去ってしまうのが賢明なのかもしれない。頭上から命令口調の声が響く。もう逃げ道はない。死を選ぶ以外は。

それでもなお、ピュティアは幻覚から逃れることができずにいた。

アポロンはこの少女を遣わされた。ピュティアのもとに。

〈新たな泉が流れるであろう〉

ピュティアは大きく息を吸い込み、アポロンの霧を全身に取り入れた。

〈私はどうすればいいのでしょう？〉

ローマ軍の百人隊の隊長は神殿内を横切っていた。彼は命令を受けていた。帝国の破滅を預言した少女を抹殺せよ。昨夜、ローマ軍は神殿に仕える者を捕えた。巫女の身の回りの世話をしていたというその女性は、鞭《むち》打ちの拷問の末、少女がまだ神殿内にとどまっていることを明かした。その後、隊長は女性を部下たちの好きなようにさせた。

「松明を持ってこい！」隊長は大声で指示した。「隅々まで探すんだ！」

神殿の広間の奥で人が動く気配を感じ、隊長は剣を構えた。

暗がりにある階段の方から、一人の女性が現れた。おぼつかない足取りで女性がさらに二歩踏み出すと、その姿が明らかになる。目の焦点は定まっていない。全身を白い亜麻布で覆い、月桂樹の枝で編んだ冠を頂いている。

隊長は目の前の女性の正体がわかっていた。

デルポイの巫女。

隊長は恐怖で体が震えるのを必死で抑えた。軍団の多くの兵士と同様に、彼は今でも古くからのしきたりを密かに守っていた。ミトラ神の前で雄牛を屠《ほふ》り、その血に全身を浸す。

だが、時代は新たな夜明けを迎えようとしている。

その流れを止める術はない。

「アポロンの神殿を汚そうとするのは何者だ?」巫女は兵士たちに向かって呼びかけた。

部下の兵士たちの視線をひしひしと感じながら、百人隊の隊長は巫女の前へと進み出た。

「少女を差し出せ!」隊長は要求した。

「その子はもういない。おまえたちの手の届かないところに去ったのだ」

そんなことはありえない。神殿は厳重に包囲されている。

そう思いながらも、不安に駆られた隊長は巫女へと近づいた。

巫女は隊長の前に立ちはだかり、階段への入口を遮った。手のひらを甲冑《かっちゅう》の胸当ての前に差し出す。「この先の至聖所は男子禁制だ」

「だが、皇帝は別だ。私は皇帝の勅命《ちょくめい》を受けている」

巫女は動こうとしなかった。「通すわけにはいかぬ」

百人隊の隊長は、テオドシウス皇帝の印璽《いんじ》が押された命令書を持参していた。皇帝の息子、アルカディウスから直々に手渡されたものだ。古い神々の力を封じ、その神殿は破壊すべし。帝国の全域に発せられた命令は、デルポイの神殿も例外ではない。百人隊の隊長には、さらに別の命令も与えられていた。

命令には従わなければならない。

隊長は剣を巫女の腹部に突き刺し、柄《つか》の部分まで一気に押し込んだ。巫女の口からあえぎ声が漏れる。巫女は隊長の肩にしがみついた。まるで恋人がしなだれかかるかのように。だが、隊長は巫女の体を乱暴に振り払った。

甲冑と神殿の床が赤い血で染まる。

大理石の床に倒れた巫女は、体を横に向けた。震える腕を伸ばし、自らが流した血の海に触れる。巫女は手のひらを血の中に浸した。「新たな泉……」そのつぶやきは、まるで約束を交わしているかのように聞こえた。

やがて、巫女の体から力が抜け、命のともしびが消えた。

隊長は巫女の死体をまたぐと、剣を前にかざしたまま、階段を下りて小さな洞窟に到達した。洞窟にはほかに出口がない。矢の刺さった年老いた女性の死体が、どす黒い血だまりの中に横たわっている。三本の脚のある椅子が、大地の裂け目の脇に倒れていた。隊長は洞窟の内部をくまなく探した。

〈そんな馬鹿な〉

洞窟内には誰もいなかった。

一九五九年三月
ルーマニア　カルパティア山脈

ユーリ・ラエフ少佐はロシア製のＺｉＳ－１５１トラックから降り、轍《わだち》が残る未舗装の道路を踏みしめた。両足が震える。体を支えるために、ユーリは年代物のトラックの緑色をした鋼鉄製の扉に手を添えた。トラックに対して悪態をつきたい気持ちと、感謝したい気持ちとが入り混じっている。一週間にわたって山道を揺られ続けてきたせいで背骨が痛い。奥歯が頭蓋骨から浮き上がってしまっているかのように感じる。それでも、石だらけのジグザグの山道や川の水が氾濫《はんらん》した悪路をひたすら突き進んだ末に、この人里離れた冬の野営地までたどり着くことができたのは、頑丈なトラックのおかげだった。

トラックの荷台の後部扉が開く大きな音を耳にして、ユーリは肩越しに振り返った。白と黒の迷彩服姿の兵士たちが、トラックから降りてくる。冬用の迷彩服は、深い森に覆われ、雪と花崗《かこう》岩ばかりが目につく高地の光景に溶け込みやすい。窪地にはまだ朝霧が深く垂れこめていた。寝起きの悪い幽霊がうろついているかのようだ。

兵士たちは口々に悪態をつきながら、盛んに足踏みをしている。地面に捨てられたタバコがブーツで踏み消されるたびに、小さな火花が飛び散る。彼らはカタカタと音を立てながら、カラシニコフのアサルトライフルの準備を始めた。だが、彼らは人を近づけないようにするための役割を担う後衛部隊にすぎない。

ユーリは前に向き直った。この任務の副指揮官のドブリッツキー中尉が近づいてくる。ずんぐりした体形のこのウクライナ人は、顔にあばたがあり、鼻にはかつて骨が折れたと思われる跡が残っている。彼も冬用の迷彩服を着用していた。スノーゴーグルの跡が、両目のまわりを赤く彩っている。

「少佐殿、野営地は確保してあります」

「彼らなのか？　我々の探し求める連中なのか？」

ドブリッツキーは肩をすくめた。それを判断するのはユーリの役目だ。彼らはすでに一度、誤った情報に惑わされていた。石を切り出すことでかろうじて食いつないでいる、餓死しかけた小作農の野営地を襲撃してしまったのだ。

ユーリは顔をしかめた。この山岳地帯は時代から取り残された世界だ。石器時代も同然の遅れた人々が、迷信と貧困の中で生活している。だが、深い森に覆われたこの険しい山岳地帯は、身を潜めて暮らしたいと願う者たちにとって、格好の隠れ場所を提供してくれる。

ユーリはトラックから離れ、タイヤの跡が残したカーブをじっと見つめた。ここからはこの轍が道の代わりとなる。先に通過した車両によって、泥と雪が攪拌《かくはん》されている。ユーリは木々の隙間から、数十台のＩＭＺ・ウラルのバイクを確認した。サイドカーには武装した兵士が一人ずつ乗っている。大型のバイクが先遣隊として乗り込み、野営地を確保していた。すべての逃げ道はすでに断ってある。

噂と拷問によって得られた証言を頼りに、彼らはこの隔絶された地にたどり着いた。しかし、そのためには高地をくまなく探索すると同時に、なかなか口を割ろうとしない地元民から情報を引き出すために家屋を焼き払うなどの荒業も必要だった。カルパティア山脈に潜むロマに関しては、多くを語りたがらない人がほとんどだ。特に、この隔絶された地に住む種族の話になると、誰もが口を閉ざす。悪霊《ストリゴイ》や魔女《モロイ》に等しい存在なのだ。

だが、ようやく彼らの居場所を突き止めることができたようだ。

ドブリツキー中尉がブーツを軽く動かした。「どうしますか、少佐殿？」

ユーリはこのウクライナ人の口調から、かすかな軽蔑の響きを感じ取った。ユーリはソヴィエト軍の少佐の地位にあるとはいえ、兵士ではない。ドブリツキーと比べると頭一つ分ほど背が低く、腹が少し出ている。顔色もやや青白い。レニングラード国立大学から引き抜かれたユーリは、軍の科学部門での功績が認められてこの地位にまで昇進した。二十八歳の若さで、すでに国立医学・生物学研究監督機関の生物物理学研究所の所長を務めている。

「マートフ大尉はどこにいる？」ユーリは訊ねた。ソヴィエト軍情報部から派遣された大尉は、ドブリツキーに影のように付き添いながら、作戦の全般にわたって監視の目を光らせている。

「野営地の入口で我々を待っています」

ドブリツキーは泥や雪を気にせずに、道の真ん中を突っ切って進んでいく。ユーリは端に寄った。そのあたりは大地がまだ凍っているため、比較的歩きやすいからだ。曲がりくねった山道の最後のカーブに到達すると、中尉は岩肌がむき出しになった断崖と暗い森に囲まれた中にひっそりとたたずむ野営地を指差した。

「ジプシーです」ドブリツキーは険しい口調だった。「あなたの命令通り、見つけましたよ」

〈だが、これが例のロマの種族なのだろうか？〉

前方に見えるジプシーの幌馬車は、くすんだ緑と黒に塗られている。車輪はユーリの背丈ほどの高さがあるだろうか。塗装の一部が剝がれ落ち、その下に塗られている派手な色が顔をのぞかせていた。彼らにとって、幸せだった時代の色だ。木製の幌馬車の荷台には雪が積み上げられ、両側からは何本ものつららが垂れ下がっている。窓には霜が張りついていた。大地のところどころに見える黒い穴は、かがり火をたいた跡だろう。野営地の奥では二カ所で火が燃えていて、いちばん大きな幌馬車と同じくらいの高さにまで炎が上がっていた。一台の幌馬車は破壊され、真っ黒に焦げた状態で打ち捨てられている。

野営地の片隅に目を向けると、どこかからかき集めた板と石を積み上げて作った小屋の中から、背中の曲がった数頭の荷馬が物憂げに地面を見つめていた。ヤギの群れや数匹のヒツジも、野営地の中をうろついている。

野営地を取り囲むように兵士たちが配置に就いていた。ぼろぼろの服や毛皮を身に着けた数人の死体が、あちこちに転がっている。まだ生きている者たちも、生気があるようには見えない。野営地の住民たちは、幌馬車や大きなテントの中から次々と引きずり出されていた。

野営地の奥の方から叫び声が聞こえてきた。残っていた最後のジプシーたちが兵士の手で集められているところだ。時折、自動小銃の銃声が響く。カラシニコフだ。ユーリは険しい目つきをした住民たちの顔を見回した。ひざまずいた姿勢ですすり泣く女性の姿もある。浅黒い肌をした男たちは、敵意のこもった刺すような視線で侵入者たちをにらんでいる。血を流したり、傷を負ったり、手足の骨が折れたりしている者たちがほとんどだった。

「子供たちはどこにいる?」ユーリは訊ねた。

その質問に対する答えは、住民たちとは反対の方向から聞こえてきた。この高地を覆う氷のように、明瞭で甲高い声だ。「教会の内部に閉じ込めていますよ」

ユーリは声のした方に顔を向けた。軍情報部が派遣したこの任務の監視役、サヴィーナ・マートフ大尉だ。黒い厚手のコートに身を包み、毛皮の裏地が付いたフードをすっぽりとかぶっている。その黒髪は、フードの端からのぞくオオカミの毛と同じ色をしていた。

サヴィーナは幌馬車とテントの奥にそびえる尖塔を細い腕で指差した。野営地内にある唯一の建造物だ。この付近で採取した石で造られた教会は、周囲の断崖に完全に溶け込んでいる。

「我々が到着する前から、子供たちはあの建物の中に集められていたようです」サヴィーナは説明した。

ドブリツキーもうなずいた。「バイクのエンジン音が聞こえたのでしょう」

サヴィーナの視線がユーリの目をとらえた。朝の光がその緑色の瞳に反射している。この情報将校は、どうやらそうは思っていないようだ。ユーリの機関に機密の調査資料を届けたのは、サヴィーナだった。アウシュヴィッツ＝ビルケナウ強制収容所から回収したノートやデータ類は、その多くが収容所の「死の天使」と呼ばれたドクター・ヨーゼフ・メンゲレの手によるものだった。

資料を読んだ後、ユーリは何度も悪夢にうなされ、目が覚めるとびっしょり汗をかいていたこともしばしばだった。ドクター・メンゲレが囚人に対してありとあらゆる種類の恐ろしい人体実験を行なっていたことは有名だが、あの化け物はジプシーに対して、とりわけその子供たちに対して、特別な関心を寄せていた。メンゲレはご褒美やチョコレートをちらつかせながら、子供たちの気を引いた。子供たちは彼のことを「ぺぺおじさん」と呼んでなついていたという。もちろん、これは子供たちを大人しく協力させるための方策にすぎなかった。結局、彼は子供たちを全員殺害してしまう――しかし、実験の過程で、メンゲレは実に不思議なジプシーの双子に出会っていた。

サーシャとミーナという、一卵性双生児の少女。

ユーリは興味と恐怖の入り混じった複雑な気持ちを抱きながら、記述に目を通した。

その不思議な双子について、メンゲレは年齢、家族構成、家系など、詳細な記録を残していた。彼は双子の家族や親族を拷問しては、さらに詳しい情報を収集し、少女たちに実験しては検証を重ねた。メンゲレの実験は進展を見せた。しかし、戦争の終結が近づくと、実験は終了を余儀なくされる。メンゲレは心臓にフェノールを注射し、双子の少女を殺害した。

記録の終わり近くに、メンゲレの手で次のような言葉が書きなぐられていた。

「ヴェン・イッヒ・ヌーア・メーア・ツァイト・ゲハーブト・ヘッテ……」

〈もっと時間がありさえすれば……〉

「準備はいいですか?」サヴィーナがユーリに訊ねた。

ユーリはうなずいた。

ドブリツキーをはじめとする兵士たちとともに、二人は野営地の中へと足を踏み入れた。

ユーリはうつ伏せに倒れた死体とその周囲に広がる凍った血だまりをよけて進んだ。

前方に教会が見えてきた。石を積み上げただけの簡単な造りで、窓らしきものは見当たらない。一カ所しかない扉は閉ざされている。扉は頑丈な木材から切り出した梁《はり》を、銅製の鋲《びょう》でつなぎ合わせて作ったものらしい。建物の見た目は、教会というよりも要塞に近い。

鋼鉄製の太い棒を持った二人の兵士が扉の両側に立った。

ドブリツキーがユーリの方に目を向ける。

ユーリはうなずいた。

「打ち壊せ!」中尉の命令が周囲に響き渡る。

二人の兵士は太い棒を後方に引いてから、扉を目がけて突き立てた。木の破片が飛び散る。

兵士たちはさらに二回、棒を打ちつけたが、扉は持ちこたえた。だが、その次の攻撃には耐え切れず、轟音とともに扉は勢いよく開いた。

ユーリはサヴィーナの後について前へと進み出た。

暗い建物の内部には、小さな石油ランプがともされていた。両側には信者席が連なり、奥の祭壇へと通じている。年長の子供もまだ幼い子供も、信者席の間にうずくまっていた。だが、奇妙なことに、声をあげる子供は誰一人としていない。

祭壇へと歩み寄りながら、ユーリは子供たちを観察した。その多くは一目でそれとわかる奇形の症状を呈していた。小頭症、口唇裂《こうしんれつ》、小人症などだ。両腕のない子供も一人いる。どれも近親交配の結果だ。ユーリは鳥肌が立つのを感じた。周辺の住民たちがこのロマの種族を恐れ、悪霊や化け物の噂話がささやかれているのも無理はない。

「私たちが探し求めていたのはこの子たちだと、どうしてわかるのですか?」サヴィーナは不快感をあらわにした口調で訊ねた。

ユーリはメンゲレが残した記録の中から、彼が拷問の末に引き出した情報を引用した。「ショヴィハニのねぐら」双子の少女が生まれたとされる場所。種族が誕生して以来、ジプシーたちによって固く守られてきた秘密。

「この子たちがそうなのですか?」サヴィーナは重ねて質問した。

ユーリは首を横に振った。「わからない」

ユーリは祭壇の前に座っている少女に近づいた。少女はぼろぼろになった人形をしっかりと胸に抱えていた。少女が着ている服も、その人形の服といい勝負だ。そばへと寄るにつれて、ユーリは少女が身体的には正常なことに気づいた。ほかの子供たちのような奇形は見られない。薄暗い室内で、その少女の澄んだ青い瞳がひときわ輝いて見える。ロマにしては珍しい瞳の色だ。

双子の姉妹、サーシャとミーナの瞳も、同じ青い色をしていたという。

ユーリは少女の前に膝をついた。だが、少女はユーリの存在に気づいていない様子だ。視線はユーリの姿をとらえることなく、その先をじっと見つめている。ユーリは少女に何か異常があることに気づいた。外見上の奇形よりも、深刻な異常かもしれない。

依然として視線は定まらずにいるものの、少女はユーリに向かって手を伸ばした。「ウンキ・ペペ」少女はロマの言葉でかすかにつぶやいた。

ユーリの全身は一瞬のうちに凍りついた。「ウンキ・ペペ」すなわち「ペペおじさん」とは、ヨーゼフ・メンゲレのことだ。収容所にいたジプシーの子供たちは、メンゲレのことをそのあだ名で呼んでいたと言われる。しかし、ここにいる子供たちに収容所の経験があるとは考えられない。その頃、この子供たちはまだ生まれてすらいないはずだ。

ユーリは少女のうつろな瞳をのぞき込んだ。この少女は、ユーリと彼の調査チームの目的を知っているのだろうか？　そうだとすれば、いったいどうやって？　ユーリの頭の中に、メンゲレの言葉がこだまする。

〈もっと時間がありさえすれば……〉

ユーリが同じ思いに悩まされることはない。彼のチームには必要なだけの時間が与えられている。研究施設の建設もすでに始まっていた。人目の届かない、研究に専念できる場所が用意されている。

サヴィーナが近寄ってきた。彼女には答えが必要なのだ。

ユーリは真実を知っていた。少女の顔をのぞき込んだ瞬間、彼は真実を悟った。それでも、彼はまだ躊躇《ちゅうちょ》していた。

サヴィーナはユーリの肘に手を触れた。「少佐殿?」

もはや引き返すことはできない。ユーリはこれから訪れるであろう恐怖を認めつつ、うなずいた。「ああ、この子《ダー》たちがショヴィハニだ」

「確かですね?」

ユーリはもう一度うなずいた。だが、視線は少女の青い瞳からそらさずにいた。サヴィーナがドブリッツキーに下す命令も、ほとんど耳に入ってこない。「子供たちを全員トラックに乗せて。あとの住民は残らず抹殺しなさい」

ユーリは命令に異議を唱えようとはしなかった。自分たちがここに来た目的を理解しているからだ。

少女はまだ片手を差し出したままだ。「ウンキ・ペペ」

ユーリはその小さな指を自分の手で包み込んだ。拒むことはできない。引き返すことはできない。

〈ああ、そうだよ〉

第一部

1

現在
九月五日午後一時三十八分
ワシントンDC

自分の腕に抱かれたまま人が命を落とすことなど、めったにあるものではない。

ナショナルモールを横切っていたグレイ・ピアース隊長は、ホームレスの男性が自分の方へと近づいてきていることに気づいた。この日、グレイは機嫌が悪かった。激しい言い争いを終え、次も口論必至の場所へと向かっている途中だったからだ。真昼の暑さがいらだちをさらに募らせる。この時期のワシントンではお馴染みの蒸し暑さで、歩道からの照り返しがきつい。コットンのシャツの裾をジーンズから出し、その上にネイビーブルーのブレザーを羽織っていたグレイは、このまま気温が上昇するとミディアムどころかウェルダンにこんがり焼き上がってしまうのではないか、そんな気すらしていた。

半ブロックほど前方で、痩せこけた人物がグレイに向かって手を振っていた。ホームレスの男性はぶかぶかのジーンズの裾を足首まで巻き上げていて、古ぼけたアーミーブーツが見えている。ブーツの紐はきちんと結んでいない。しわくちゃのジャケットを着た猫背の男性が近づくにつれて、グレイはその男性の顎ひげに白いものが混じっていることに気づいた。落ち着きなく周囲を見回す目は、充血して真っ赤だ。

ナショナルモールの周辺でこのような物乞いの姿を目にするのは、決して珍しいことではない。先週末に労働者の日《レイバー・デー》の祝日が終わったばかりだから、なおさらだ。観光客たちは普段の生活に戻り、警備に当たっていた機動隊も地元のバーに入り浸るようになり、清掃業者はにぎわいを見せた祝日の痕跡《こんせき》を消し去ってしまった。いまだに通りをうろついているのは、古い骨に付着した肉をあさるカニのように、狭い隙間に入り込んだ小銭を探したり、ごみ箱に捨てられた瓶や缶を拾ったりしている人たちくらいだろう。

スミソニアン・キャッスルを目指してジェファーソン通りを歩いていたグレイは、ホームレスの男性を避けようとはしなかった。それどころか、しっかりと視線を合わせた。男性の存在を確認すると同時に、危険がないか判断するためだ。生活に困っているわけではないのに物乞いのふりをして金をせびろうとする連中がいるのも事実だが、その一方で路上生活をしている人たちのほとんどは、不運に見舞われたか、薬物中毒か、あるいは何らかの精神疾患にかかっている。しかも、決して少なくない人数が、軍を除隊になった元軍人だ。グレイはそんな人たちから目をそむけることができなかった。男性の目が輝いたのは、グレイの思いを感じ取ったからかもしれない。

垢にまみれ、しわが刻まれた男性の顔に、安堵感と期待の入り混じったような表情が浮かんだのを、グレイは見逃さなかった。グレイの姿を確認すると、ホームレスの男性は意を決したかのように足を速めた。せっかく出会えた獲物が、自分が近寄るよりも先にスミソニアン・キャッスルへと逃げ込んでしまっては困ると思ったのだろう。男性の手足が震えた。酔っ払っているのか、あるいはアル中の禁断症状かもしれない。

男性の片手が前に伸びる。手のひらが上を向いている。

ブラジルのスラム街であっても、バンコクの路地であっても、世界中どこでも通用する仕草。

〈どうか、お恵みを〉

グレイはブレザーの内ポケットの財布に手を触れた。すぐにお金を与えるグレイを見て、物乞いのいいカモだと思う人も多い。「連中はもらったお金をすぐに酒か薬に変えちまうんだぜ」と言う人もいる。だが、グレイは意に介さなかった。自分は判断を下す立場にない。目の前に困っている人間がいるなら、助けるのが当たり前だ。グレイは財布を取り出した。頼まれれば、拒まない。それがグレイのモットーだった。正直なところ、そんな施しの行為は、グレイ自身のためでもあった。向き合うことを避けてきた心の奥底の罪悪感を少しでも和らげるため、他人に対して優しく接しようと努める。

そのために必要なのは、せいぜい一ドルか二ドルだ。

悪い買い物ではない。

グレイは財布の中身を見た。二十ドル札しかない。メトロの駅にあるＡＴＭで金を下ろしたばかりだった。グレイは肩をすくめ、アンドリュー・ジャクソンの肖像画が描かれた紙幣を取り出した。

まあ、時には一ドルか二ドルより高くつくこともある。

顔を上げると、ホームレスの男性はすぐ目の前にいた。二十ドル札を差し出したグレイは、男性の手のひらに何かが乗っていることに気づいた。手のひらの真ん中に、薄汚れた硬貨が一枚。五十セント硬貨くらいの大きさだ。

グレイは顔をしかめた。

ホームレスからお金をもらうなんて、初めての経験だ。

グレイが状況を理解できずにいるうちに、ホームレスの男性は背後からいきなり誰かに押されたかのように前へつんのめった。男性の口が「あっ」と驚いているかのように大きく開いている。もたれかかってきた男性を、グレイは反射的に抱き止めた。

想像していたよりも体重が軽い。上着の下は、骨と皮ばかりに痩せている。骸骨が服を着て歩いているみたいだ。片手がグレイの頰をかすめた。かなりの熱を持っている。一瞬、グレイの頭に恐怖がよぎった。この男性は病気なのか。エイズかもしれない。だが、グレイは腕の中に倒れ込んできた男性を振りほどこうとはしなかった。

男性の体重を支えながら、グレイは左手を動かした。男性の背中側の腰のあたりが、生暖かい液体で濡れている。液体はグレイの指を伝って流れ落ちていく。

血だ。

グレイは本能的に体を反転させた。両腕で男性の体を抱きかかえたまま、道路の端へと向かい、歩道脇の茂みへと飛び込む。草が落下の衝撃を和らげてくれた。

さらなる銃声は聞こえてこない——しかし、さっきまで自分が立っていた付近のコンクリート製の歩道の上に、何かが跳ね返って二つの火花が飛び散るのは見えた。グレイはそのまま体を回転させ続け、スミソニアン・キャッスルの芝生に設置された鉄とコンクリート製の標識に達した。せいぜい腰ぐらいの高さしかない。グレイはホームレスの男性とともに、標識の陰に身を隠した。標識には、「スミソニアンの詳しい情報は、キャッスルの中でお訊ねください」と書かれている。

今のグレイにも情報が必要だった。

いったい誰が自分を狙っているのか?

モールとの間には頑丈な標識がある。一時的ではあるが、ひとまず身を隠すことはできた。十メートルも離れていないところには、スミソニアン・キャッスルの通用口の扉が見える。すぐにでも飛び込みたい気分だ。メリーランド州セネカクリークで採取された赤い砂岩を使用した建物には、多くの小塔と尖塔がそびえている。ノルマン風の建築様式で、砦のようなその外観は「キャッスル」の名にふさわしい。安全な砦までは、ほんの数歩しか離れていない。しかし、その距離を移動する間、二人は狙撃者の前に姿をさらすことになる。

グレイは腰のホルスターから拳銃を取り出した。小型のシグ・ザウエルＰ２２９。目標が見えるわけではない。それでも、狙撃者が接近してきた場合に備えて、グレイは銃を構えた。

グレイの隣で、ホームレスの男性がうめき声をあげた。背中全体が血で真っ赤に染まっている。つらい人生にとどめを刺すような不運に見舞われた男性のことを思うと、グレイは心が痛んだ。小銭を恵んでもらおうと近づいてきたばかりに、背後から銃弾を浴びてしまうなんて。グレイの命を狙った狙撃の巻き添えを食ってしまったのだ。

しかし、いったい誰が自分を狙っているのか？　その理由は？

ホームレスの男性は震える片手を持ち上げた。だが、苦しげな息づかいとともに、手を支える力が失われていく。進入口と出血量から推測すると、銃弾はおそらく腎臓を貫通したに違いない。この男性のように衰弱した人にとっては致命傷だ。男性の手がグレイの太腿に当たった。指が開くと、ずっと握られていた薄汚れた硬貨が落ちる。撃たれても手放すことなく、握り締めていたのだろう。硬貨はグレイの足に当たり、芝生の上に転がり落ちた。

最後の贈り物。

これまで受けた施しに対する、せめてもの恩返しなのだろうか。

硬貨が落ちると同時に、ホームレスの男性の手足から力が抜けた。頭がグレイの肩に当たる。

グレイは小声でつぶやいた。

〈こんなことになって、すまない〉

グレイは銃を握っていない方の手で携帯電話を取り出した。親指を使って開き、緊急の短縮ダイヤルのボタンを押す。すぐに相手が出た。

グレイは緊急事態の発生を早口で中央司令部に伝えた。

「救援をそっちに派遣した」司令官の声が聞こえた。「キャッスルの外に設置されたカメラが、君の姿をとらえている。大量の血が見えるが、怪我をしているのか?」

「いいえ」グレイは短く答えた。

「そこから動くんじゃないぞ」

指示されるまでもないことだ。今のところ、さらなる銃弾が発射された気配はない。身を守ってくれている標識に銃弾が当たる衝撃音も聞こえない。狙撃者はすでに立ち去った可能性が大きい。それでも、グレイは動くつもりなどなかった——援軍が到着するまでは。

携帯電話をポケットにしまうと、グレイは芝生の上に転がり落ちた硬貨を拾い上げた。重くて厚みがあり、鋳造技術は高くない。硬貨をつまんだグレイは、無意識のうちに指で表面をこすっていた。指に付着していた死んだ男性の血液で、硬貨の表面にこびりついていた汚れが落ちる。硬貨の表面には、ギリシアあるいはローマの神殿のような建物が描かれていた。とがった三角形の屋根を、六本の柱が支えている。

〈これはいったい？〉

硬貨の中央部には、ある文字が刻まれていた。

ギリシア文字のΣのように見える。

シグマ。

数学の世界において、Σの文字はすべてのパーツの総和を意味する。同時に、それはグレイが所属する組織を表す記号でもある。シグマは米国国防総省の防衛高等研究企画庁、通称ＤＡＲＰＡの管轄下に置かれた機密軍事組織で、科学分野の再訓練を受けた元特殊部隊の兵士たちで構成される精鋭部隊だ。

グレイはキャッスルの方に目を向けた。シグマの司令部はそこにある。スミソニアン・キャッスルの基礎部分の地下、第二次世界大戦中に掩蔽壕《えんぺいごう》として使用されていた部分だ。政府の各機関、ペンタゴン、民間や国の様々な研究施設がすぐ近くにあり、立地条件に恵まれている。

硬貨へと視線を戻したグレイは、自分の勘違いに気づいた。表面に描かれていたのは、ギリシア文字のΣではない――アルファベットの大文字のＥだ。追い詰められた状況下で、目が錯覚を起こしたのだろう。存在しない文字が見えてしまったのだ。

この数週間のグレイは、存在しないものを追い求めてばかりいる――少なくとも、同僚たちは彼の行動をそう見ていた。ほぼ一カ月間、彼は行方不明になった友人のモンク・コッカリスが、まだ生きているという確かな情報を探し求めていた。しかし、シグマが持つありとあらゆる情報源を利用しても、グレイの調査は暗礁に乗り上げていた。

「幻影を追いかけてどうするつもりだ？」最初の二週間が過ぎた頃、ペインター・クロウはそう警告した。

その通りかもしれない。

スミソニアン・キャッスルの正面の扉が勢いよく開き、黒い服に身を包んだ十人ほどの人影が外へと姿を現した。両手で銃をしっかりとつかみ、肩の高さで構えている。

援軍の到着だ。

周囲を警戒しながら移動しているが、彼らに向かって発砲する者はいない。

グレイの近くまで素早くたどり着くと、隊員たちは周囲を取り囲んだ。

一人がホームレスの男性の脇にかがんだ。医療器具を取り出して、救命措置を行なおうとしている。

「手遅れだと思う」グレイは伝えた。

隊員は男性の脈を調べた。グレイの予想通りだった。

すでに死んでいる。

グレイは立ち上がった。

上司のペインター・クロウが脇の通用口に立っているのを見て、グレイは驚いた。ジャケットを着ておらず、シャツの袖は肘のあたりまでまくっている。クロウ司令官は扉を押し開けて外に出てきた。表情はこわばっている。グレイよりも十歳年上だが、ペインターの身のこなしは筋肉の引き締まったオオカミを思わせる。おそらく、司令官は危険が最小限だと判断したのだろう。あるいは、グレイと同じく、狙撃者はすでに立ち去ったと察知したのかもしれない。

いずれにしても、机の後ろに大人しく座っていられない性格であるのは間違いない。

遠くからサイレンの音が響く中、ペインターはグレイのもとに歩み寄った。「地元の警察に連絡して、モールは封鎖させた」ペインターは早口で伝えた。

「人員が足りませんし、間に合いませんよ」

「たぶんな。だが、弾道を分析すれば銃弾の軌道範囲を絞り込むことができる。発射地点を突き止めることが可能だ。尾行されていたのか？」

グレイは首を横に振った。「されていなかったはずです」

モールの様子を観察する司令官の目を見ながら、グレイはペインターの頭の中で行なわれているであろう状況分析を読み取ることができた。グレイを暗殺しようと企むのは誰か？　しかも、シグマの司令部と目と鼻の先で。警告の意味があるのは明らかだが、何に対する警告なのだろうか？　カンボジアでの前回の任務が終了して以降、グレイは作戦に参加していない。

「君の両親の安全はすでに確保した」ペインターは告げた。「念のための措置だ」

グレイはうなずいた。司令官の心遣いはありがたい。もっとも、父はいい顔をしないだろう。

母だって同じだ。ほんの二カ月前、両親は誘拐され、命の危険にさらされたばかりなのだから。

脅威が間近に潜んでいる可能性が少なくなる中、グレイは頭を切り替えた。誰が自分を殺害しようとしたのか？　さらに重要なのは、その理由だ。グレイは一つの可能性に思い当たった。現在、調査を行なっている件だ。友人の行方に関する自分の調査が、何者かの利害と衝突したのだろうか？

目の前に死体が転がっているにもかかわらず、グレイの心の中で期待がふくらんだ。

「司令官、この暗殺計画は――」

ペインターは手を上げてグレイの言葉を遮った。眉間《みけん》にしわを寄せ、どこか不安げな様子だ。ペインターはホームレスの男性の脇に片膝をつき、そっと顔を確かめた。一瞬の間をおいて、彼は地面から膝を離した。目つきがいっそう険しくなる。不安がさらに募っている様子だ。

「どうしたんですか？」

「グレイ、君の命が狙われたわけではないと思う」

グレイは歩道へと目を向けた。ほんの少し前まで自分が立っていた場所に、火花が飛び散った光景は鮮明に記憶に残っている。

「少なくとも、君は第一の標的ではなかった」司令官は話を続けている。「おそらく狙撃者は、目撃者としての君を抹殺しようとしたのだろう」

「なぜそう言い切れるのですか？」

ペインターは死体に向かってうなずいた。「この男性を知っている」

司令官の言葉は、グレイにとって予想外だった。

「彼の名前はアーチボルド・ポーク。ＭＩＴの神経学の教授だ」

にわかには信じることができず、グレイは男性の死体に目を向けた。黄疸《おうだん》が出ているような顔色、垢にまみれた肌、ろくに手入れをしていない顎ひげ。だが、司令官の声は確信に満ちていた。その通りだとすれば、この男性はなぜこんなにもやつれてしまったのだろうか？

「彼の身にいったい何が起こったのですか？」

ペインターは立ち上がると首を横に振った。「わからん。ここ十年間ほど、連絡を取っていなかったんだ。だが、それよりも重要な疑問がある。なぜ彼は殺されなければならなかったのか？」

グレイは男性の死体をじっと見つめた。頭の中で下した判断を修正する。自分が狙撃者の標的ではなかったのであれば、本来なら安心するべきだろう。その一方で、ペインターの言う通りだとすれば、自分が行なっていた調査は今回の襲撃とは無関係だということになる。

再び怒りが湧き上がってきた。それと同時に、ある種の責任感のようなものも。

この男性は、グレイの腕の中で息を引き取ったのだ。

「彼はここへと向かっていたに違いない」ペインターはつぶやきながら、キャッスルの方へ視線を向けた。「私に会いに来たんだ。だが、なぜだ？」

男性が何かに急き立てられるかのように歩いていたことを思い出しながら、グレイは片手を差し出した。血の付着した手のひらには、古い硬貨が乗っている。「これを手渡したかったのかもしれません」

午後二時二分

遠くで響くサイレンの音を聞きながら、年配の男はペンシルバニア通りをゆっくりとした足取りで歩いていた。くすんだグレーのスーツに身を包んでいる。片手に古ぼけた旅行かばんを持ち、もう片方の手は女の子の手を握っていた。九歳の少女が着ているドレスも、男のスーツと同じ色だ。黒い髪は赤いリボンで後ろに束ねている。顔色は青白い。きれいに磨かれた黒い靴には、生乾きの泥が付着している。ついさっき、男が迎えに行くまで遊んでいた公園の泥だ。

「パパ、お友だちは見つかったの？」少女はロシア語で訊ねた。

男は少女の手を握り返すと、疲れた声で答えた。「ああ、見つかったよ、サーシャ。だけど、英語で話さないといけないよ。わかったね？」

注意された少女は靴の裏を道路にこすりつけてから、再び訊ねた。「お友だちは会えてうれしそうだった？」

男の脳裏に、狙撃銃の照準を通して見た映像がよみがえる。銃弾を浴びて倒れる男の姿。

「ああ、喜んでいた。ずいぶんと驚いていたけれどね」

「じゃあ、おうちに帰れるの？　マータが寂しがっているわ」

「もうすぐだよ」

「もうすぐって、いつ？」少女はすねた様子で訊ねながら、耳の後ろをかきむしった。彼女が指で引っかいた時、黒髪の間から銀色の光が輝いた。

男は握っていた少女の手を離すと、耳元をかいている指先を優しくつかみ、腕を下ろさせた。手で軽く押さえながら、髪の毛をなでつける。「もう一カ所、立ち寄らなければいけない場所がある。そこでの用事を済ませたら、おうちに帰れるよ」

男は十番街に近づきつつあった。右手に建物がそびえている。コンクリートの板で作られた不細工な箱に、飾りとしてたくさんの旗をつけたような代物だ。男は建物の入口へと向かった。

ここが次の目的地だ。

連邦捜査局（ＦＢＩ）の本部。

午後三時四十六分

ロッカーの内部から、何かがカタカタと揺れる音がする。

急いでロッカーへと向かったグレイは、濡れた床で足を滑らせそうになった。ちょうどシャワーを浴び終えたところで、腰のまわりにタオルを巻いただけという格好だ。襲撃を受けた際の状況について、クロウ司令官に詳しい報告を入れた後、グレイはシグマの施設がある掩蔽壕の最深部に位置するロッカールームへと下りた。一度シャワーを浴び、ジムで一時間たっぷりとウエイトトレーニングを行ない、再びシャワーで汗を流す。肉体を酷使したことで、グレイの精神は落ち着きを取り戻しつつあった。

だが、まだ十分にリラックスできていない。

殺人事件について、何らかの答えが得られるまでは。

ロッカーの前までたどり着くと、グレイは扉を引き開けた。金属製のロッカーの床の上で振動しているブラックベリーに手を伸ばす。クロウ司令官からに違いない。だが、ブラックベリーをつかもうとした瞬間、振動が止まった。電話は切れてしまったようだ。発信者の名前を確認したグレイは、顔をしかめた。ペインター・クロウ司令官からではない。

ブラックベリーの画面には、「R・トライポル」と表示されている。

あわや忘れるところだった。

海軍情報局のロン・トライポル大佐。

大佐はインドネシアにあるプサト島での回収作戦の指揮を執っていた。沈没したクルーズ船

「海の女王号」の引き揚げ評価に関する報告書が、今日発表される予定だった。大佐は海軍の潜水艦二隻を現場へと派遣し、沈没した船体と周辺海域の捜索を行なっていた。

しかし、グレイはその捜索に関して、個人的な情報を得ようとしていた。

グレイの同僚であり友人でもあるモンク・コッカリスの姿が最後に目撃されたのが、そのプサト島だった。重量のある網に絡まって身動きが取れなくなったまま、水中へと沈んでいったところまでは確認されている。トライポル大佐はモンクの遺体の捜索を引き受けてくれた。大佐はモンクの妻であるキャット・ブライアントのかつての同僚で、良き友人でもあったからだ。

今朝、グレイはメリーランド州スートランドにある全米海事情報センター（ＮＭＩＣ）へと自ら出向き、話を聞かせてほしいと申し入れた。だが、グレイへの対応はそっけないものだった。報告のための会議が行なわれている最中なので、終わるまで待つようにと告げられたのだ。そのためグレイは憤然とワシントンに戻り、海軍に圧力をかけるよう司令官に直談判をしようとしたのだった。

この大切な案件を失念していたという罪悪感に頬が赤らむのを感じつつ、グレイはコールバックボタンを押して電話を耳元に当てた。ＮＭＩＣへと回線がつながるのを待ちながら、グレイはベンチに腰を下ろし、向かい側にあるロッカーへと視線を移した。扉に貼られたガムテープの上には、ロッカーのかつての持ち主の名前が黒のマジックペンで記されている。

モンクの死は受け入れなければならない。しかし、誰もテープを剝がそうとはしなかった。口には出さないが、かすかな期待を寄せている。ただし、そう思っているのはグレイだけかもしれないが。

グレイは友人に借りがあった。

モンクとグレイは、シグマで肩を並べながら苦楽を共にしてきた。モンクはグリーンベレーからシグマへと引き抜かれた。グレイがレヴェンワース連邦刑務所を出所後にシグマへとスカウトされたのも、ほぼ同じ頃だ。陸軍のレンジャー部隊に所属していたグレイは、上官を殴打したために服役する羽目になったのだ。二人は出会ってすぐに友人となった。もっとも、シグマのほかの隊員の間からは、なぜあの二人はうまが合うのかわからないという声がよく聞かれた。背が高くスリムな体型のグレイに対して、モンクは身長が百六十センチほどしかなく、スキンヘッドのピットブルのように見える。しかし、二人の本当の違いは、外見だけにとどまらない。妥協することを知らなかったグレイの鋼《はがね》のような心は、モンクののんびりとした性格に感化されて、ゆっくりとではあるが角が取れてきた。モンクの友情がなかったら、グレイは陸軍のレンジャー部隊の時のように、シグマでも揉め事を起こしていただろう。

相手が出るのを待ちながら、グレイはかつての相棒の姿を思い描いていた。この数年間、二人は数え切れないほどの修羅場を一緒にくぐり抜けてきた。モンクの体には、それを証明する銃創や傷跡がいくつもある。ある作戦の最中には左手の手首から先を失い、それ以降は義手を装着していた。こうして座っている今も、グレイの耳にははっきりと聞こえてくるような気がした。腹の底から絞り出すようなモンクの笑い声が。法医学の訓練を受けた天才レベルのＩＱを裏付けるような、静かな情熱にあふれた声が。

あんなに大きくて、あんなに大切な存在が、消えてしまうはずがない。何の痕跡も見つからないなんておかしい。

ようやく相手が電話に出た。「ロン・トライポル大佐です」厳しい口調の声が聞こえる。

「大佐、グレイ・ピアースです」

「ああ、隊長か。よかった。午後に連絡できればと思っていたところだ。次の会議が始まるまで、あまり時間がないものでね」

グレイはすでによくない知らせであることを感じ取っていた。「大佐？」

「前置きなしで結論を伝えよう。捜索を中止するようにとの命令を受けた」

「何ですって？」

「我々は二十二名の遺体を回収することができた。歯型と照合した結果、君の探している友人に該当する遺体はなかった」

「たった二十二名ですか？」犠牲者の数を控えめに見積もった数字と比較したとしても、その人数ではごく一部の遺体しか発見できなかった計算になる。

「何が言いたいかはわかるよ、隊長。しかしだな、水深と水圧のせいで回収作業が思うように進まないのだ。あの礁湖《しょうこ》の湖底には、洞窟や溶岩洞の入口が無数にある。しかも、その多くは迷路のように何キロも伸びている」

「ですが――」

「隊長」大佐の口調は変わらない。「二日前、我々は一名の潜水夫を失った。妻と二人の子供がいる、いいやつだった」

グレイは目を閉じた。仲間を失った悲しみはよくわかる。

「洞窟にまで捜索の範囲を広げれば、さらに多くの命が危険にさらされる。何のためにそこまでする必要があるというのだ？」

グレイは返事をしなかった。

「ピアース隊長、君もあれ以上の連絡は受けていないはずじゃないのか。謎のメッセージは、あれから届いていないのだろう？」

グレイはため息をついた。

大佐の協力を取りつけるために、グレイは自分が受け取った……正確には、受け取ったと思われるメッセージのことを伝えた。あれはモンクが行方不明になってから数週間後のことだ。ＤＡＲＰＡのプサト島での一連の出来事の後、回収できた友人の形見の品は義手だけだった。

技術者がバイオテクノロジーの最新技術の粋を集めて作り上げた製品だ。その義手をモンクの葬儀が行なわれる会場へと運ぼうとした時、指が動いてSOSの合図を叩き始めた。時間にしてほんの数秒間――しかも、それを聞いたのはグレイだけだった。それっきり、メッセージが送られてくることはない。義手を調べた技術者は、単なる機器の不具合だろうと結論づけた。義手のデジタルログにも、何らかの信号を受信した記録は残っていなかった。単純な誤作動。それだけの話だ。デジタル化が進むと、幽霊も凝った登場の仕方をするのかもしれない。

それでも、グレイはあきらめようとしなかった――一週間が過ぎ、また一週間が過ぎても。

「隊長？」トライポル大佐の呼びかける声がする。

「ええ」グレイは渋々認めた。「あれ以来、メッセージは届いていません」

一呼吸置いてから、トライポル大佐はゆっくりとした口調で話し始めた。「それならば、もうこれ以上この件を掘り返さない方がいいように思う。みんなのためにもだ」大佐の声にいくらか穏やかな調子が混じり始めた。「キャットはどうなんだ？　君の友人の奥さんだよ。彼女はこの件に関して、何か意見があるのかい？」

グレイにとって、そこは触れてほしくない点だった。そもそも、彼女にこの話を伝えるべきではなかったのだ。だが、黙っていることなど、できるはずはなかった。モンクはキャットの夫で、二人の間にはペネロペという幼い娘がいるのだから。それでもやはり、キャットに知らせるべきではなかった。義手の一件を伝えるグレイの話を、キャットは表情一つ変えずに聞いていた。黒い喪服を着たキャットは、体をこわばらせて立ったままだった。深い悲しみで、彼女の目つきはすっかり変わってしまっていた。キャットはグレイの話が、今にも切れそうな細い命綱同然だとわかっていた。ほんのかすかな希望にすぎないということを理解していた。黒いリムジンの後部座席に座ったペネロペに目を向けてから、キャットはグレイの方に向き直った。あの時、キャットは何も言わなかった。一回、首を横に振っただけだ。あやふやな命綱にすがることはできなかったのだ。モンクを二度も失うことなど、とても耐えられないと思ったのだろう。心身ともに弱っているところに、必死の思いですがりついた希望までもが消えてしまったら、もう立ち直ることはできない。それに、キャットにはペネロペがいる。モンクの忘れ形見がいる。血の通った、実体を伴った存在。幻影のような存在とは違う。

グレイはキャットの気持ちを理解した。だから、彼は一人でモンクの行方を調査し続けてきた。あの日以来、グレイはキャットと話をしていない。それが二人の間に存在する無言の約束だった。何らかの形で事態が決着を見るまで、グレイから話を聞きたくないというのがキャットの希望だった。だが、グレイの母はキャットとペネロペに会い、何度か一緒に数時間を過ごす機会があった。母はSOSの一件については何も知らない。だが、キャットの様子がどこかおかしいことに気づいていた。

「何かが頭から離れないみたい」母はキャットの様子をそう形容した。

何がキャットの頭を悩ませているのか、グレイにはわかっていた。

あの日、心に決めたにもかかわらず、キャットは命綱にすがってしまったのだ。頭では考えまいと思っても、心は言うことを聞いてくれない。それが彼女を苦しめている。

彼女のために、モンクの家族のために、グレイはつらい現実と向き合う必要があった。

「これまでのご尽力に感謝します、大佐」ようやくグレイの口から言葉が漏れた。

「君は彼のために正しいことをしたのだ、隊長。私にはわかる。だが、我々はみな、いつかは新たな一歩を踏み出さねばならないのだ」

グレイは咳払いをした。「部下を亡くされたことに対して、お悔やみを申し上げます」

「私からも君にお悔やみを申し上げる」

グレイは電話を切った。彼はしばらくの間、その場に立っていた。意を決して向かい側のロッカーへと歩み寄ると、冷たい金属製の扉に手のひらを押し当てた。まるで墓のような冷たさだ。

〈許してくれ〉

グレイは手を伸ばし、ガムテープの端をつまむと、一気に剝がした。

幻影を追い続けるのはこれで終わりだ。

〈じゃあな、モンク〉

午後四時二分

ペインターは机の上に置いた古い硬貨を指ではじいて回転させた。銀色の輝きを見つめながら、この硬貨がもたらした謎に神経を集中させる。硬貨は三十分ほど前に研究室から返却されてきた。硬貨と一緒に手渡された詳細な報告書には、一通り目を通してある。レーザーマッピングで指紋の検出を試みたほか、質量分析計で金属組成や表面に付着した汚れも解析されていた。大量の写真も添えられており、立体顕微鏡を用いて撮影された画像も含まれている。やがて回転速度が落ち、硬貨はマホガニー製の机の上に倒れて停止した。注意深く汚れが除去されたその表面には、古代の建築物が明るく輝いていた。

六本のドリス様式の柱に支えられた、ギリシアの神殿。

神殿の中央部には、大きな文字が刻まれている。

E

ギリシア文字のエプシロン。

裏側には女性の胸像が描かれ、その下には「ガレリア・ファウスティナ」の文字が記されている。報告書によると、少なくとも硬貨の由来に関する謎は解明済みだ。

だが、それがいったい――？

インターコムのチャイムが鳴った。「クロウ司令官、ピアース隊長が到着しました」

「わかった。通してくれ、ブラント」

ペインターが調査報告書を自分の方へ引き寄せると当時に、扉が開いた。グレイが室内に入ってくる。黒い髪はまだ濡れているが、きちんと整えてある。血に染まった服を着替え、胸元にＡＲＭＹの文字が入った緑のＴシャツに、黒のジーンズとブーツという格好だ。ペインターは室内に入ってきたグレイの表情に、影のようなものが浮かんでいることに気づいた。その一方、灰色がかった青い瞳には、疲れと同時に決意が宿っている。その理由は想像に難くない。ペインターも自らのルートを通じて、すでに海軍情報局から知らせを受け取っていた。

ペインターはグレイに座るよう合図した。

椅子に腰かけたグレイは、机の上の硬貨に視線を向けた。その目にかすかな好奇心の光が輝く。

それでいい。

ペインターは硬貨をグレイの方へと動かした。「隊長、君が無期限の休暇を申請したことは承知している。だが、私としては、君にこの一件を担当してもらいたい」

グレイは硬貨を手に取ろうとしない。「最初に質問があるのですが」

ペインターはうなずいた。

「あの死んだ男性。教授のことです」

「アーチボルド・ポークだ」

「確か司令官は、彼がここへ向かう途中だったと言っていました。司令官に会いに来たと」

ペインターはうなずいた。グレイの話がどこへ向かっているか、だいたい予想がつく。

「つまり、ポーク教授はシグマを知っていたわけですね？　シグマに関する情報は極秘扱いとされているのに、彼は我々の存在を認識していたのですね？」

「ああ。そういう言い方もできるな」

グレイの眉間にしわが寄った。「ほかにどんな言い方があるのですか？」

「アーチボルド・ポークはシグマの生みの親だ」

グレイが浮かべた驚きの表情を目にして、ペインターはかすかな満足感を覚えた。この男には少しばかりショックを与える必要がある。グレイは椅子に座り直した。

ペインターは「落ち着け」とでも言うかのように、グレイの方に手のひらを向けた。「私は君の質問に答えたぞ、グレイ。今度は君が質問に答える番だ。この一件を担当してくれるか？」

「教授が目の前で撃たれたのですから、誰よりも答えを知りたいと思っています」

「では、君の……課外活動の方はどうするんだ？」

グレイの目に苦痛の色が浮かんだ。おそらく、心に湧き上がる怒りを必死で抑えているのだろう。表情がいくらかこわばったようにも見える。「そちらにも知らせが届いているかと思いますが」

「ああ。海軍は捜索を中止した」

グレイは大きく息を吸い込んだ。「私もあらゆる手段を尽くしました。これ以上、自分にできることはありません。そのことは認めます」

「それで、君はモンクがまだ生きていると思っているのか？」

「それは……わかりません」

「わからないままで、君はかまわないのか？」

グレイはペインターの視線をしっかりととらえた。目をそらそうとしない。「仕方がありません」

ペインターは満足してうなずいた。「それならば、この硬貨の話に移ろう」

グレイが手を伸ばし、机の上の硬貨をつまみ上げた。指で挟んで何度もひっくり返しながら、きれいに磨き上げられた表面を観察している。「この硬貨について、何かわかったことはあるのですか？」

「かなりのことがわかった。これは二世紀に鋳造されたローマ帝国の硬貨だ。裏面に刻まれた女性の肖像画を見てほしい。ローマ皇帝アントニヌス・ピウスの妻、大ファウスティナだ。彼女は親を亡くした少女たちの庇護《ひご》者となり、女性のための慈善活動の後援も行なった。また、『シビュラ』と呼ばれる修道女会に強い関心を寄せていた。ギリシアの神殿からやってきたとされる、預言の力を持つ女性たちのことだ」

ペインターはグレイに、硬貨を裏返すように促した。「表にあるのがその神殿、デルポイの神殿だ」

「『デルポイの神託』で有名な神殿ですか？　巫女がいたとされる？」

「その通りだ」

ペインターの机の上に置かれた硬貨に関する報告書には、巫女に関する歴史的な事実も詳しく記されている。この女性たちは幻覚作用のある気体を吸引し、依頼者が訊ねる未来についての質問に答えていたという。しかし、彼女たちの預言は単なる占いの域を超えていた。デルポイの巫女たちは、古代世界において絶大な影響力を持っていたのである。千年以上の長きにわたり、巫女の神託のおかげで何千人もの奴隷が解放され、西洋民主主義の種がまかれ、人々の生活の尊厳が高められることとなった。古代ギリシアが未開人の住む地から進んだ文明を持つ国家へと発展した裏では、巫女の神託が重要な役割を果たしていたと主張する者さえいる。

「しかし、神殿の中心部に描かれている *E* には何の意味があるのですか？」グレイは訊ねた。

「この文字もギリシアと関連がありますね。エプシロンでしょう？」

「そうだ。それも巫女がいた神殿に由来するものだ。神殿には謎めいた碑文がいくつか刻まれていた。例えば、『グノーティ・セアウトン』だが、その意味は……」

「汝自身を知れ」グレイは答えた。

ペインターはうなずいた。グレイが古代哲学に精通していることを、改めて思い知らされる。ペインターがレヴェンワース出所直後のグレイをスカウトした時、彼は高等化学と道教を平行して学んでいた。ペインターの目に留まったのは、このようなほかの誰とも違う彼の精神構造だった。ただし、そうした独特なものの考え方には、代償がついてまわった。グレイは他人と協調することが必ずしも得意とは言えない。この数週間の行動だけを見ても、それは明らかだ。そんな彼の心を、目の前の問題に集中させる必要がある。

「問題の*E*についてだが」ペインターは硬貨を見てうなずきながら続けた。「神殿の至聖所に彫られている」

「それがどんな意味を持つのですか?」

ペインターは肩をすくめた。「わからない。ギリシア人さえもわからなかった。数多くの歴史家が、古くは古代ギリシアの学者プルタルコスまでもが、この文字の意味を解明しようと努めてきた。現在の歴史家たちの間では、以前は二つの文字が存在していたのではないかというのが通説になっている。*G*と*E*の二文字で、大地の女神ガイアを表していたというのだ。デルポイの最初期の神殿は、ガイアを祭るために建立されている」

「そうだとしても、意味がそんなにも謎めいているのであれば、どうして硬貨に記したりしたのでしょう？」

　ペインターは机の上の報告書をグレイの方へと滑らせた。「詳しいことは、この中に書いてある。時代の変遷とともに、*E*は神託を熱狂的に信奉する者たちのシンボルとなった。様々な時代の絵画の中に、その文字は描かれている。例えば、ニコラ・プッサンの『七つの秘蹟《ひせき》』では、ペテロに天国への鍵を手渡すキリストの頭上に記されている。*E*は世界の根本を揺るがすような変化が訪れる時を示しているとされる。多くの場合、それはデルポイの巫女だったり、あるいはナザレのイエスだったり、一人の人物によってもたらされる変革だということだ」

　グレイは机の上の報告書には手を触れずに、首を振っただけだった。「でも、これらのことが死亡した男性とどう関係しているのですか？」グレイは銀の硬貨を高く掲げた。「これは価値のある硬貨なのですか？　人の命を奪うほどの価値が？」

　ペインターは首を横に振った。「特に価値があるわけではない。そこそこ貴重なものらしいが、取り立てて珍しいというわけでもないようだ」

「それなら何が――？」

　インターコムの呼び出し音がグレイの言葉を遮った。「クロウ司令官、お話し中に申し訳ありません」スピーカーから補佐官の声が聞こえてきた。

「どうかしたのか、ブラント」

「病理学研究室のドクター・ジェニングスから緊急の連絡が入りました。至急、テレビ回線を通じて話をしたいとのことです」

「わかった。第一モニターにつないでくれ」

グレイが席を外そうと立ち上がったのに気づいて、ペインターは座るように手で合図をしてから、椅子の向きを変えた。地下の掩蔽壕に作られたペインターのオフィスには、窓が一つもない代わりに、三台の大型プラズマスクリーンが壁面に取り付けられている。ペインターと外の世界とをつなぐ窓の役割を果たしているのが、このスクリーンだった。それまで三台とも画面は真っ暗だったが、左端のモニターに電源が入った。

画面に病理学研究室の内部が映し出された。ドクター・マルコム・ジェニングスの姿が見える。シグマの研究開発部門の部長を務める六十歳のジェニングスは、手術衣を着用しており、プラスチック製の透明なフェイスマスクを頭の上に乗せていた。彼の背後には病理学ではお馴染みの光景が映っている。コンクリート製の床、いくつも並んだデジタル式のはかり、中央のテーブルの上に横たわるきちんとシートがかけられた遺体。

アーチボルド・ポーク教授の遺体だ。

市の遺体安置所からシグマへと遺体を移送するためには電話を何本かかける必要があったが、法病理学者としてのマルコム・ジェニングスの名声のおかげで、手続きはスムーズに運んだ。

だが、彼が硬い表情を崩さないことから推測すると、何かまずい事態が起こったに違いない。

「何かあったのですか、マルコム？」

「研究室を隔離する必要がある」

かなりまずい事態であることは間違いない。「感染の危険があるとでも？」

「そうではない。だが、危険であることには変わりない。ちょっと待ってくれよ」ジェニングスの姿が画面から消えたが、声は聞こえてくる。「予備検査の段階で、もしかしたらと思ったんだ。部分的に脱毛が見られ、歯のエナメル質が溶けているし、皮膚に火傷のような跡がある。撃たれなかったとしても、おそらくあと数日の命だったはずだ」

「いったい何が言いたいのですか、マルコム？」ペインターは訊ねた。

その質問には答えずに、ドクター・ジェニングスは再びカメラの前に姿を現した。かなり重量のありそうなエプロンのようなものを身に着けている。手に持った機器の先には、黒い棒が付いていた。

グレイが立ち上がり、モニターの方へと近づいた。

ドクター・ジェニングスが遺体の上に黒い棒をかざす。もう片方の手に持った機器が、ガリガリという大きな音を発し始めた。ジェニングスはカメラの方に顔を向けた。

「この遺体は被曝《ひばく》している」

2

九月五日午後五時二十五分
ワシントンＤＣ

屋外のむせ返るような熱気の中に戻ったグレイは、スミソニアン・キャッスルの正面の歩道を歩いていた。左手にはナショナルモールが広がっている。この暑さのせいで、人通りはほとんどない。

グレイの背後には立入禁止のテープが貼られていて、午後に発生した殺人事件の現場を示していた。科学捜査班による現場検証はすでに終わっていたが、周辺は依然として立ち入りが規制されていて、ＤＣ警察の警官が監視の目を光らせている。

グレイはジェファーソン通りを東へと向かった。すぐ後ろを大柄なボディーガードが歩いていたが、グレイはその存在をあえて無視しようと努めた。ボディーガードなど要請していないし、よりによってこの男だとは。グレイは喉元に装着したマイクに触れ、サブヴォーカライズの手法で語りかけた。「痕跡を発見しました」

ワイヤレスのイヤホンには、耳障りな雑音しか返ってこない。頭を軽く傾けて、グレイはイヤホンの位置を調節した。「もう一度、お願いします」

「痕跡をたどることは可能か?」ペインター・クロウの質問が聞こえた。

「ええ……ただ、どこまでたどれるかはわかりません。数値がかなり低いのです」この追跡作戦を提案したのはグレイ自身だった。彼は手に持った機器に目を向けた。携帯式放射線測定器のガンマスカウト。内部にハロゲンを添加したガイガー＝ミュラー計数管は、微量の放射線でも感知することができる。ポークの遺体から検出されたストロンチウム９０同位体に設定を合わせれば、その精度はさらに増す。グレイはポークの歩いた道筋に微量の痕跡が残留しているのではないかと考えたのだった。においの代わりに、放射線をたどるようなものと思えばいい。作戦はうまくいきそうだった。

「頼んだぞ、グレイ。この数日間の教授の居場所に関する情報は、どんな小さなものでも重要だ。彼の娘にはすでに電話を入れたのだが、まだ連絡が取れずにいる」

「行けるところまでこの跡を追ってみます」グレイは測定器に視線を落としたまま、歩道を歩き続けた。「何か発見したら、すぐに報告を入れます」

グレイはマイクの電源を切り、ナショナルモールに沿って進み続けた。半ブロックほど進んだところで、測定器の信号が突然消えた。舌打ちをしながら、グレイは立ち止まり、後ずさりし、後ろを歩いていたボディーガードにぶつかった。

「勘弁してくれよ、ピアース」不機嫌そうな声がする。「この靴は磨いたばかりなんだぜ」

肩越しに振り返ると、筋肉質の巨体が目に入る。海軍の元上等水兵、ジョー・コワルスキだ。スポーツコートもスラックスも、まったく体型に合っていない。短く刈り込んだ黒い髪と、以前に折れて曲がったままの鼻を見ると、毛を剃ったゴリラがしわくちゃのスーツを無理やり着させられているような印象を受ける。

コワルスキは前かがみになり、スポーツコートの裾で靴の汚れをぬぐった。「三百ドルもしたんだぞ。チェーンステッチのチャッカで、イギリスからの輸入品だ。足のサイズに合わせて特注したんだからな」

片方の眉を吊り上げながら、グレイはガンマスカウトの画面から顔を上げた。

コワルスキは少し言いすぎたと思ったようだ。おどおどしたような表情を浮かべている。

「つまりだな、お気に入りの靴なんだよ。わかるだろ？　デートの約束をしていたんだけど……どたキャンされちゃってさ」

女性の判断は賢明だと言えるだろう。

「そいつは残念だったな」グレイは声をかけた。

「まあ……傷がついたわけじゃないし」コワルスキは答えた。

「デートができなくて残念だったな、という意味だよ」

「そりゃそうさ」コワルスキは肩をすくめた。「彼女は残念がっているだろうなあ」

これ以上話に付き合っていられない。グレイは携帯型の測定器に注意を戻すと、ゆっくりと円を描くように歩き始めた。右に一歩寄ると、再び放射線を感知できた。痕跡は歩道から斜めに離れ、モールの芝生の中へと向かっている。「こっちだ」

教授の残した痕跡をたどっていくと、ハーシュホーン博物館の向かい側にある彫刻の庭に到達した。ポークの歩いた道筋は、周囲からやや低く影になったオアシスのような庭園を通り抜け、再びモールの中を横切っていく。労働者の日のメディア向けのイベントが開催されていたテントの脇を通り過ぎる。テントはまだ解体作業中だった。

グレイは周囲よりも低くなった彫刻の庭の方を振り返った。教授がたどったと思われる道筋を目で追う。「人目を避けようとしていたみたいだな」

「それとも、ただ暑かっただけかもしれないぜ」コワルスキは額の汗をぬぐった。

グレイは周囲を見回した。西側にはワシントン記念塔があり、その先端は灼熱の太陽を指差すかのように伸びている。東側に見えるドーム状の建物は、合衆国連邦議会の議事堂だ。

グレイは答えを求めて歩き続けた。モールを横切るにつれて、ガンマスカウトに表示されるデジタルの数字が小さくなっていく。一歩進むたびに、放射線の値が数ミリレムずつ減少する。

モールの反対側まで行き着くと、グレイはマディソン通りを小走りに横断した。別の公園内に入ると、再び放射線の痕跡が感知できた。ハナミズキとサルスベリの茂みへと近づくにつれて、数値が再び上昇し始める。膝くらいの丈のあるアジサイの植え込みの脇に、ベンチが置かれている。

グレイはベンチへと近づいた。

人目につきにくいと思われるこの地点で、放射線の値はさらに高くなった。

ポークはこの場所に座っていたのだろうか？　残留放射線量が高いのは、そのためなのだろうか？

花をつけたサルスベリの枝を少し動かすと、ここからはモールの全景が一望できる。スミソニアン・キャッスルの建物も、間を遮るものなく確認することが可能だ。教授はこのベンチに座り、安全だと思えるまで待っていたのだろうか？　グレイは手をかざしながら、西の空に輝く太陽の光を見つめた。マルコムの診断結果が脳裏によみがえる。ポークは体力を奪われ、衰弱していた。死期が迫っている事実に、自分でも気づいていたのだろう。必死の思いで、ベンチから移動を始めたに違いない。

だが、いったいなぜ？

グレイがベンチから離れようとした時、コワルスキの咳払いが聞こえた。片膝をついて靴に付着したほこりを払いながら、もう片方の手をベンチの下に伸ばしている。「これを見てくれ」そう言いながらコワルスキは立ち上がり、グレイの方へと向き直ると、小型の双眼鏡を差し出した。

グレイは測定器を双眼鏡に近づけた。数値が跳ね上がる。「かなりの線量だな」

コワルスキは顔をしかめ、ストラップをつまんで双眼鏡を体から離そうとした。「いらない。おまえにやるよ」

グレイは双眼鏡を受け取った。コワルスキが怖がっているのには根拠がない。確かに、放射線は検出されたものの、通常の背景放射線よりもやや数値が高い程度だ。

グレイは双眼鏡を目に当て、キャッスルの方向をのぞいた。建物の姿が視界の大半を占める。グレイは建物の前を横切る人影に目を凝らした。双眼鏡を通して見ると、歩行者の顔つきまではっきりと確認できる。グレイは自分の方へと近づいてきた時のポークが、あわてた様子だったことを思い出した。あの時は、何とか施しをもらおうとする物乞いが必死になっているのだろうとしか思わなかった。ポークがこのベンチを離れたのは、残された時間が少なかったからだけではない。モールを横切るグレイの姿を確認し、何とか接触しようとしてこの隠れ場所を抜け出したのではないだろうか？

グレイは双眼鏡を下ろし、腰に装着した鉛張りの袋の中へと入れた。

「行くぞ」

茂みから離れ、グレイは再び痕跡をたどってマディソン通り沿いに西へと進み、短い階段にたどり着いた。

痕跡は階段の上へと続いている。

顔を上げたグレイの目に、ある大きな建物のモール側の入口が飛び込んできた。スミソニアンの中でも最も有名な博物館の一つ、国立自然史博物館だ。世界各地から集められた生態学、地質学、考古学に関する遺物が、ごく小さな化石からティラノサウルスの全身の骨格に至るまで、大量に所蔵されている。

グレイはさらに上へと目を向けた。六本のコリント様式の巨大な柱が三角形のポルチコを支えており、そのポルチコを博物館のドームが見下ろしている。その光景を見上げていたグレイはふと、博物館のファサードと教授の持っていた硬貨に描かれていた神殿とがよく似ていることに気づいた。

〈何か関連があるのだろうか？〉

さらに痕跡を追って建物の内部へと入る前に、グレイは中央司令部に報告を入れておくべきだと判断した。脇に移動して石造りの欄干《らんかん》に寄りかかりながら、暗号のかかった無線のスイッチを入れる。すぐにクロウ司令官が応答した。

「何か発見したのか？」ペインターは訊ねた。

グレイはかすかに聞き取れる程度の声で答えた。「教授の足取りを逆にたどっていくと、スミソニアンの自然史博物館の内部へと通じているようです」

「博物館……？」

「建物の内部で調査を継続します。しかし、教授とこの博物館との間には、何か関連があるのでしょうか？」

「特に思い当たることはない。過去の同僚にも当たってみることにしよう」

グレイはドクター・ポークの過去に関してペインターが口にした言葉を思い出した。「クロウ司令官、もう一ついいですか。まだ説明してもらっていない事柄があります」

「何のことだ、隊長」

「教授がシグマフォースの『生みの親』だという話でしたよね。あれはいったいどういう意味なのですか？」

しばらく沈黙が続いた後、ペインターは口を開いた。「グレイ、君は『ジェイソンズ』と呼ばれる組織に関してどの程度まで知っている？」

予想外の質問に不意を突かれたグレイは、その意図を測りかねた。「何ですって？」

「ジェイソンズというのは、冷戦時代に創設された科学関係のシンクタンクだ。各分野の代表的な科学者たちで構成され、メンバーにはノーベル賞受賞者も数多く含まれていた。科学技術のプロジェクトに関して、軍のエリートたちにアドバイスを与えるというのがその位置づけだった」

「ポーク教授もメンバーの一人だったわけですね？」

「そうだ。年月を経るにつれて、ジェイソンズは軍部にとって非常に価値のある存在となった。彼らは毎年夏になると一堂に会し、技術革新に関してブレインストーミングを行なっていた。君の質問に対する答えだが、そうした会合の席で、アーチボルド・ポークはＤＡＲＰＡの下部組織として、軍事訓練を受けた調査員のチームを創設したらどうかと提案したのだ。ＤＡＲＰＡの実戦部隊とでもいうべき役割を担う組織だ」

「そうしてシグマが誕生したのですね」

「その通りだ。しかし、そのことと彼の殺害との間に重要な関連があるかどうかは、まだ何とも言えない。これまでに得た情報によると、ポークはここ何年もジェイソンズとしての活動を行なっていなかったらしい」

　グレイは目の前にそびえるギリシア風のファサードを見上げた。「ジェイソンズのメンバーがこの博物館に勤務しているということはありませんか？　教授はその人物に会うためにここを訪れたのかもしれません」

「調査をしてみる価値はあるな。そちらは私に任せてくれ。だが、その情報を引き出すには少し時間がかかるかもしれない。ここ数年間、ジェイソンズの存在は以前にも増して秘密のベールに包まれるようになった。複数の極秘プロジェクトにメンバーを割いているため、近頃ではほかのメンバーが何をしているのかすら知らない場合も多いという話だ。とにかく、あちこちに問い合わせてみるとしよう」

「私はこちらの足取りをたどり続けます」グレイは無線を切り、コワルスキに合図をした。

「さあ、中に入るぞ」

「ようやく灼熱の太陽から逃れることができるわけだな」

これはグレイも同意見だった。扉を抜けた先には、エアコンの効いた薄暗い空間が広がっている。博物館は一般客にも無料で公開されているが、グレイは入口で金属探知機を操作している警備担当者に、光沢のある黒いＩＤカードを提示した。

グレイはそのまま中に通された。

中央の円形広間《ロタンダ》へと進んだグレイは、その空間の大きさに圧倒された。円形広間は厳密には八角形をしていて、三階までの吹き抜け構造になっている。各フロアはさらに多くの柱によって支えられ、柱の先にある天井の巨大なドームにはガスタヴィーノ・タイルが張られていた。クレアストーリー窓とドームの頭頂部の円形窓からは、太陽の光が差し込んでいる。

円形広間の中央部分には、この博物館を代表する展示物の一つが鎮座していた。体重八トンのオスのアフリカゾウの剝製《はくせい》だ。干草の敷かれた中で、鼻を持ち上げ、二本の曲がった牙をむき出しにした格好で立っている。ポークの痕跡はゾウの剝製の脇を抜け、階段へと通じていた。

階段の方へと進むうちに、グレイは左側の壁面に垂れ幕が掲げられていることに気づいた。来月から開催される展示の宣伝のようだ。垂れ幕には、丸い楯の表面に映るメドゥーサの姿が描かれていた。その髪の毛は何匹ものヘビが絡み合っている。垂れ幕を見上げているうちに、グレイの足取りが自然と遅くなった。

どうやら目的地に近づいているらしい。グレイはポークの持っていた奇妙な硬貨を思い浮かべながら、間近に迫った展示の名称を目で追った。

新創刊！タソガレ文庫
好評発売中!!
霊感少女と
リアリスト青年が
異常な事件に立ち向かう！
トランス
位牌山奇譚
手塚 眞：著　緒方剛志：イラスト
著者初の長編ホラーミステリ！
リアリスト・志藤渚左は女占い師の麗光の助手としてぼんやりした日々を送っている。そんな彼と麗光の娘・七海はとある依頼から位牌山に赴き地元の人々から敬遠される山中のトンネルで、探していた犬の死骸を発見する。
しかしそれをきっかけに二人の周辺に奇怪な事件が頻発し始めて!?
あのトンネルで過去になにが起きたのか。渚左は死者の声を聞ける七海とともに、事件の謎に迫る！
タソガレとは!?
「黄昏」、「誰そ彼」―。出会った相手が何者なのか不明な、不安定な時間。
タソガレ文庫は、昼夜の幽けき境目のように、
謎に満ちたホラー世界と日常の繋ぎ目となるレーベルを目指します。

新創刊！タソガレ文庫
好評発売中!!
鬼才が描く、
ノスタルジック・
パニックホラー！
十五年前のぼく
笹原せつ：著　げみ：イラスト
十五分以内に誰かを殺せ！
永島《ながしま》英《ひで》は母校の同窓会に出席するが、校舎は突然不可思議な力で閉ざされ、殺人ゲームへの参加を強要されてしまう！ これは凄絶ないじめの果てに廃人へと追い込まれた「山路君」の復讐なのか。狂気のゲームからから逃げるため、永島たちの絶望的な脱出行が始まる。
次回刊行は7月23日予定！
『屍鬼祓師 夢見る卵』粟生 慧・著
『奇病探偵 〜眠れない夜〜』牧野 修・著
竹書房
お求めの際は、お近くの書店、または弊社HPにて！
www.takeshobo.co.jp/sp/tasogare/

ギリシア神話の失われた謎

午後六時三十二分

明かりのついていない部屋で、二人の男がマジックミラー越しに子供の遊び部屋を眺めていた。二人が座っている革製の安楽椅子の後ろには、野球場の観覧席のような座席が四列連なっているが、室内にはほかに誰もいない。

二人だけで話をする必要があるからだ。

マジックミラーの向こう側にある部屋には、煌煌《こうこう》と明かりがついている。壁は白く塗られているが、かすかに青みがかっているように見える。心理学的な統計によると、この色は穏やかな瞑想《めいそう》状態をもたらす効果があるらしい。室内には花柄のカバーがかけられた長椅子、おもちゃの入った箱、子供用の机が置かれている。

二人のうちの年配の男は、背筋を伸ばして椅子に腰かけていた。脇に置いた古ぼけた旅行かばんの中には、分解したドラグノフ狙撃銃が収められている。

もう一人の男の年齢は五十七歳で、傍らにいるロシア人の男よりも二十歳若い。プレスのかかったスーツを着て、前かがみになりながら鏡を見つめている。その視線は、プラスチック製のイーゼルの前に立ち、パステルカラーのサインペンが入ったトレイをいじっている一人の少女に注がれていた。この三十分間ほど、少女はイーゼルに取り付けられた白い厚手の紙に、緑色のペンで丁寧に長方形を描き続けていた。まるで催眠術にかかっているかのように、一定のリズムでサインペンを動かしている。

「ドクター・ラエフ」男は口を開いた。「くどいようだが、ドクター・ポークが例のものを持っていなかったというのは、本当に間違いないのだろうな?」

ドクター・ユーリ・ラエフはため息をついた。「私はこのプロジェクトに生涯を捧げてきたのだ」魂も捧げてきたと言いたかったが、それは口に出さなかった。「ようやくここまでたどり着いたのに、それを無にするようなことはしない」

「それなら、どこにあるんだ? 彼が昨晩宿泊した安っぽいモーテルの部屋は、隅々まで捜索した。何も出てこない。もしあれが味方ではない者の手に渡ったりしたら、かなり厄介な事態になるぞ」

ユーリは隣に座る男にちらりと視線を向けた。ジョン・マップルソープ。米国国防情報局の部局長。顔が長く、顎のまわりの肉はたるみ、目の下には隈《くま》ができている。直射日光に長時間さらされて表面が溶けかかった蠟《ろう》人形のようだ。染髪料の色があまりに濃すぎるため、若く見せようとしていることが傍目にも明らかにわかってしまう。もっとも、ユーリの側にも、忍び寄る老いを食い止めようとする男性を批判する権利はない。自分も肌の張りはとうの昔に失われてしまったが、体は日頃から鍛えているし、反射神経も衰えていない。頭の回転も以前と変わらぬ速さを維持している。激しい鍛錬とともに、アンドロゲンと成長ホルモンの注射を欠かさない彼は、老いに対して誰よりも激しく抵抗していると言える。しかし、ユーリを駆り立てているのは単なる見栄ではない。

彼は隣の部屋へと目を戻した。

違う。若さが欲しいからではない。

マップルソープは落ち着かない様子で椅子の肘掛けを指で叩き始めた。「ポークが盗んだものを取り戻さなければならない」

「彼は持っていなかったと言っているじゃないか」ユーリはマップルソープに向かって強い口調で応じた。「例のものを隠し持つことはできん。あの大きさでは、上着の下に忍ばせることも不可能だ。あの時点で彼を食い止めることができただけでも、よしとしなければならんだろう。ほかの人間に話を伝える前に始末できたのだから」

「そう願いたいところだな。我々みんなのためにも」マップルソープも隣の部屋へと注意を戻した。「それで、あの子が彼の足取りを追えるのか？　ロシアからの足取りをたどれるのか？」

ユーリはうなずいた。父親の見せるような誇りがつい声に出てしまう。「彼女と双子の弟のおかげで、ようやく大きな障害を打ち破ることができたかもしれん」

「もっと早くできればよかったんだけどな」マップルソープは不信感をあらわにした口調で応じた。「私の義理の弟の娘には、自閉症の息子がいる。その話は前にしたかな？　でも、その子はイディオ・サヴァンではない。靴紐を結ぶことすらできないんだぜ」

ユーリは声を荒らげた。「サヴァン症候群と言いたまえ」

マップルソープは肩をすくめた。

アメリカ人に対するユーリの嫌悪感は募る一方だった。マップルソープに限った話ではない。自閉症について正しく理解している人がほとんどおらず、医学関係者の間ですらその数は少ない。ユーリは自閉症の患者たちと身近に接してきた。自閉症とは正しくは障害の連続体を指しており、意思伝達力と社会適応力の低さ、感覚への異常な反応などを特徴とする。その結果、子供たちの間には、言語能力および発話能力の遅れや阻害、動作の繰り返し、チック、一つのことへの執着などが見られ、しばしば周囲の出来事や他人との関係構築への機能不全を伴う。

しかし、そうした障害が時に奇跡を生む。

まれなケースではあるが、自閉症の子供が数学、音楽、芸術など限られた特定の分野において、驚異的な能力を示す事例がある。自閉症の子供たちのうちの十パーセントは、程度の差こそあれ、そうしたサヴァン症候群の能力を示す。ユーリが関心を抱いたのは、その中でも極めてまれな「天才的サヴァン」として知られる人たちだ。その能力は文字通り、天才の域にまで達している。世界的に見ても、天才的サヴァンの人数は四十人に満たない。さらには、その特別な存在の中でも、抜きん出た能力を示す一握りの人たちがいる。

ある遺伝子を持つ家系から生まれた人々。

古いジプシーの言葉が、ユーリの脳裏によみがえった。

ショヴィハニ。

ユーリはマジックミラー越しに黒い髪の少女を見つめた。

マップルソープのつぶやく声が聞こえる。「我々の行なっている実験の内容が、外部の人間に漏れてはならない。そんなことになれば、ナチを断罪したニュルンベルク裁判ですら、交通違反を扱ったのではないかと思われるような事態が起こる」

ユーリは反応しなかった。マップルソープは研究の全貌をまるで理解していない。しかし、ベルリンの壁の崩壊後、ユーリには研究を継続するために新たな資金源が必要だった。彼は十年間をかけて、アメリカの事情を慎重に探った。当初は望み薄に思えたものの、ある事件をきっかけに政治状況が一変する。テロに対する世界規模での戦いによって、新たな同盟関係と忠誠が生まれ、かつての敵が味方となったのである。だが、それよりも重要だったのは、倫理面での壁が破壊されたことだった。新しい時代の訪れとともに、新しいモラルが生まれる。かつての標語が、今では法律となっていた。「目的のためには手段を選ばず」

どのような手段であろうともかまわない。

それが共通の利益になるならば。

ユーリの国の政府は、昔からその事実を理解していた。この厳しい現実を直視するのが遅れたのは、アメリカ人の側だ。

「あの子は何をしているんだ？」マップルソープが訊ねた。

物思いにふけっていたユーリは我に返って立ち上がった。サーシャは黒のサインペンを手にしてイーゼルに向かっている。ペンを持った腕が、厚手の紙の上を行き来している。紙に突き立てたり、線を引いたりしながら、ぎこちない動きを見せる。何らかのパターンがあるようには思えない。紙の端で作業をしているかと思えば、次の瞬間には別の場所へと移っている。でたらめに描かれた線を見て、マップルソープは鼻で笑った。「あの子は芸術の才能を持っているという話じゃなかったのか」

「持っておるよ」

サーシャは作業を続けている。最初に描いた緑色の長方形の内部が、黒い曲線や直線で埋められていく。ペンを持っていない方の手は、真っ直ぐ前に突き出したままだ。棒切れのようにこわばっている。別世界からの力に対抗して、自分の体を支えているかのようだ。

しばらくすると、彼女は両手を下ろした。

サーシャはイーゼルから顔をそむけ、その場にあぐらをかいて座ると、かすかに体を揺らし始めた。額には汗が浮かんでいる。彼女は床の上に転がっていた木製の積み木を手に取り、指を使ってくるくると回転させ始めた。自分だけにしか見えないパズルを解こうとしているかのように見える。
ユーリは完成した作品に目を向けた。

マップルソープが隣に並んだ。「いったいこれは何だ？　ただの落書きじゃないか」
「いいや《ニェット》」ユーリは思わずロシア語を口にしてしまった。彼には気がかりなことがあった……

非常に気がかりなことが。

ユーリは隣の部屋に通じる扉へと急いだ。マップルソープも後をついてくる。子供部屋へと入っても、サーシャは体を揺らしながら積み木を指でいじっているだけだ。これまでの経験からすると、彼女は当分の間、何の反応も示さないだろう。

ユーリはサーシャの才能についても、経験から学んだことがあった。

イーゼルに手を伸ばすと、ユーリは紙を引きはがした。

「何をしているんだ?」マップルソープが訊ねた。

ユーリは絵の上下をひっくり返して、再びイーゼルに取り付けた。サーシャは絵を上下さかさまに描くことがある。サヴァン症候群の患者にとっては珍しいことではない。彼らは独特な感覚を通して世の中を経験している。数字から音を聞いたり、単語からにおいを感じ取ったりするように。

ユーリはサーシャへと視線を移した。

青く輝くその瞳は、積み木を一心に見つめている。

ユーリが振り返ると、マップルソープは驚きの表情を浮かべていた。絵に顔を近づけている。絵を指差してはいるものの、衝撃のあまり言葉が出てこない。ようやく彼の口から言葉が漏れた。「何てこった……真ん中にあるのはゾウじゃないのか?」

　ユーリも絵を凝視していた。心臓の鼓動が激しくなり、喉元までせり上がってくるような気がする。何らかの刺激を与えられない限り、サーシャがこのような絵を描くはずはない。彼らがドクター・ポークの居場所を突き止めることができたのは、彼女の描いたスケッチのおかげだった。モールの絵、スミソニアン・キャッスルの絵——絵に記された情報を頼りに、ユーリたちはモールの片隅にある人目につかない場所に、狙撃用のポイントを設置した。ただし、時

間は限られていた。二時間以内で対応しなければならなかったためだ。サーシャの能力にも限界はある。

マップルソープは絵にさらに顔を近づけた。「ゾウがいるこの部屋だが、ここは見覚えがある。二週間前に孫を連れていったばかりだ。自然史博物館の円形広間に間違いない」

ユーリは顔をしかめた。「ナショナルモールにある博物館かね?」

今日の午後、獲物が長時間にわたって身を潜めていた場所から目と鼻の先だ。

マップルソープはうなずいた。

ユーリはマジックミラーの方を見たが、そこには自分の姿しか映っていない。サーシャは鏡の向こう側に自分たちがいることを感じ取っていたのだろうか？　それよりも重要なのは、ドクター・ポークによって盗まれた例のものに対するマップルソープの強い懸念をも、感じ取っていたのだろうか？

その答えを知るための方法は、一つしかない。

ユーリは絵を指差してマップルソープに告げた。「君の部下をここに派遣するべきだと思う。今すぐに」

午後六時四十八分

グレイは博物館のさらに奥へと進んでいた。剝製のゾウがある中央の円形広間を通り抜けると、ポークの残した放射線の痕跡は階段へと真っ直ぐに通じていた。痕跡をたどって階段で階下のフロアへと進み、さらにもう一つ下の階へと下りる。その先には扉があった。「博物館関係者以外、立入禁止」と記されている。

グレイは扉を調べた。電子錠がかかっている。ここを通り抜けるためには、職員専用の磁気カードが必要だ。グレイは顔をしかめた。それならば、ポークはどうやってこの扉を通り抜けたのだろうか？　グレイは喉元に装着したマイクに手を触れ、中央司令部に連絡を入れた。

すぐにペインターが応答した。「隊長か？」

「ちょっとしたお願いがあります」グレイは痕跡を追ってたどり着いた場所の状況を説明した。「この扉の先へのアクセス権が必要なんです」

「少し待っていてくれ、グレイ。君のＩＤカードをアップグレードして、スミソニアンの各博物館にもアクセス可能にする」しばらく何も聞こえなくなった。司令官がコンピューターを操作しているのだろう。

壁に寄りかかりながら隣で待っているコワルスキは、歯と歯の間から息を漏らして音を鳴らしている。

「もう一度、試してみてくれ」ようやくペインターの声が聞こえた。

グレイはカードを通した。ロックの解除される音がする。「うまくいきました。何か見つけたら連絡します」

通信を切ってから、グレイは扉を抜け、博物館の立入禁止区域へと足を踏み入れた。建物のほかの区域と造りが大きく異なるわけではないが、より機能本位の構造に見えなくもない。大理石の床は何十年にもわたって職員たちに踏みしめられたために、光沢を放つまでになっている。蛍光灯の明かりは心なしか暗く感じる。木製の扉のくもりガラスには、研究分野の名称が記されていた。

昆虫学、無脊椎《せきつい》動物学、古生物学、植物学。

ポークの足取りを追いながら迷路のような廊下を進んでいくと、何も文字の記されていない扉の前で、数値が急に高くなった。グレイはガンマスカウト測定器を扉の取っ手に近づけた。表示される数値がさらに跳ね上がる。扉から離れて調べると、放射線の弱い痕跡がその部屋の先にも続いていた。廊下の突き当たりは広い空間になっていて、そのさらに奥にはスチール製の大きな巻き上げ式シャッターが確認できる。博物館の搬入口らしい。グレイは廊下の左右を見回しながら、ここを歩くポークの姿を思い浮かべた。教授は搬入口から博物館の内部に入り、正面の入口へと抜けていったのだろう。

なぜそんな経路を取ったのか？　尾行をまくためだろうか？

コワルスキは扉の取っ手を回した。「鍵はかかっていないぜ」そう言いながら、コワルスキは扉を押し開けた。

暗い室内からは、ほこりと乾いた干草、それにかすかにスギのにおいがする。

グレイは室内に手を伸ばした。電気のスイッチがある。スイッチを入れると、広い空間が照らし出された。部屋の奥の壁はラックや棚で埋め尽くされている。片側には、配送用のラベルを貼り付けた木箱が積み上げられていた。すでにふたの開いている木箱もある。梱包に使用されていたのだろう、昔ながらの藁《わら》くずや、より現代風の発泡スチロールの粒などが、床に散乱していた。

どうやらここは倉庫らしい。

扉のすぐ左側には机が一つあり、コンピューターとプリンターが一台ずつ置かれている。右側の壁沿いにはいくつものテーブルが配置されていて、その上には陶器や装飾を施された石の塊が所狭しと並んでいた。目録を作成している途中なのかもしれない。部屋の奥の方にある木製の台座の上には、やや大きな物体が乗せられていた。大理石でできた女性の彫像は、両腕が取れてしまっている。錆びた青銅製の雄牛の頭像や、石柱の基部も確認できる。

グレイは室内の痕跡をたどりながら、教授は何を探してこの倉庫に侵入したのだろうかと考えていた。たまたま通りかかった警備員から身を隠しただけなのだろうか？　しかし、教授の足取りは真っ直ぐに伸びている。木製の台座の上に置かれたある物体へと、一直線に進んでいた。石を彫って作られたドーム状の物体は、腰くらいの高さがあり、頭頂部には穴が開いている。花崗岩で作った火山の模型のようにも見えるが、その表面は文字で覆われていた。グレイは文字に顔を近づけた。

古代ギリシア文字だ。

顔をしかめながら、グレイはガンマスカウト測定器で検査した。

ポークの痕跡は台座のまわりを一周していた。

グレイは死んだ教授の足取りを自らたどってみた。なぜポークはこの遺物へと引き寄せられたのだろうか？

謎に関してさらに考えを巡らせようとした矢先、左の方から何かの割れる音が聞こえてきた。音のした方に顔を向けると、コワルスキがテーブルから後ずさりをしているところだった。手には壺の取っ手だけを握っている。壺のそれ以外の部分は、彼の足もとで粉々に砕けていた。

「落っこちたんだよ……勝手に」

この男は必ず何かしらの問題を引き起こす。

グレイはため息をつきながら首を振った。コワルスキは廊下で待たせておくべきだった。壊れ物が多くある場所にこの男を連れてくるとろくなことがない——犬や猫よりも始末が悪い。

「元からぐらぐらしていたんだ」言い訳をするコワルスキだが、自分自身に腹を立てているように聞こえる。「それより、こっちに来てこれを見てくれよ」コワルスキは壊れた取っ手でテーブルを示した。

グレイはコワルスキのそばに近寄った。テーブルの上には古代ギリシアの硬貨がたくさん並べられていた。二列目に隙間が空いている。ちょうど硬貨一枚分の広さだ。ポークが持っていた硬貨だろうか？　彼はここから硬貨を持ち出したのだろうか？

「壺に体が当たっちまったから、手で受け止めようとしたんだ」コワルスキは壊れた取っ手をそっとテーブルの上に戻した。「手でつかんだら、取れちゃったんだよ」

「心配するな。給料から差し引かれるだけだ」

「ちくしょう。いくらぐらい弁償しないといけないのかな？」

「数百といったところだろ」

コワルスキはほっとして口笛を鳴らした。「それくらいなら仕方ないや」

「数百万という意味だぞ」グレイは告げた。

「冗談じゃない、何でこんな――」

扉の取っ手を回す音が響く。コワルスキは口をつぐんだ。扉の方を向きかけたグレイの上腕部を、グローブをはめたようなコワルスキの大きな手がつかみ、後ろへと引っ張った。コワルスキは自分の体を楯にしてグレイの前に立つと、肩のホルスターから四十五口径の拳銃を素早く引き抜いた。

華奢《きゃしゃ》な体型の若い女性が入ってきた。バッグの中をのぞき込んで探し物をしながら歩いているため、室内にいる二人の男性の姿が見えていない。明かりをつけようとしてスイッチの方へと手を伸ばした時、女性は二つのことに同時に気づいた。明かりはすでについている。そして、ゴリラのような体つきの大男が、自分の胸元に拳銃を向けている。

女性は悲鳴をあげながら後ずさりした。だが、恐怖でパニックになったのか、すぐに扉を見つけることができない。

「失礼」そう言いながら、コワルスキは銃口を天井へと向けた。

グレイは困惑した様子のボディーガードの前に歩み出た。「落ち着いてください。我々は博物館の警備員です。不法侵入があったとの連絡を受けて、調査をしているところです」

コワルスキは床に散乱した壺の破片を拳銃で指し示した。「そうなんです、誰かがあれを壊したみたいでして」コワルスキはグレイに視線を送り、話を合わせるように無言で訴えかけてから、拳銃をホルスターにしまった。

女性はバッグを胸に抱えたままだ。もう片方の手で、鼻の上にずり落ちた小さな眼鏡を直そうとしている。ボブに切り揃えた栗色の髪と小柄な体つきからすると、大学の二年生と言ってもおかしくない。だが、不信感をあらわにした目のまわりのしわを見ると、それよりは十歳ほど年上だろう。

「身分証明書を見せてもらえますか?」女性ははっきりとした口調で訊ねた。扉の近くから動こうとしない。

グレイは黒のＩＤカードを示した。ＩＤは写真付きで、大統領の紋章も金でエンボス加工されている。「必要でしたら、我々の身元を確認できる電話番号もお教えします」

ＩＤカードをじっと確認しながら、女性は少しリラックスしたように見えた。しかし、両肩にはまだ力が入っている。女性は室内を見回した。「何か盗まれたものがあるの？」

「おそらく、あなたの方がよくわかるのではないかと思います」グレイは女性が手伝ってくれることを期待していた。「そのテーブルから硬貨が一枚、なくなっていることは確かなようなのですが」

「何ですって？」女性はテーブルへと駆け寄った。グレイたちへの不信感はどこかに吹き飛んでしまったようだ。テーブルの上を一目見ると、女性は途方に暮れたような表情を浮かべた。

「大変だわ……デルフィの博物館からコレクションを貸し出してもらっているのに」

デルフィ――デルポイの神殿があるギリシアの都市だ。

女性はドーム状の石へと視線を向けた。ポークが関心を寄せていたと思われる物体だ。ただ、女性が気にしているのはコワルスキが石に手をついて寄りかかっていることのようだ。「それに触らないでください」

コワルスキは姿勢を正した。おまえのせいだとでも言わんばかりに、手のひらに視線を落としている。注意されて赤面するくらいの神経は持ち合わせているようだ。「すみません」

「あれはいったい何ですか？」グレイは石を指差しながらさりげなく訊ねた。

女性は不安そうに両手を握り締めた。「このコレクションの目玉なの。来月から始まる展示よ。泥棒に荒らされずにすんで、助かったわ」女性は確認するかのようにその物体のまわりを一周した。「千六百年以上も前のものなのよ」

「でも、何なのですか？」グレイは重ねて質問した。

「『オムパロス』よ。『へそ』とでも訳したらいいかしら。古代ギリシアでは、オムパロスを中心にして宇宙が回転していると考えられていたの。オムパロスや、それが持つとされる偉大な力に関して、数多くの神話や物語があるわ」

「どうやってこれを入手したのですか？」

女性はテーブルに向かってうなずいた。「硬貨と同じコレクションの一部として送られてきたものよ。デルフィの博物館が貸し出してくれたの」

「デルフィというと、デルポイの巫女の神殿があったところですね？」

女性はグレイの方を見た。驚いたような表情を浮かべている。「その通りよ。オムパロスは神殿の至聖所に、神殿内で最も神聖な部屋に設置されていたわ」

「これがその石なのですね？」

「いいえ。残念ながら、複製品なの。つい最近まで、これが本物のオムパロスだと考えられていたわ。プルタルコスやソクラテスの歴史書に記されていた本物のオムパロスだと。でも、デルポイの巫女の歴史は三千年以上前にまでさかのぼるのに、この石の年代はその半分しかないのよ」

「本物はどうなったのですか？」

「歴史の流れの中に消えてしまった今となっては、誰にもわからないわ」

女性は扉の近くに掛けられていた作業着の方へと向かった。作業着を羽織りながら、シャツにつけていた博物館の名札を外し、作業着に取り付ける。

その時初めて、グレイは名札に気づいた。名札には女性の写真があり、その下に名前が記されている。

Ｅ・ポーク

「ポーク……」グレイは名前を読み上げた。

「ドクター・エリザベス・ポークです」女性は答えた。

グレイの心を不安の影のようなものがよぎった。その瞬間、グレイは教授がこの場所を訪れた理由を悟った。「もしかして、アーチボルド・ポークという人をご存じでは？」

女性はグレイのことをまじまじと見つめた。「私の父よ。何か？」

3

九月五日午後七時二十二分
ワシントンDC

「死んだ?」

グレイは博物館の倉庫に置かれた机の端に腰かけていた。自分の伝えた知らせによってこの女性の感じた苦痛が、手に取るようにわかる。エリザベス・ポークは椅子に座り込んだ。作業着の中の彼女の姿が、いっそう小さく見える。涙は見えない。ショックのあまり、涙も出ないのだろう。だが、涙が流れるのに備えるかのように、エリザベスは小ぶりの眼鏡を外した。

「モールで銃撃事件があったことは聞いたわ」エリザベスは誰に対してともなく話し始めた。「でも、まさか……」そう言いながら、エリザベスは首を横に振った。「一日中、この地下にいたから」

携帯電話の電波はこの地下までは届かない。ペインターはポークの娘となかなか連絡が取れないと言っていた。その間ずっと、彼女はモールを挟んで目と鼻の先にいたのだ。

「こんな時に質問するのは申し訳ないんだが、エリザベス」グレイは言った。「お父さんに最後に会ったのは？」

エリザベスは息をのんだ。こらえていたものがあふれそうになる。彼女の声は震えていた。「はっきりとは……覚えていないわ。一年前かしら。口げんかをしてしまったのよ。ああ、父にあんな言葉を……」エリザベスは額に手を当てた。

グレイは彼女の目に後悔と苦悩の色が浮かんでいることに気づいた。「お父さんは君に愛されていたことをわかっていたはずだよ」

だが、グレイに向けられたエリザベスの目は、険しさを増していた。「気遣ってくれてありがとう。でも、あなたは父のことを何も知らないわ。そうでしょ？」

本だけを友達として過ごしてきたかのようなその内気な外見とは裏腹に、エリザベスは芯の強い女性のようだ。だが、グレイは彼女の怒りにもひるまなかった。怒りはグレイに対して向けられているのではなく、自分自身に対するものだとわかっていたからだ。コワルスキはいつの間にか部屋の反対側へと移動していた。二人のやり取りを聞いて、近くにいづらくなったのだろう。

グレイは座ったまま体をひねり、テーブルの上を指差した。吸取り紙の上に、古代の硬貨が何列も並んでいる。「いいや、知っている。君のお父さんから死ぬ前に硬貨を受け取ったからだ」グレイは硬貨についてペインターが教えてくれた内容を思い返していた。「片面に大ファウスティナの胸像が、もう片方の面にはデルポイの神殿が描かれていた硬貨だ」

エリザベスは大きく目を見開いた。硬貨一枚分の隙間をじっと見つめている。

グレイは片手を上げた。「君のお父さんは撃たれる前にここに来た。君のオフィスを訪れたんだ」

「ここは私のオフィスじゃないわ」そうつぶやきながら、エリザベスは周囲を見回した。まるで自分の父の影を探しているかのようだ。「論文のための調査をしているところなのよ。実を言うと、私がギリシアのデルフィ博物館で研究を行なえるように、父は裏でいろいろと手配してくれたの。一カ月前まで、私はギリシアにいたわ。今回の展示の設置に関しても、私が中心になって行なう予定になっている。でも、私がここにいることを、父は知らなかったはずよ。そもそも父とは――」エリザベスは片手を振りながら、その後に続く言葉をのみ込んだ。

「お父さんは君の研究をずっと気にかけていたに違いない」

涙が数粒あふれた。片方の頰を一筋の涙が流れ落ちる。彼女は作業着の裾で素早く顔をぬぐった。

グレイは彼女の気持ちが落ち着くのを待った。コワルスキの方に目を向けると、彼はオムパロスの周囲を所在なげに歩いていた。地球のまわりをゆっくりと公転する月のようだ。エリザベスの父も、同じようにオムパロスの周囲を歩いていたのは間違いない。だが、その理由は？

エリザベスも同じ疑問を感じたようだ。「どうして父はここに来たの？　なぜ硬貨を持ち去ったの?」

「わからない。でも、誰かに追われていることに、何者かに狙われていることに、君のお父さんが気づいていたのはまず間違いない」グレイの頭の中には、モールの中でも人目につきにくい場所にとどまり、身を隠しながら、シグマと直接コンタクトを取る方法を探すポークの姿が浮かんでいた。「君のお父さんは、自分が殺された場合に備えて、硬貨を持ち出したのかもしれない。薄汚れた硬貨が一枚、ポケットに入っていたとしても、暗殺者が急いで死体を調べたところで見落とす可能性が高い。しかし、遺体安置所で本格的な検死が行なわれれば、珍しい硬貨は目に留まるはずだ。そうすれば、硬貨がここへ導いてくれると思っていたのだろう。君が盗難届を出すはずだから、この部屋から盗み出された硬貨だとわかるはずだと」

グレイの話を聞くうちに、エリザベスの涙は乾いていた。「でも、どうしてそんなことをしたの?」

グレイは目を閉じて、考えを巡らせた。自分がポークだったら、何を考えただろうか。「硬貨についての推測が正しいとすれば、君のお父さんは持ち物が調べられることを恐れていたことになる。暗殺者たちが何かを探し求めていると知っていたに違いない。自分の所持している何かを……」

そうだったのか。

グレイは目を開いて立ち上がった。エリザベスにも立つように促す。彼女の視線は室内を見回していた。だが、今度は父の影を探しているのではない。眉間にしわを寄せた表情から察すると、彼女も気づいたのだろう。エリザベスは眼鏡をかけた。

「ひょっとすると父は、暗殺者たちが探しているものをこの部屋に隠したのかもしれないわ」

グレイは円錐形の石の傍らに立っているコワルスキの方へと向かった。「君のお父さんは神殿のオムパロスに関心を持っていたらしい」

グレイの後を追いながら、エリザベスは顔をしかめた。「どうしてそんなことまでわかるの？」

グレイは放射線のことを手短に伝え、ガンマスカウト測定器を見せた。「君のお父さんが残した痕跡を追って、この部屋にたどり着いたんだ。オムパロス付近の放射線の数値が高かったことからすると、あの遺物の近くに長い時間とどまっていたと思われる」

父が衰弱していたという話を聞き、エリザベスの表情は青ざめた。それでも、彼女はコワルスキに指示を出した。「そこの壁に非常用の懐中電灯が取り付けられているわ」

コワルスキはうなずくと、懐中電灯を手に取った。

エリザベスはオムパロスに近づいた。「大きな岩のように見えるけど、中身は空洞になっているの。花崗岩を彫って作った深い器を、ひっくり返して置いたような感じよ」彼女は頭頂部に空いた穴を指差した。

グレイは彼女の意図を理解した。あの穴から何かを入れるのであれば簡単にできる。グレイはコワルスキから懐中電灯を受け取り、オムパロスの穴をのぞき込みながら、中心部に懐中電灯の光を向けた。実際に中身は空洞になっていた。オムパロスが乗っている台座の板の部分が、光に照らされている。光の向きを変えながら内部を照らすと、中心から少しそれた位置に何かがある。磨き上げられた石のような外見で、マスクメロンくらいの大きさだ。

「上から見ただけでは何だかわからない」グレイは背中を伸ばした。「石を持ち上げる必要があるな」

「これは重いわよ」エリザベスは説明した。「男性が六人がかりで木箱から取り出したんだから。でも、部屋の奥の道具置き場にバールがあるわ。それを使えば、傾けることができると思う。でも、慎重に作業をしないと」

「俺が取ってくる」コワルスキが申し出た。

コワルスキがその場を離れると同時に、エリザベスの机の上の電話が鳴り始めた。エリザベスは机に近づき、表示された発信者番号を確認した。「警備からだわ」彼女は腕時計をチェックしてから、グレイの方を見た。「もう閉館時間を過ぎている。私があとどのくらいここで作業をするつもりか、確認の電話をしてきたんだわ」

「少なくともあと一時間は作業をすると伝えてくれ」

エリザベスはうなずくと、受話器を取った。名前を名乗ってから相手の話を聞くうちに、彼女は目を大きく見開いた。「わかりました。すぐに上に行きます」エリザベスは電話を切り、グレイに向き直った。「脅迫電話があったそうよ。この博物館に爆弾を仕掛けたと言っているみたい。建物内から全員退避するように指示されたわ」

グレイはすぐに言葉を返さなかった。そのような脅迫電話が、よりによって今、かかってくるなんて、偶然の一致とは思えない。エリザベスの目を見ると、彼女も同じように考えていることがわかった。「誰かが知っているんだ」グレイはゆっくりと口を開いた。「モールで銃撃事件があったばかりだから、爆弾を仕掛けたという脅迫電話を単なるいたずらだとして片付けるわけにはいかない。建物内を徹底的に捜索する格好の口実になる」

グレイはオムパロスをじっと見つめた。

慎重に作業を行なっている時間はない。

コワルスキも状況を理解したようだ。「話は聞こえたぜ」倉庫の奥から戻ってきたコワルスキは、バールではなく大きなハンマーを肩に担いでいた。「下がってろよ」

「だめよ！」エリザベスは制止した。

しかし、「だめよ」と言われて大人しく引き下がるような男ではない。コワルスキは大股でオムパロスへと近づき、頭の上にハンマーを持ち上げると、ためらうことなく振り下ろした。

千年以上の歴史を持つ遺物の運命に、エリザベスは息をのんだ。

しかし、ハンマーが叩き割ったのは歴史的に重要な石ではなく、それを支える木製の台座だった。木片が砕け、周囲に飛び散る。コワルスキは再びハンマーを振り上げ、壊れた側の板をさらに叩き割った。

　重量の半分を支えていた部分がなくなってしまったため、巨大なオムパロスは台座が破壊された側へと傾いた――そのままゆっくりとひっくり返っていく。石の重みでさらに何枚もの板が砕けたが、ゆっくりと転がったオムパロス本体は無傷のままだった。

　コワルスキはハンマーを肩に担いだ。

　エリザベスはコワルスキをじっと見つめていた。その表情には恐怖と畏怖《いふ》の念とが入り混じっている。

　グレイは壊れた台座のもとへと駆け寄った。オムパロスの中に隠されていた物体が、姿を見せている。だが、そこにあるのはきれいに磨き上げられた石ではなかった。グレイはガンマスカウト測定器を物体に近づけた。数値は高いものの、さっきベンチで見つけた双眼鏡と同じくらいだ。

　グレイは物体を手でつかみ、立ち上がった。

　グレイが立ち上がると同時に、エリザベスが後ずさりをする。

　コワルスキの目つきが険しくなった。「頭蓋骨？　これだけ大騒ぎして、出てきたのはそれだけ？」

　グレイは手に持った頭蓋骨を観察した。かなり小さく、下顎の部分が失われている。ひっくり返してよく見ると、突起した鼻の下に残っている歯は、いずれもとがった牙のような形をしている。「人間の頭蓋骨ではない」グレイは口を開いた。「頭蓋部分の大きさと形状からすると、おそらく類人猿のものだろう。チンパンジーの可能性が高い」

コワルスキの表情がさらに曇った。「冗談だろ」いつもと声の調子が違う。「サルは勘弁してくれよ」

過去の任務中での経験がきっかけで、この大男が類人猿の動物に対する苦手意識を持つようになったことを、グレイは聞いたことがあった。確かヒヒだったか……あるいはもっと大型の動物だったかもしれない。本人が詳しい事情を話したがらないので、いまだにはっきりしたことはわからない。

「でも、その……頭蓋骨の横にくっついているのは何？」エリザベスは指差した。

もちろん、グレイもとっくに気づいていた。見逃すはずがない。側頭部のあたり、外耳道のすぐ上のところに、丸みを帯びたステンレスの塊が付着していた。

「何だろうな」グレイは答えた。「補聴器かもしれない。あるいは、最新型の人工内耳とか」

「サルにそんなものが必要なのか？」コワルスキは訊ねた。

グレイは肩をすくめた。「後で詳しく調べないといけない」

「どうして父はそれをここへ持ってきたの？」

グレイは首を振った。「わからない。でも、誰かがそれを阻止しようとした。しかも、これを取り戻そうとしている」

「じゃあ、どうしたらいいの？」

「ここから脱出しないといけない。我々がこれを手に入れたことを、誰にも知られないうちに」

念のため、グレイは台座のほかの部分を探した。教授が頭蓋骨以外にも何か残していった可能性がある。例えば、すべての事情を書き記したメモがあればありがたい。淡い期待に終わるだろうが、探してみる価値はある。グレイはひっくり返ったオムパロスの空洞部分に懐中電灯の光を当てた。

何もない。

グレイが懐中電灯を動かした時、光がオムパロスの内側の面を照らし出した。その時、何かがグレイの目をとらえた。螺旋《らせん》状の溝のようなものが、内側の面に彫られていた。縁の部分から中央に開いた穴へと、絡み合うような線が伸びている。グレイは一本の長い線を指でなぞった。筆記体の文字だ。グレイは身を乗り出してのぞき込みながら、懐中電灯の光を文字に当てた。

エリザベスもグレイの目に留まったものに気づいたようだ。「古代のサンスクリット語よ」
グレイは背中を伸ばした。「どうしてサンスクリット語がこの——?」
コワルスキがグレイの疑問を遮った。「そんなのは後で考えればいいじゃないか」コワルスキは扉の方を指差した。「爆弾を仕掛けたという脅迫電話があったんだろ? ここからさっさと逃げるべきじゃないのか?」
グレイはうなずいた。確かに、この男の言う通りだ。ずいぶんと時間がかかってしまった。

建物内部の捜索はおそらくすでに――

廊下の方角から、こもった叫び声が聞こえてくる。

コワルスキは「だから言ったじゃないか」とでも言いたげに目をぐるっと回した。

「どうするの？」エリザベスは訊ねた。

午後七時三十七分

ペインターは病理学者のオフィスの扉をノックした。扉は半分開いたままの状態になっている。

「どうぞ」マルコムの声がする。「ジョーンズ、もう例のデータは――」

ペインターが扉を押し開けたと同時に、マルコムが椅子ごと体を向けた。まだ青い手術衣を着たままだ。眼鏡を頭の上に乗せている。鼻の頭をこすりながら顔を上げてようやく、入口に立っているのが誰だか気づいたようだ。

マルコムは目を丸くした。「司令官……」椅子から立ち上がろうとしたマルコムを、座ったままでいいからと手で制してから、ペインターは室内に入った。

「あなたから連絡があったと、ブラントが教えてくれたものですから。ビデオ監視室から自分のオフィスへと戻る途中だったもので」

「狙撃者の映像は？」

「今のところ、まだ見つかっていません。記録映像を徹底的に洗っているところです。大量の映像があるんですよ。それに、こちらからの要請への対応が遅いところもありますから」

９・11以降、合衆国首都の監視体制は強化された。ホワイトハウスを中心とした半径十五キロ以内には、道路、公園、公共施設などに、一平方メートル当たり数台の割合でマルチビューカメラが設置されているほか、屋内の六割以上もカバーされている。数台のカメラが、モールを横切るドクター・アーチボルド・ポークの姿をとらえていた。その経路は、グレイが放射線測定器を使ってたどった足取りと一致した。しかし、すべてが映像として記録されているわけではない。グレイの腕の中に倒れ込むポークを撮影した映像は入手できたが、ライフルの閃光や狙撃者の姿をとらえた映像はまだ見つかっていなかった。

そこが気がかりなところだ。

狙撃者はカメラの設置地点を熟知しており、監視体制の盲点となる場所を選びながら移動していたのではないだろうか？　ペインターはそんな疑念を抱き始めていた。あるいは、モールの映像に手を加え、狙撃者が存在した証拠を意図的に消去した人物がいる可能性もある。そうだとすると、問題はさらに厄介だ。

いずれの場合にしても、ポークを殺害した犯人はワシントンの有力者と接点があるということになる。しかし、その相手は誰で、どこの人間なのだろうか？　ジェイソンズのメンバーというポークの経歴が今回の殺害と関係しているならば、調査を進めるうちに様々な可能性の詰まったパンドラの箱を開くことになるだろう。ジェイソンズは、法に触れるか触れないか微妙なものから、とても国民に公表できないようなものまで、数多くの極秘プロジェクトに関与している。

どうやら今夜は眠れそうもない。

関係者は全員、同じ心境だろう。

「グレイから何か連絡は？」椅子の上に置かれていた書類の山をどかし、ペインターに座るように勧めながら、マルコムは訊ねた。

「自然史博物館を捜索中です。ポークの足取りはそこに通じていました」

「何か手がかりを見つけてくれるといいんだが。ところで、私が君に連絡を入れたのも、そのことと関係がある。新たな手がかりを発見できたかもしれない」

興味をひかれて、ペインターは椅子に座った。マルコムはコンピューターのフラットスクリーン・モニターを回転させ、ペインターから見やすい角度に変えた。

「何を発見したのですか？」ペインターは訊ねた。

「ちょっと興味深いものだ。それをどう解釈したらいいのか、実際のところはまだ判断がつきかねているのだが、調査を継続するべき場所のヒントになるかもしれない。犠牲者が被曝していたことから、どこで放射線を浴びたのかに関する手がかりを探してみたのだ。ポークの消化器官や肝臓を検査してみたところ、放射性物質を摂取したのではないことがわかった」

「つまり、食べ物がポロニウム210などに汚染されていたわけではないのですね」

マルコムはうなずいた。「放射線皮膚炎の程度から、自然界に存在する放射線を浴びたのはほぼ確実だと思われる。ある種のホットスポットにいたのは間違いないだろう。頭髪の微量分析から、急性被曝であることもわかった。放射線を浴びたのは、ここ一週間以内の可能性が高い」

「でも、いったいどこで――？」

マルコムは「あわてるな」と言うかのように片手でペインターを制止すると、もう片方の手でキーボードを叩き、画面上に世界地図を呼び出した。「彼の肺胞《はいほう》の奥深くから、微量の放射性粉塵が検出された。炭坑労働者の肺に炭塵《たんじん》が入り込むのと似たようなものと考えてもらえればいい。抽出したサンプルを質量分析器にかけ、そこに含まれる同位体の大まかな組成を突き止めることができた」

マルコムは画面を指差した。コンピューターの画面の左側に、データがスクロール表示され始めた。「組成の情報は、人間の指紋と同じように地域によって異なる。ウィーンにあるＩＡＥＡのデータベースに接続すれば、すぐに調べることができる」

ペインターは画面上に開かれた検索ウインドウの上端に、「国際原子力機関」の文字が表示されていることに気づいた。

「国際原子力機関は、採掘鉱、原子炉、工業関係など、世界各地のホットスポットをモニターしている。一般にはあまり知られていないが、すべての放射線が同じわけではない。放射性物質は絶えず崩壊しているし、そこに含まれる同位体も、採掘された場所や加工処理の方法によって異なる。その結果、各地の放射線はそれぞれ特有の情報を有している」

「それで、教授の肺から検出された粉塵は？」

「ＩＡＥＡのデータベースで検索したところ、一件のヒットがあった」

「ポークがどこで被曝したのか、わかったのですね？」

マルコムは画面に向かってうなずいた。スクロールが止まり、世界地図が広がり始めた。ロシア中部のある一点へと拡大していく。ハイライト表示されたボックスの中に、地名が浮かび上がった。人類史上最悪の原子力事故が発生した場所だ。

チェルノブイリ

アーチボルド・ポークはチェルノブイリで何をしていたのか？　廃炉となった原子炉で、どうして致死量の放射線に被曝したのか？　今週、原子炉は「新しい石棺」と呼ばれる巨大な連結式の鋼鉄製ドームで密閉される予定になっている。建設工事の途中で、ポークは致死量の放射線を浴びてしまったのだろうか？

　ペインターがさらに詳しい説明を求めようとした時、ベルトに装着した携帯電話が振動した。携帯電話を手に取り、発信者を確認する。補佐官からだ。顔をしかめながら、ペインターは携帯電話を開いた。

「何の用だ、ブラント？」

「司令官、国土安全保障省から警報が発令されました。自然史博物館に爆弾を仕掛けたとの脅迫電話があったそうです」

　携帯電話を握るペインターの指に力が入った。

〈自然史博物館……グレイが向かった場所だ〉

　嫌な予感がする。

「グレイの無線につないでくれ」

　携帯電話を耳に当てたまま、ペインターは待った。マルコムが無言で視線を向けている。

　グレイが脅迫電話を入れたのだろうか？　あるいは、ほかの人間の仕業なのか？

　いずれにしても、よくない事態なのは間違いない。

　その直後、ペインターの予感は裏付けられた。

　ブラントの声が聞こえてきた。「司令官、無線の応答がありません」

午後七時五十六分

博物館の搬入口へと向かいながら、エリザベス・ポークはグレイのことを観察していた。斜め後ろから見ると、顔面の片側に打撲の跡が残っているのがわかる。日焼けした肌のおかげで、内出血の痕跡はほとんど隠れている。傷を負ったのは、一カ月、あるいはもう少し前だろうか。傷跡のせいで顔の平らな部分がハンマーで打ち延ばした銅のように見え、青い瞳をいっそう引き立たせていた。その青い瞳に突然浮かんだ険しさに、エリザベスは寒気を覚えた。博物館の搬入口を捜索する五、六人の男の姿をとらえたからだ。グレイは引き返すように指示を出した。

「どうにも腑《ふ》に落ちない」グレイはつぶやいた。

エリザベスはグレイの肩越しに搬入口の様子をうかがった。点滅する蛍光灯に照らされた広大な空間には、高さのある棚がいくつもあり、清掃用具や博物館の売店で売られている様々な商品などが並んでいる。大きな展示品を運び込むために使用される滑車とおもりの脇には、一台のフォークリフトが置かれていた。スチール製のシャッターは、右半分が巻き上げられている。夜の帳《とばり》が下りつつあるシャッターの外には黒の戦闘服姿の男たちが数人いて、出口付近で非常線を張っている。建物内からの退避を呼びかけるサイレンが響く中、男たちは外へと脱出しようとする作業員や職員たちの身体検査を行なっていた。

数歩離れた地点では、青い背広を来た肩幅の狭い男が、その様子を監視していた。高い地位にある人物なのは明らかだ。

グレイに押されながら、エリザベスは廊下を戻った。グレイがショルダーバッグを肩に掛け直した。博物館のロゴ入りのバッグの中には、父が倉庫のオムパロスの中に隠した奇妙な頭蓋骨が入っている。父のことを思うと、エリザベスの胸に鈍い痛みが走った。こぼれそうになる涙をこらえる。父の死を悼むのは、もっと状況が落ち着いてからの話だ。

搬入口とは反対側の廊下の先にある階段の方角から、大声が聞こえてきた。すべての部屋を捜索するように指示を与えている。階段を駆け下りてくる靴音が響く。

グレイは立ち止まり、彼女の方を振り返った。「ほかに出口は？」

エリザベスはうなずいた。「配管用の通路があるわ。こっちよ」

歩き出そうとするエリザベスに、グレイは再びあの険しい視線を向けてきた。本当にそんなものがあるのかと、疑っているのだろう。

「博物館のスタッフはそこでタバコを吸うのよ」エリザベスは気まずそうにグレイの顔を見た。禁煙した方がいいことはわかっている。その一方で、タバコのおかげでほかの研究者たちとの間に絆が生まれたことも否定できない。喫煙者が集まる秘密のクラブのようなものだ。気腫《きしゅ》や肺癌のリスクがいくらか高くなるだけなら、どうということはない。「もちろん、博物館内は禁煙よ。火災の危険があるから。でも、通路の中にあるのはコンクリートと配管だけだわ」

エリザベスは何も記されていない扉の前に立ち、カードを使って電子錠を解除した。中に延びる通路の先には、しみの付着したコンクリートの階段があり、スチール製の手すりも付いている。階段は急角度で曲がりながら下へと通じていた。

中へと入ろうとした三人の耳に、低いうなり声が聞こえてきた。搬入口の方に目を向けると、体高の低い黒い影が廊下へとゆっくり進入してくる。距離は三十メートルほど。ジャーマンシェパードだ。黒のベストを着用している。リードを握っている男の姿はまだ見えない。

エリザベスはその場に凍りついた。

犬は三人の姿を確認すると、飛びかかろうとした。リードがぴんと張る。

「行け」グレイは促しながら、階段へと通じる扉に彼女を押し込み、すぐあとから自分も続いた。彼の相棒も巨体を滑り込ませた。中は暑くて狭苦しい。博物館の空調も、ここまでは効いていない。明かりは非常用の電球だけだ。

グレイが扉を閉じると同時に、ロックのかかるかすかな音がした。警報のサイレンもこもった音に変わる。グレイは狭い階段を下りるように促し、エリザベスの隣に並んだ。「このトンネルはどこに通じているんだ？」

エリザベスは首を横に振った。「よく知らないの。タバコを吸うだけだから、奥まで入ったことがないのよ。下は迷路のようになっていて、通路が何本も枝分かれしているの。ホワイトハウスの下を通っているという噂もあるわ。でも、どこかに地上へと通じる出口があるはずよ」

背後から音が響いた。重いものが扉にぶつかる音だ。低いうなり声も聞こえる。廊下にこだまする叫び声は、階段を下りる三人のところまで響いてくる。

「あれは爆弾探知犬じゃないの？」エリザベスは訊ねた。「脅迫は本物だったんじゃないかしら？」

グレイの相棒のコワルスキは、彼女の質問を鼻であしらった。「まったく、ピアースと一緒にいると、本物の爆弾騒ぎの方がまだましだと思えてくるね」

階段の下にはゲートがあった。グレイはかんぬきを外し、ゲートを開けた。錆びついた金属が音を立てる。通路は両側に延びていた。真っ暗で蒸し暑く、濡れたセメントのにおいがこもっている。水の流れる音もかすかに聞こえる。

「懐中電灯があるとありがたいんだがな」コワルスキがつぶやいた。

グレイはかすかに舌打ちをした。懐中電灯は倉庫に置いてきてしまった。

エリザベスはポケットの中を探り、ライターを取り出した。アンティークのシルバーのダンヒルだ。ライターをつけると小さな炎が燃え上がる。慣れた手つきで、彼女は炎の大きさを調節した。

「いいねえ」コワルスキは言った。「タバコを持ってくればよかったな」

「まったくだわ」エリザベスも応じた。

その反応に、コワルスキはびっくりしたような表情を浮かべた。

コワルスキが口を開くより早く、背後の階段から光が差し込んできた。サイレンの鳴り響く音が大きくなる。追っ手が扉を開けたに違いない。

「急げ」グレイは右側へと向かった。「離れるんじゃないぞ」

エリザベスはグレイと肩を並べて進んだ。すぐ後ろをコワルスキが続く。彼女はライターを高く掲げた。ライターの炎では数メートル先までしか照らすことができない。グレイは小走りに通路を進んだ。片手を上に伸ばし、指先で頭上に延びる配管の向きを確かめている。三人は最初の分岐点を曲がった。階段の出口から直接は見えない通路に入ったことになる。

ジャーマンシェパードの低い鳴き声がこだまする。

グレイは走るように指示した。

作業着の裾を翻しながら、エリザベスは走った。ライターの炎でクモの巣が燃える。三人は再び角を曲がった。

「どこへ向かっているんだ？」コワルスキは訊ねた。

「逃げているんだよ」グレイは答えた。

「何の計画もないのかよ？　逃げるだけ？」

激しい鳴き声が聞こえた。大きな叫び声が通路内に響く。犬が三人のにおいを嗅ぎつけたのだろう。

「今の言葉は忘れてくれ」コワルスキは続けた。「逃げるだけでも一向にかまわないぜ」

ひとかたまりになったまま、三人は迷路のようなトンネルの先へと進んだ。


市の中心部から離れたところで、ユーリは枝を広げた桜の木の下にあるベンチに腰を下ろしていた。椅子に座ると一息つける。膝が痛むし、腰の張りも限界に達しつつある。すでに抗炎症剤のアリーブを四錠、水も使わずに飲み込んでいた。故国にはもっと強い薬があるが、合衆国内へ持ち込む危険を冒すことはできなかった。ウォーレンへと戻るのが待ち遠しい。

ユーリは脚を伸ばし、膝をマッサージした。

ベンチでくつろぐ彼を日没間近の太陽が照らし、パークランド遊歩道に長い影を落としていた。数歩離れたところには低いコンクリート製の壁がある。親子連れが壁に沿って列をなし、その奥にある屋外飼育場を指差している。飼育場には中国の森林地帯の一部が再現されていた。むき出しの岩肌には洞窟があり、池があり、小さな川も流れている。険しい斜面には灌木が茂り、シダレヤナギ、コルクガシ、数種類のササも見える。再現された生息地にいる二頭の動物——中国から貸与されているジャイアントパンダのメイシャンとティエンティエンは、閉園間近の動物園を訪れた来園客の人気を集めていた。

その中にサーシャもいる。

少女は組み合わせた両手を壁の上に乗せた姿勢で立っていた。片方の足で、コンクリートの壁をずっと蹴り続けている。だが、そのリズムはゆっくりになってきた。

ユーリの狙い通りだった。

マップルソープに絵を描いて見せたサーシャを、ユーリは国立動物園に連れてきた。これまでの長い経験から、動物の持つ鎮静効果が子供たちにいい影響を与えると知っていたからだ。サーシャの場合、それは顕著に見られる。彼女の脊髄《せきずい》液のBDNF値を検査するまでもない。あれほどまでに精神を集中させて能力を発揮した後では、「脳由来神経栄養因子」のホルモンの数値が、危険なレベルにまで増加していたに違いない。ユーリには備えができていなかった。予想外の行動を取った彼女を、急いで落ち着かせる必要があった。慣れ親しんだ環境から離れた場所にいるため、サーシャは神経が高ぶり、影響を受けやすい状態にある。神経への障害が残ってしまうおそれもあった。ユーリもかつて、そんな子供を目にしたことがある。自閉症の子供の精神衛生と、動物との触れ合いがもたらす鎮静効果との間に深い関連性があると判明するまでに、何十年もの年月を要したのである。

そのため、自然史博物館の捜索はマップルソープに任せ、ユーリはサーシャをワシントンDCにある有名な動物園へと連れてきた。自分たちのところにあるメナジェリーとは趣が異なるものの、この異国の街でできる限り近い環境にある場所として選んだのがここだった。

サーシャの足の動きはさらにゆっくりになった。だいぶ興奮が収まってきているようだ。それでも、エナメルの靴の先端部分に、かなり傷がついてしまっている。もっとも、今は靴よりも彼女の心の状態の方が大切だ。

ユーリは肩甲骨の間に感じていた凝りが、次第にほぐれていくのを感じていた。次の飛行機でサーシャをロシアに連れて帰ろう。ウォーレンに戻ったら、サーシャの徹底的な検査を行なうように手配すればいい。血液中の化学物質、尿の分析、頭部全体のCTスキャンも必要だ。障害が残っていないことを、確認しなければならない。

しかし、それよりも重要な問題がある。どうしてサーシャは自らの意思で能力を披露したのか、その答えを得る必要があった。それは起きてはならない出来事だった。皮質へのインプラントは、それぞれの子供の能力に合わせて、一定の刺激レベルを維持できるように設定されている。マップルソープのオフィスでサーシャが自発的に能力を発揮することは、ありえない事態だった。可能性があるとすれば、そのような反応を引き出すようにサーシャのインプラントが遠隔操作されていた場合だ。

いったい何が起こったのか？　インプラントが誤作動を起こしたのか？　それとも、ほかの誰かが操作したのか？　あるいは、こんな可能性は考えたくもないが、サーシャが我々にも制御できない力を持ち始めたのだろうか？

日中の熱気がまだ残っているにもかかわらず、ユーリは寒気を覚えた。

何かがおかしい。

ユーリの周囲でざわめきが起こり始めた。パンダの飼育場の前に並んでいる見物客の間からだ。うれしそうな歓声があがっている。カメラのフラッシュがいっせいに光り始めた。興奮した様子の人々につられて、ほかの見物客も集まってくる。ユーリはある名前が繰り返し呼ばれていることに気づいた。

「タイシャン……タイシャンだ」

腰の張りに顔をしかめながら、ユーリは背筋を伸ばした。確か動物園のパンフレットに名前が書いてあった。タイシャンは、数年前の夏にメイシャンが産んだ子供のパンダの名前だ。飼育場に姿を見せたのだろう。

見物客たちはパンダをもっとよく見ようと押し合っていた。さらに多くの人が集まってくる。親に肩車されている子供もいる。カメラのフラッシュが盛んにたかれる。見物客たちの異常なまでの反応に眉をひそめながら、ユーリは立ち上がった。人ごみの中で、サーシャの姿を見失ってしまったのだ。あの子は他人に触れられるのを嫌がる。

ユーリは遊歩道を横切り、集まった人たちをかき分けながら進んだ。あと数分で閉園時間だ。そろそろ帰らないといけない。

ユーリはコンクリート製の壁の前に達した。さっきまでサーシャが立っていた場所だ。

だが、サーシャの姿はない。

心臓の鼓動が速まるのを感じながら、ユーリは左右の壁沿いを探した。黒い髪と赤いリボンは見当たらない。肩と手で人ごみをかき分けながら、ユーリは壁から離れようとした。押された人たちの間から抗議の声が上がる。一台のカメラが見物客の手から離れ、歩道に落下して大きな音を立てた。

誰かがユーリの肩をつかんだ。そのまま体が引っ張られる。

「おい、じいさん、何でそんな乱暴な――」

ユーリはその手を振りほどいた。パニックに陥った彼の目は、大柄な男性の姿をとらえた。

「私の……私の孫娘が、いなくなってしまったんだ」

男の顔から怒りが消え、気遣うような表情に代わる。

見物客のほとんどが子供連れのため、女の子が行方不明になったとの情報はすぐに伝わった。母親や父親にとって、自分の子供が迷子になるのは最悪の事態だ。ユーリに向かって次々と質問が浴びせられる。どんな格好をしていたのか？　どんな服を着ていたのか？　一緒に探そうと申し出てくれる人もいれば、きっと見つかるはずだと力づけてくれる人もいる。

しかし、ユーリの耳にはほとんど何も聞こえていなかった。心臓の鼓動だけが大きく響く。彼女のそばを離れるべきではなかった。ベンチに座るべきではなかったのだ。

彼のまわりから見物客が離れるにつれて、周囲が見渡せるようになった。

ユーリは四方を確認した。目では探しているものの、すでに答えはわかっている。

サーシャの姿は消えていた。

4

九月五日午後八時十二分
ワシントンDC

「扉だ!」後ろからコワルスキが叫んだ。

体を横向きにして止まってから、グレイは振り返った。エリザベス・ポークの手にしたライターの炎が、狭い入口を照らし出している。暗いトンネルから二歩ほど引っ込んだところだ。配管用の通路から地上の道路へと抜ける出口がないかと天井に意識を集中していたため、気づかずに通り過ぎてしまっていたのだ。

背後からは追っ手の叫び声が聞こえてくる。犬が大きな鳴き声をあげた。再びにおいを嗅ぎつけたに違いない。追っ手をまくために、グレイは何度も方向を変えながらトンネル内を走ってきたが、あまり効果はなかったようだ。距離が縮まりつつある。

コワルスキは扉に手を伸ばし、取っ手をつかんだ。「鍵がかかっている」そう言うと、コワルスキは腹立たしげに金属製の扉に拳を叩きつけた。

コワルスキの横からのぞき込んだグレイは、取っ手の下に電子錠があることに気づいた。ライターの炎に照らされて、扉にはアールデコ調の文字がぼんやりと浮かび上がっている。

国立アメリカ歴史博物館

扉はスミソニアンにある別の博物館への地下入口だった。扉のすぐ前にいたエリザベスが自分のセキュリティーカードを通したが、錠のランプは点灯しない。それでも、コワルスキは再び取っ手をつかんでみたが、すぐに首を横に振った。

「私のカードは自然史博物館内だけ有効なの」エリザベスは言った。「もしかしたらと思ったんだけど――」

激しい鳴き声を耳にして、三人は振り返った。トンネルの奥の方から、懐中電灯の光が揺れながら近づいてくる。

「ここから移動した方がいいぜ」そう言いながら、コワルスキは扉から離れた。

ショットガンの銃声が響き渡った。ほんの少し前までコワルスキが立っていた場所に何かが当たり、金属製の扉の表面に火花が飛び散る。扉に当たって跳ね返った銃弾は、青い電気の火花とともにコンクリートの床の上を滑っていった。

コワルスキは飛び跳ねながら火花から逃れた。大きなゾウがネズミに驚いているかのような光景だ。

グレイは追っ手が使用している武器を見抜いていた。テーザー銃のＸＲＥＰ。一般的な十二口径の銃から発射されたのはワイヤレス式のテーザー弾で、神経と筋肉の両方に強烈な衝撃を与えることができる。マウンテンゴリラも一発で倒せるほどの威力を持つと言われている。

「国土安全保障省だ！　止まらないともう一度撃つぞ！」

「撃ってから警告かよ」コワルスキは頭の上に両手を乗せた。

コワルスキの巨体の陰に隠れながら、グレイは体を反転させ、シグマの黒いＩＤカードをキーに通した。錠のすぐ横に緑色のランプが点灯する。

助かった。

「両手を上に乗せたまま、ひざまずくんだ！」

グレイが取っ手をつかんで押すと、扉が開いた。扉の向こう側は真っ暗だ。グレイは後ろに手を伸ばし、エリザベスの肘をつかんだ。一瞬、エリザベスは体をこわばらせたが、半分開いた扉に気づくと、今度は彼女が手を伸ばし、コワルスキのベルトの背中部分をつかんだ。彼は両手を頭の上に乗せ、膝をつくために体をかがめようとしていた。

コワルスキが二人の方を振り返る。

グレイは肩で扉を押し開け、エリザベスを引っ張りながら中へ入った。一方、いきなり引っ張られたコワルスキは、バランスを崩して片方の膝をついたが、床を手で押して勢いをつけながら、二人の後から扉を目がけて飛び込んできた。

グレイの耳に、再びショットガンの銃声が聞こえた。

コワルスキに体当たりを食らい、グレイとエリザベスは扉の先にある薄暗い階段へとはじき飛ばされた。コワルスキは片足で扉を蹴って閉めた。だが、閉まった扉をなおも蹴り続けている。「――ちくしょうめ――」コワルスキは歯を食いしばりながらうめき声をあげた。

痙攣《けいれん》している方のコワルスキの足の靴に、火花を散らす物体が突き刺さっていた。それに気づいたエリザベスは、倒れたコワルスキの体によじ登り、足首をしっかり押さえてから、テーザーの銃弾を靴のヒールで踏みつぶした。

さらに一回震えた後に、コワルスキの足の痙攣は止まった。

だが、うめき声は止まらない。

グレイは立ち上がり、コワルスキに手を貸して立たせようとした。「靴に命中したからまだ運がよかったんだぞ。革靴のおかげでテーザーの針が深く刺さらずにすんだんだ」

「運がよかっただと？」コワルスキは背中を丸め、ぴかぴかに磨いてあった靴に開いた穴を指でこすった。「あいつら、新品のチャッカを台なしにしやがった！」

こもった叫び声が扉の方へと近づいてくる。

「行くぞ」グレイは二人を促して階段を上がった。

階段を駆け上がりながら、コワルスキはまだぶつぶつと文句を言っていた。「クロウに新しい靴を買ってもらうからな！」

そんなぼやきを無視して、グレイは足早に階段を上り続けた。

しかし、コワルスキの不満は止まらない。「そうだ、サルの頭蓋骨をここに置いていこうぜ。あんなもの、連中にくれてやる」

「だめよ！」「だめだ！」エリザベスとグレイは同時に叫んだ。

グレイはエリザベスの声から怒りを感じ取っていた。それは自分も同じだ。彼女の父は追っ手から頭蓋骨を守るために命を落とした。グレイの腕の中で息絶えたのだ。簡単にあきらめるわけにはいかない。

階段を上り切ると扉があった。ここもロックされている。階段の下の扉を叩く音が聞こえてきた。連中が合鍵を手配するまで、それほどの時間はかからないだろう。

「ここよ」エリザベスはランプのついていないカードリーダーを指差した。

グレイは自分のＩＤカードを通した。ロックの解除される音が聞こえる。グレイは後ろを振り返りながら扉を押し開けた。すでに連絡が入っているに違いない。自分たちがアメリカ歴史博物館へと逃げ込んだことを、追っ手はすでに知っているはずだ。

グレイたちは明かりのついた廊下へと出た。自然史博物館の廊下とほとんど同じ造りだが、こちらでは廊下のあちこちに箱が山積みされていて、通行の妨げになっていた。グレイは無線のスイッチを入れたが、信号は届かない。博物館の地下深くでは役に立たないようだ。

「こっちだ」グレイは上へと通じる階段を目指した。

急いでいた三人は、作業服姿の電気技師と鉢合わせになった。技師は肩にひと巻きのコンジットを担ぎ、腰にはたくさんの工具をぶら下げている。「おまえら、もっと前をよく見て――！」

だが、グレイの表情に気づくと、技師は口をつぐんだ。あわてて通路を開け、壁にぴたりと背中をつけている。三人は技師の前を走り抜け、上の階を目指した。階段を上るにつれて、周囲はますます雑然としてくる。数人の作業員が話をしているかと思えば、壁紙が剝がされていたり、配管がむき出しになっていたりする箇所もある。階段の踊り場に達すると、山のように積み上げられた石膏《せっこう》板や大理石のタイルをよけながら進まなければならなかった。前方に見える扉の向こう側からは、モーターの振動音やのこぎりをひく音が聞こえる。新しいペンキのにおいが充満し、空気中にはおがくずが漂っている。

グレイは国立アメリカ歴史博物館が大規模な改修工事中だったことを思い出した。エイブラハム・リンカーンのシルクハットから映画の『オズの魔法使』でドロシーが履いていたルビーの靴に至るまで、三百万点にのぼる歴史的な所蔵物をより見やすく展示するために、開館から四十年が経過した建物の改装が行なわれていた。工事のために博物館は二年間にわたって閉鎖されていたが、来月には再び一般公開される予定になっている。

博物館の中央広間へと入ったグレイは、この様子ではリニューアルオープンが遅れそうだという印象を受けた。どこを見てもプラスチックのシートがかぶせられている。三階部分にまで達する足場も、まだ組まれたままだ。一階から二階へは大階段が通じている。真上に目を向けると、巨大な明かり取り窓もまだ紙で覆われていた。

グレイはすぐ近くにいた作業員の肩をつかんだ。顔の半分は防塵マスクで覆われている。

「出口は？　いちばん近い出口は？」

男は細い目でグレイをにらんだ。「コンスティテューション通り側の出口は閉鎖されている。二階に上らないといけない。モール側の中央出口から外に出な」男は階段を指差した。

グレイはエリザベスの方を見た。彼女もうなずき返してくる。三人は離れないように注意しながら歩き始めた。グレイはもう一度無線をチェックしてみた。まだ信号が入らない。何かが、あるいは何者かが、グレイの無線を妨害しているようだ。

三人は急いで階段へと向かい、二階へと駆け上がった。二階の方がだいぶ片付いているように見える。緑色をした大理石の床はモップがかけられたばかりで、中に埋め込まれた銀色の星形がひときわ輝いていた。中央広間からはモール側の出口のガラス扉を見通すことができる。あそこまでたどり着くことができれば――

だが、一歩遅かった。

アサルトライフルで武装した男たちの一団が、ガラス扉の向こう側に姿を現した。濃い色の制服に身を包み、肩の部分には記章が付いている。

グレイはコワルスキとエリザベスを押し戻した。

背後の一階からうなるような鳴き声が聞こえる。驚いた作業員たちが悲鳴をあげている。

「どうする？」コワルスキは訊ねた。

モール側の出入口から、拡声器を通した声が聞こえてきた。「国土安全保障省です！　この建物から大至急、退避してください！　全員、中央出口から外に出てください！」

「こっちだ」グレイは指示した。

グレイは隅の方にあるこのフロア最大の展示物の方へと向かった。そのインスタレーションは旗のアブストラクトで、鏡のように反射する十五本のポリカーボネートのリボンでできている。

「逃げ続けることはできないわ」エリザベスが口を開いた。

「そのつもりはない」

「だったら、隠れるのか？」コワルスキは訊ねた。「犬がいるじゃないか」

「逃げもしないし、隠れもしない」グレイは断言した。

グレイはキラキラと輝く旗の下を通り過ぎた。反射する旗の表面には、博物館の内部の様子がプリズムのように映っている。旗に反射する光景から、グレイは武装した隊員たちが唯一の出口の外で厳重な非常線を張っている様子を確認した。

工事用の備品や予備の作業服が置かれている足場の下をくぐる際に、グレイは必要なものを手に入れた。その一部をコワルスキに手渡す。自分で使用する分は持ったままだ。ペンキが一缶に、プラスチックの容器に入ったペンキ用の薄め液。グレイは旗のアブストラクトの先にある展示室へと向かった。入口に記された展示物の表示を読むと、コワルスキは軽く口笛を吹いた。

「ピアース、何をやらかすつもりだ?」

グレイは先頭に立って、この博物館で最も貴重な展示物が飾られているギャラリーへと入った。今回の改修工事は、この展示物のために行なわれたと言っても過言ではない。長く暗い通路の片側には椅子が並んでいて、その向かい側の壁にはガラスがはめ込まれている。ガラスの内側にある歴史的な展示物は、国家にとって最も重要な象徴の一つであり、その重みに外の喧《けん》噪《そう》すらこのギャラリーへと侵入するのをためらっているように感じられる。傾斜をつけた台座の内側に広げられたその展示物は、フットボール場の四分の一ほどの大きさがあり、綿とウールでできているが、かなり傷みが激しい。色あせてはいるが、アメリカの歴史において劇的な瞬間を彩った存在。国歌のインスピレーションとなった旗。

「ピアース……?」グレイの意図を理解したのか、コワルスキはうめいた。「これは星条旗だぞ」

グレイはペンキの缶を床の上に置き、極めて可燃性の高い薄め液のキャップを開け始めた。

「ピアース……おまえ、まさか……いくら陽動作戦とはいえ……」

コワルスキのつぶやきを無視して、グレイはエリザベスの方を向いた。「まだライターは持っているか？」

午後八時三十二分

国立動物園の警備室の椅子に座るユーリは、七十七歳という年齢の重みを痛いほど感じていた。アンドロゲンも、興奮剤も、外科手術も、心の重苦しさを取り除くことはできない。締めつけられるような恐怖のせいで、手足は棒のようにこわばっている。深いしわの刻まれた顔には、不安の色がありありと浮かんでいた。

「お孫さんは必ず見つけ出しますから」警備主任は約束してくれた。「動物園は閉鎖しました。全員で捜索を行なっています」

警備室に残っているのは、まだ二十代の前半にしか見えない若い金髪の女性だけだ。動物園の職員の制服であるカーキ色のサファリシャツを着ている。名札には「タバサ」とある。絶望のどん底にあるユーリにどう対応したらいいかわからず、二人きりでいるのが落ち着かない様子だ。彼女は机の向こう側で立ち上がった。

「電話をおかけになりたい相手はいらっしゃいませんか？　ご親戚の方とか？」

ユーリは顔を上げた。素早く彼女のことを観察する。若々しく血色のいい頬……この女性の人生はこれからだ。トラックに長時間揺られた後にカルパティア山脈の高地に降り立った時、自分はこの女性とそれほど変わらない年齢だった。あの時、ジプシーの野営地など発見しなければよかったのだ。

「電話をお使いになりますか？」女性は訊ねた。

ユーリはゆっくりとうなずいた。「ええ《ダー》」これ以上、引き延ばすことはできない。マップルソープにはすでに情報を伝えてある。単に知らせるためではなく、DC警察の協力を取りつけるためだ。しかし、マップルソープは盗まれた品物の捜索で手いっぱいの状態だった。ドクター・ポークの娘について、何か言っていたような気もする。だが、ユーリにとって、そんなことはどうでもいい話だった。それでも、マップルソープは子供が行方不明になったという緊急警報《アンバーアラート》の発令を請け合ってくれた。DC警察および周辺の郡の全関係者に対して、警報が伝えられることになる。何としてでも、見つけ出さなければならない。

サーシャ……。

彼女の丸顔と澄んだ青い瞳が、ユーリの頭に浮かんだ。彼女のそばを離れるべきではなかったのだ。単に迷子になっただけであってほしい、ユーリはそう祈っていた。しかし、獰猛《どうもう》な動物が多くいる園内では、ただの迷子であってもどんな危険に巻き込まれるかわからない。もし、迷子になったのではなく、誰かに連れ去られたのだとしたら？　誘拐されたのだとしたら？

今の彼女は影響を受けやすい状態にあるから、人の言いなりになってしまう。幼い子供に対して倒錯した興味を持つ者が決して少なくないことを、ユーリは身近な経験から知っていた。ウォーレンにおいても、初期にはそうした性癖を持つ職員がいた。多くの子供たちを、あまりに多くの子供たちを抱えていたため、過ちの発生を完全に抑えることができなかったのだ。

しかし、すべての虐待が過ちだったわけではない。

ユーリは頭に浮かんだその思いを振り払った。

タバサが携帯電話を持ってきてくれた。

だが、ユーリは首を横に振り、自分の携帯電話を取り出した。「ありがとう。でも、長距離電話なので」ユーリは説明した。「ロシアにいるあの子の祖母にかけるから、自分の電話を使うよ」

タバサはうなずきながらユーリから離れた。「私は席を外した方がよろしいですね」そう言うと、タバサは隣のオフィスへと入っていった。

一人になったユーリは、国際電話の番号を押した。ロシアの情報局が開発した小さなチップにより、電波は複数の携帯基地を経由するため探知されるおそれがない。通話にもスクランブルがかかるようになっている。

ユーリはこの電話をかけることに恐怖を覚えていたが、これ以上先延ばしにするわけにはいかなかった。ウォーレンに注意を喚起しなければならない。しかし、現地はまだ早朝だ。午前四時にもなっていない。それにもかかわらず、電話の相手はすぐに出た。ぶっきらぼうな口調の厳しい声が聞こえる。

「何の用？」

ユーリは電話を取った女性の顔を思い浮かべた。直属の上司に当たるドクター・サヴィーナ・マートフだ。二人は協力して子供たちを発見し、ウォーレンを立ち上げた。だが、サヴィーナは元ＫＧＢだったため、ユーリよりも上の地位に就くことができたのだ。ロシアにはこんな格言がある。「ＫＧＢに入ったら死ぬまでＫＧＢだ」西側諸国の首脳たちの思いとは裏腹に、現在のロシア大統領もその例外ではない。大統領は自分の側近をかつてのソヴィエト情報局の職員たちで固めている。大統領への口利きは、今でも元工作員を通じて行なわれているのである。

それはドクター・サヴィーナ・マートフにも当てはまる。

「サヴィーナ、こっちで大きな問題が発生した」ユーリはロシア語で伝えた。

その言葉に凍りつく彼女の表情が目に浮かぶようだ。ユーリと同じように、サヴィーナもホルモン投与、外科手術、美容整形手術を受けているが、その効果はユーリよりもてきめんに現れていた。髪はまだ黒々としているし、肌にはしみ一つない。四十歳だと言っても十分に通用するほどだ。ユーリにはその理由が想像できた。サヴィーナはユーリとは違い、胃が痛くなるような罪悪感に苛まれることがないのだろう。揺らぐことのない先見性と目的意識が、その表情からにじみ出ている。一対一で目を合わせると、初めて彼女の本当の姿を垣間見ることができる。どのような治療を施そうとも、その瞳に宿る冷徹な計算高さを隠すことはできない。

「我々のところから盗まれたものは、まだ発見できていないのね？」険しい口調で詰問してくる。「ポークはすでに抹殺されたと聞いたわ。それならどうして――？」

「サーシャの件で電話したのだ。彼女が行方不明になった」

長い沈黙が続いた。

「サヴィーナ、聞こえたのか？」

「ええ。こちらも寝室棟の職員からさっき連絡が入ったところなの。だからこんな早い時間から起きているのよ。三人の子供がベッドから姿を消したわ」

「誰だ？　どの子供が？」

「コンスタンティンに彼の妹のキスカ、それにピョートルよ」

サヴィーナはウォーレン全域で行なわれている捜索の様子を話し続けている。しかし、ユーリの耳にはまるで深い井戸の底から聞こえてくるようなこもった声にしか聞こえなかった。サヴィーナが伝えた三人目の子供の名前が耳にこだまする。

ピョートル。

サーシャの双子の弟だ。

「いつだ？」ユーリは質問をぶつけた。「三人の子供が行方不明になったのは、いつなんだ？」

サヴィーナは聞こえよがしにため息をついた。「夜勤の女性職員によると、直前の定時の点検では異常なかったらしいわ。だからこの一時間以内じゃないかしら」

ユーリは腕時計に目をやった。

〈サーシャが姿を消したのと同じ頃だ〉

単なる偶然の一致だろうか？　それとも、ピョートルは双子の姉の危険を察知したのだろうか？　そのために、弟はとっさの行動に出たのだろうか？　しかし、これまでにピョートルがそのような能力を示したことはない。「エンパシー」と呼ばれる彼の共感能力、特に動物に対するそれのスコアは高いが、姉が持つような能力は今まで発揮していない。とはいえ、双子のサーシャとピョートルは、通常の兄弟や姉妹よりも密接な関係にある。自分たちだけしか理解できない言葉で会話することもあるくらいだ。

耳元に当てた携帯電話を握り締めながら、ユーリは想像していたよりも恐ろしい事態が起こりつつあるという予感がしていた。未知の力が――おそらく未知の人物が、一連の出来事を操作している。

しかし、いったい誰がそんなことを？

サヴィーナの怒鳴り声に、ユーリは我に返った。「少女を見つけるのよ」命令口調だ。「手遅れになる前に。二日後に何が予定されているか、わかっているはずよね」

もちろん、ユーリは十分に承知していた。何十年もかけて研究を行なってきたのは、むごいことを繰り返してきたのは、そのためだった。すべての目的は——

警備室の扉が大きな音を立てる。ユーリは反射的に体を向けた。動物園の警備主任が戻ってきた。日焼けしたその顔に浮かぶ表情は険しく、懸念と不安が色濃くにじんでいる。

ユーリは電話に向かって話した。「彼女を必ず見つける」断固とした口調で告げたその言葉は、冷酷な上司への約束というよりも、自分自身への決意表明だった。ユーリは電話を切ると背の高い警備主任へと向き直り、英語で問いかけた。「孫娘は見つかったのですか？」

「残念ながら、まだです。園内を徹底的に捜索していますが、今のところ見つかっていません」

ユーリは胃の中に重たいものが沈んでいくように感じた。

さらに話を続ける警備主任の声に、かすかなためらいが感じられた。「お伝えしておくべきでしょうね。実は、あなたのお孫さんとよく似た年格好の女の子が、南出口の近くでバンに乗せられるのを目撃したという人がいるのです」

ユーリは目を大きく見開いて立ち上がった。

警備主任は片手を上げて落ち着くように促した。「ＤＣ警察がその情報を調べています。ただし、見間違いの可能性もあります。我々としても、今のところこれ以上は手の打ちようがないのです」

「何か方法があるはずでしょう」

「申し訳ありません。あと、ここへ戻る途中で、FBIが付き添いの人を派遣したという話を聞きました。間もなく到着すると思います。お客様をホテルまでお連れするそうです」

マップルソープが手配したに違いない。「いろいろと手を尽くしてくれて、ありがとう」

ユーリは扉へと向かい、取っ手に手を伸ばした。「ちょっと……外の空気を吸ってくる」

「わかりました。すぐ近くにベンチがありますよ」

ユーリは警備室から外に出た。園内に置かれたベンチを見つけてそちらへと歩き始めたが、警備室の窓から見えない位置に達したのを確認すると、そのままベンチの前を通り過ぎて大股で出口へと向かった。

マップルソープに主導権を握らせるわけにはいかなかった。このような事態になった場合でも、それだけはまずい。あの馬鹿なアメリカ人は、実際に行なわれていることのほんの一部しか知らない。アメリカ合衆国の情報部の興味をそそる程度の中身しか教えていない。アメリカ人どもは、これから数日のうちに世界が変わることになるとは、夢にも思っていない。

マップルソープよりも先に、サーシャを見つけ出す必要がある。

そのための方法は一つしかない。

警察の非常線を通り抜けて動物園の外に出ると、ユーリは携帯電話をかけた。今度も暗号がかかっている。さっきと同じように、すぐに相手が出たが、聞こえてきたのは留守番電話の音声だった。

「こちらはアルゴー社の国内向け交換台です。ご用件の……」

アルゴー社はジェイソンズの隠れ蓑だ。「アルゴー」という偽名は、ギリシア神話に出てくるイアソンが乗った船の名前で、「ジェイソン」がギリシア語では「イアソン」になるために選ばれた。

案内の音声が終わるのを待ちながら、ユーリはこのくだらない言葉遊びにあきれていた。そのジェイソンズのメンバーを、彼はほんの数時間前に殺害したばかりだ。それなのに今度は自分が、アメリカ人の科学者で構成されるこの秘密組織の助けを必要としている。もちろん、援助を得るための方法は知っている。かつての冷戦時代、米ソ両国は科学技術力で相手よりも優位に立とうと、密かに戦いを繰り広げていた。両国とも、軍部と情報部からの支援を受けていた。戦いの手段は知力だけにとどまらない。破壊工作、弾圧、脅迫といった、犯罪すれすれの手法が用いられることもあった。その一方で、科学者は軍部の干渉を嫌い、軍部とは一線を画そうとする。それはアメリカでもソ連でも同じだった。数十年という年月の間に、科学者たちは二つのことを学んだ。一つは、相手国の科学者と共通の立場にある場合が決して少なくないことを。そしてもう一つ、より重要なことは、お互いが踏み越えてはならない明確な境界線が存在することを。

その線が危険にさらされた場合に備えて、連絡方法が設定されていた。ある種の非常ボタンのようなものだ。電話口に向かって、ユーリは暗号化された自分の携帯電話の番号を伝え、冷戦時代から受け継がれているパスワードを告げた。

「パンドラ」

午後八時三十八分

星条旗を展示したギャラリーから大量の煙が噴き出した。

グレイはほかの二人とともに、博物館の中央広間からギャラリーの方へと少し入った地点で待機していた。各自の服の上に塗装用の作業着を着込み、顔は防塵マスクで隠してある。念には念を入れて、作業着にはペンキをかけておいた。

グレイは星条旗が飾られたギャラリーの方をのぞき込んだ。煙が目にしみる。ペンキ用の薄め液をまいた付近の木の床から、激しい炎が燃え上がっている。その直後、非常用のスプリンクラーが作動した。天上に設置されたスプリンクラーから、大量の水が一気に噴き出す。甲高い警報音も鳴り響いた。

グレイは星条旗を収蔵するガラスケースに水がかかっていないことも確認した。アメリカ合衆国の象徴ともいえる旗を未来の世代に残すために、展示スペースには環境制御システムが採用されている。しばらくの間は、ガラスケースが煙や水から星条旗を保護してくれるだろう。

貴重な展示物の安全を確認すると、グレイは中央広間の方向へと注意を戻した。煙のせいで作業員たちの間にパニックが広がり、悲鳴や叫び声が大きくなっている。爆弾を仕掛けたという脅迫があったらしいという知らせに、作業員たちはすでに浮き足立っていた。そんな状況下で、火災警報器が鳴り、煙が噴き出したのだ。

グレイはギャラリーへと通じる通路の陰から中央広間をのぞいた。

このフロアにある唯一の出口へと向かうように拡声器を通じて指示されていたので、すでに大勢の人々でごった返している。工具箱を手にしたり、バックパックを背負ったりしている人も多い。恐怖に駆られて作業員たちは急いで出口へと向かっていたが、外では武装した隊員たちが作業員の体と持ち物を一人ずつ検査していた。二頭のジャーマンシェパードも、作業員たちのにおいを嗅いでいる。

「行くぞ」グレイは声をかけた。

煙と恐怖に乗じて、三人はほかの作業員の中に紛れ込んだ。ひとかたまりになっていると偽装が目立つ可能性があるので、ばらばらに分かれる。パニックを起こした群衆の中に入ると、岩だらけの海岸へと打ち寄せる荒波にのみ込まれたような気分だ。押されたり、引っ張られたり、突き飛ばされたり、蹴られたりしながらも、グレイはほかの二人から目を離さずにいた。

避難を急ぐ作業員たちは出口に向かって押し寄せていた。建物の内部は混乱状態にあったが、出口の外では武装した隊員たちのおかげでどうにか秩序が保たれている。作業員の検査は引き続き行なわれているが、さっきまでと比べると手短で簡単なものとなっていた。二頭の犬は吠えながら盛んにリードを引っ張っている。物音と雑踏に興奮しているのだろう。

グレイは胸に抱えたショルダーバッグをさらに強く握り締めた。いざとなれば、タッチダウンを狙うランニングバックのように、武装した隊員の間を強行突破すればいい。

横を見ると、エリザベスが出口から押し出されるところだった。そのまま一人の隊員の前に押しやられる。簡単に検査をされただけで、エリザベスは行くように合図された。次に一頭の犬の前を通り過ぎた。ジャーマンシェパードは吠えながらリードを引っ張ったが、それは彼女のにおいを認識したからではない。大勢の人間を目の前にして、神経が高ぶって混乱しているだけだ。新しいペンキと煙も、エリザベスのにおいを隠すのに役立った。武装した隊員の間を前につんのめりながら通り抜け、エリザベスはすっかり日が落ちたナショナルモールへと進んでいった。

反対側に目を向けると、コワルスキが身体検査を受ける番だった。偽装用として、両手にペンキの缶を一つずつ持っている。もっとも、前を歩く作業員たちを突き飛ばすためにコワルスキが缶を利用していたのを、グレイは見逃さなかった。コワルスキも身体検査を受けた。ペンキの缶のふたを開けるように指示されている。

グレイは息をのんだ。まずい事態だ。パニックが起これば検査はもっとおざなりになると思っていたのだが、これは思惑とは異なる展開だ。

検査が終わると、コワルスキもモールへと進むよう指示された。

扉から押し出されたグレイの目に、武装した隊員の手のひらが映った。

「両手を上げて！」隊員が命令する。言葉だけでは足りないとでもいうかのように、別の隊員がグレイの胸に銃を向けている。

頭の先からつま先まで、隊員の手が素早くグレイの全身を調べた。こうなることを予期して、足首のホルスターと拳銃は、星条旗を展示していたギャラリーにあったごみ箱に捨てておいた。

しかし、まだ安心できない。

「バッグを開けるんだ！」

命令には逆らえない。グレイはバッグを下に置くと、チャックを開けた。中に入っているものは一つだけ。グレイは小さな電動式研磨機を取り出して隊員に見せた。ほかに隠し持っているものがないかバッグを振って確認した後、隊員はグレイを通した。

盛んに吠えかかる犬の前を通る時、グレイは脇に男が立っていることに気づいた。背広姿だ。防弾チョッキは着用していない。耳にはブルートゥースのヘッドホンを装着している。大声で指示を出していることから推測すると、この男が責任者なのだろう。グレイは自然史博物館の搬入口でも同じ男を見かけたのを思い出した。

男の前を通り過ぎながら、グレイは上着のポケットに取り付けられた身分証明書を確認した。

ＤＩＡ。

米国国防情報局。

太い字で名前も記されている。マップルソープ。

男に気づかれることなく、グレイはモールへと出た。博物館から十分に距離を置き、喧噪の届かなくなった地点で、グレイは二人と密かに合流した。誰かが見ていたとしても、たまたま顔を合わせた三人の作業員としか思わないだろう。グレイは無線のスロートマイクを再び顎の下に留めた。シグマの中央司令部を呼び出す。

聞き覚えのある声が応答した。

「グレイか！　いったいどこにいるんだ？」

ペインター・クロウだ。

「説明している時間はありません」グレイは伝えた。「十四番街とコンスティテューション通りの角に、目立たない車を一台、回してください」

「すぐ手配する」

車を呼んだ地点へと向かいながら、グレイはコワルスキに手を差し出した。

コワルスキはペンキの入った缶の一つを手渡した。「こんなものを持っているだけで鳥肌が立つよ」

缶を受け取りながら、グレイは胸をなでおろした。ペンキがたっぷり入った缶の底には、例の奇妙な頭蓋骨が沈んでいる。どろっとしたラテックスのペンキの中までは、調べられることがないだろうという可能性に賭けたのだった。同じ色のペンキが付着した作業着姿の男が持っていれば、なおさらだ。頭蓋骨のペンキをきれいに洗い流せば、ようやく何らかの答えを得ることができるかもしれない。

「うまくいったのね」エリザベスの声は安堵感に満ちていた。

だが、グレイは何も答えなかった。

この一件はまだ始まったばかりだ。


ワシントンＤＣから地球を半周した場所で、一人の男が目を覚ました。窓のない真っ暗な部屋だ。すぐそばにある数台の機器が、かすかな光を発している。光の点滅と振動音から、男はその機器が心電計だとわかった。消毒液とヨウ素のにおいが鼻をつく。朦朧《もうろう》とした意識のまま体を起こそうとしたが、動きが速すぎたようだ。かすかな光が大きく揺れる。真夜中の海を光る魚が高速で移動しているかのようだ。

その光景が男の頭の中に眠っていた何かを刺激した。記憶。

……暗い水中を移動する光……

男は体を起こそうともがいたが、両肘はベッドの手すりに固定されていた。病院のベッドだ。

腕をシーツから持ち上げることすらできない。力が入らない。男は再び横になった。

〈事故に遭ったのだろうか？〉

深呼吸をした時、男は誰かに見られていることに気づいた。かすかな気配を感じる。頭を横に向けると、戸口にぼんやりとした輪郭が見える。部屋の入口付近で、黒い影がかすかに動いている。タイルをこする靴音がする。それに続いて、かすかなささやき声も聞こえた。外国の言葉だ。音の響きからすると、ロシア語だろうか。

「そこにいるのは誰だ？」男はかすれた声で訊ねた。喉に焼けつくような痛みが走る。まるで酸を飲み込んだかのようだ。

答えは返ってこない。重苦しい沈黙が暗闇を支配する。

男は固唾《かたず》を飲んで答えを待った。

その時、戸口の方から光が差し込んできた。あまりのまぶしさに目がちかちかする。本能的に手をかざして目を守ろうとしたが、ベッドに固定されている両腕は動かない。

男は何度もまばたきをした。光の残像が見える。光の正体は小さなペンライトだ。光は部屋に忍び込んでくる小さな三つの影を照らし出した。まだ子供だ。ペンライトを持っているのは男の子で、十二、三歳だろうか。その背後にいるのは女の子で、一歳から二歳くらい年下に見える。二人の後ろにはさらに小さな男の子がいた。八歳になったかならないかくらいだろう。

三人はまるでライオンの檻を目の前にしているかのように、おそるおそる男のベッドへと近づいてきた。

背の高い少年が三人の中のリーダー格のようだ。少年は年下の男の子の方を振り返った。ロシア語でささやきかけている。意味はわからないが、不安そうに何かを質問している様子だ。少年は男の子の名前を呼んだ。「ピーター」と言ったように聞こえる。男の子はうなずくとベッドを指差し、ロシア語で返事をした。確信を持った口調で何かを伝えている。

ベッドの上でもがきながら、男は再びかすれた声をあげた。「君たちは誰だ？　何の用だ？」

背の高い少年は鋭い目つきで静かにするように訴えると、扉が開いたままの入口を振り返った。その後、子供たちは二手に分かれ、ベッドの近くに立った。リーダー格の少年と女の子は、男の手足を固定している革紐を外し始めた。一方、いちばん小さな男の子は、ベッドから少し離れた位置で目を見開いている。子供たちは三人とも、ゆったりとしたズボンに濃いグレーのタートルネックのセーターという服装で、さらにその上からベストを着用していた。おそろいの網編みの帽子もかぶっている。男の子は男をじっと見つめていた。額から何かを読み取られているような気がして、男は不安を覚えた。

両手が自由になった男は、ベッドの上に体を起こした。再び室内がぐるぐる回る。だが、さっきほどはひどくない。めまいを抑えようとして、男は片手を頭の上に乗せた。手のひらの下に髪の毛がないことに気づく。左耳の後ろには縫合跡《ほうごう》があり、軽い痛みが残っている。ということは、手術のために髪の毛を剃られたのだろうか？　しかし、つるつるの頭をなでる手のひらの感触には、不思議と違和感がない。

この矛盾に考えを巡らせながら、男はもう片方の手のひらを目の前に出した。正確には、出そうとした。だが、もう片方の腕には手首から先がない。ショックで男の心臓の鼓動は速まった。ひどい事故に巻き込まれたに違いない。頭に乗せた方の手の指先で、まるで点字を読むかのように縫合跡をたどる。手術からまだ間もないようだ。しかし、手首の皮膚は固くなり、だいぶ前に治癒している。それでも、男はまだそこに指があるかのように感じていた。いらだちのあまり、握り締めている拳が目に見えるようだ。

背の高い少年がベッド脇から離れた。「来て」少年は英語で語りかけた。

こっそり拘束を外してくれたことと、子供たちが人目を気にしている様子から察するに、危険が潜んでいるに違いない。病院の薄い寝間着一枚をまとっただけの男は、体を反転させて冷たいタイルの床に足を下ろした。その動作と同時に、部屋が大きく傾く。

まずい。

吐き気を覚えて、男の口からうめき声が漏れた。

「急いで」背の高い少年は促した。

「待ってくれ」そう言うと、男は胃のむかつきを抑えるために大きく息を吸い込んだ。「いったい何が起きているのか、教えてくれ」

「時間がない」背の高い少年は歩き始めた。ひょろっとしていて、手足が長い。威厳のある態度を示そうとしているようだが、震える声は少年の幼さと恐怖を如実《にょじつ》に現していた。少年は自分の胸に手を触れて自己紹介をした。「僕の名前《メニャー・ザヴート》はコンスタンティン。あなたは来ないといけない。手遅れになる前に」

「しかし……そう言われても……」

「混乱しているんでしょ。とりあえず、名前が『モンク・コッカリス』だと覚えておいて」

少年の言葉を鼻で笑いながら、男は首を横に振った。モンク・コッカリス。そんな名前など、まったく心当たりがない。少年の言葉を否定して、間違いを正そうと思った時、男は正しい答えを知らないことに気づいた。自分の名前が書かれていた場所が、ぽっかりと空白になっている。男は心臓が締めつけられるような恐怖を覚えた。動揺のあまり、目の前の光景が頭に入ってこない。どうして名前を思い出せないんだ？　男は縫合跡に再び手を触れた。頭を強く打ったのだろうか？　脳震盪《のうしんとう》なのだろうか？　男はこの部屋で目覚める前の記憶をたどろうとした。しかし、何一つ思い出せない。何もない空間が広がっているだけだ。

いったい何が起こったんだ？

男はテープで止めた導線によってまだ自分の胸とつながっている心電計に目を向けた。部屋の隅には、血圧計と静脈点滴用のポールが置かれている。身のまわりにあるものの名前はわかるのに、どうして自分の名前を思い出せないんだ？　男は過去の出来事を思い出そうとした。自分が存在していた証となる何かがあるはずだ。しかし、この暗い部屋で目を覚ます前のことは、まったく覚えていなかった。

もう一人の年下の少年は、男の動揺を感じ取ったようだ。少年が近づくと、ペンライトの光を反射して青い瞳が輝いた。モンクという名前だと告げられた男は、この小さな少年が自分のことをよく知っていると察した。当の本人よりもはるかに多くのことを知っている。そのことを証明するかのように、少年は男の心を読み取り、男をベッドから立ち上がらせることのできる唯一の言葉を発した。

少年は小さな手を男に向かって差し出した。大きく広げた指は、子供たちが自分を必要としていることを物語っていた。「僕たちを救い出して」

5

九月五日午後九時三十分
ワシントンDC

「チェルノブイリ？」エリザベスは訊ねた。「父はロシアでいったい何をしていたの？」

エリザベスはコーヒーテーブル越しに二人の男性を凝視した。肘掛け椅子に腰かけた彼女の後ろには大きなガラス窓があり、ロッククリーク公園の木々が見渡せる。博物館から脱出した後、エリザベスたちは車でこの場所へと連れてこられた。グレイは「安全な隠れ家」という言葉を使ったが、それを聞くと自分の身の安全がかえって不安でならない。まるでスパイ小説を読んでいるみたいだ。しかし、素敵な隠れ家――焼き過ぎ煉瓦《れんが》とつやを出したタイガーオークの羽目板でできた二階建てのクラフツマン様式の住宅――のおかげで、気分が落ち着いてきた。

少しだけだけれども。

到着するとすぐ、彼女はバスルームへと向かい、数分間かけて両手をよく洗った後、顔に冷たい水をかけた。それでも、髪の毛からはまだ煙のにおいがするし、爪にもペンキが残っている。それから五分間、トイレに座り、両手で顔を覆ったまま、この数時間のうちに自分の身に降りかかった出来事を振り返った。いつの間にか涙を流していたらしく、気がつくと両手が濡れていた。一度に多くのことが起こりすぎた。父の死をきちんと受け止める余裕すらない。父が亡くなったという知らせを疑っているわけではないが、まだ現実のものとして受け入れることができずにいる。

きちんとした答えを得るまでは。

そのためには質問をしなければいけないと決意して、エリザベスはようやくバスルームから出ることができたのだった。

コーヒーが用意されたテーブル越しに、彼女はこの家で初めて出会った男性に目を向けた。グレイの上司、ペインター・クロウ司令官。エリザベスはその男性を観察した。顔はやや角張っていて、肌は日に焼けている。人類学者としての視線で見ると、アメリカ先住民の血が混じっているようだ。目を見ればわかる。ただし、その瞳は氷のような青い色をしていた。髪は黒々としているが、片方の耳元だけ細い線状の白髪が混じっている。シロサギの羽根を刺しているかのようだ。

男性の隣にはグレイが座っていた。前かがみになって、テーブルの上の書類をめくっている。二人が彼女の問いかけに答えるより先に、コワルスキがキッチンから戻ってきた。靴は履いていない。きれいに磨かれたばかりの靴は、火の入っていない暖炉の上に置かれていた。

「リッツのクラッカーと、チーズらしきものがあったぜ。本当にチーズかどうかはよくわからないけど。あと、サラミもな」

コワルスキは身を乗り出して、エリザベスの前に皿を置いた。

「ありがとう、ジョー」わからないことばかりの中では、こんなちょっとした心遣いがうれしい。

大男の耳のまわりが少し赤らんだ。「大したことないって」コワルスキは背中を伸ばしながらつぶやいた。彼は皿を指差したが、何を言おうとしたのか忘れてしまった様子で、首を横に振ると靴の手入れの続きをするためにテーブルを離れた。

ペインターが座り直したことに気づき、エリザベスは注意を戻した。「チェルノブイリに関してだが、なぜ君のお父さんがそこに行ったのかはわからない。パスポートを調べてみたが、ロシアを訪れた記録は残っていないし、それればかりかアメリカに再入国した記録すらない。偽造パスポートを使用していたのではないかと推測される。残っている最後の移動記録は五カ月前のもので、君のお父さんはインドに入国している。その後の居場所に関しては不明だ」

エリザベスはうなずいた。「父は何度もインドを訪れていたわ。少なくとも、年に二回は訪れていたはずよ」

グレイが顔を上げた。「なぜインドへ？」

「研究助成金のためよ。神経学者の父は、生物学的な側面から特殊能力に関する研究を行なっていた。ムンバイ大学の心理学の教授と共同で作業をしていたのよ」

グレイは上司に視線を向けた。

「その線は調べておこう」ペインターは答えた。「だが、君のお父さんが特殊能力や直観に関心を抱いていたことはすでに聞いている。実際、彼がジェイソンズに関わったのもその分野が中心だった」

最後の言葉はグレイに向けられたものだったが、組織の名称を耳にしたエリザベスは思わず体をこわばらせた。嫌悪感が声に出るのを隠すことができない。「あなたたちも知っているのね――ジェイソンズのことを」

ペインターはグレイに視線を向けた後、エリザベスの方に向き直った。「ああ、君のお父さんがジェイソンズに協力していたことは知っている」

「協力していたですって？『取りつかれていた』と言うべきだわ」

「どういう意味だ？」

エリザベスは軍との仕事を始めた父が、次第にのめり込んでいった様子を説明した。毎年夏になると、父は何カ月か、時には半年近くも姿を消した。一年の残りは、ＭＩＴの教授としての職務に追われる日々。その結果、家で父の姿を見かけることはほとんどなくなった。父と母との間にも、張り詰めた空気が漂い始めた。ちょっとした言葉の行き違いが、すぐに激しい口論へと発展する。母は父が浮気をしていると信じるようになった。

母との関係が悪化すると、父はそれまで以上に家を空ける機会が増えた。険悪になった夫婦関係は、ついに破綻を迎える。次第に酒量の増えていた母は、やがて抑えがきかなくなってしまう。エリザベスが十六歳の時、酒に酔った母は家族のＳＵＶを運転し、チャールズ川に転落した。事故だったのか自殺だったのかは、いまだに判明していない。

しかし、エリザベスにとって、誰が母の死の責任を負うべきかは明白だった。

その日以降、エリザベスが父と会話をすることはほとんどなかった。二人とも、自分の殻に閉じこもってしまったのだ。その父もいなくなってしまった。二度と戻ってくることはない。父が死んだと知った今も、父に対する怒りの炎が消えることはない。しかも、父の死は多くの謎に包まれたままだ。

「ジェイソンズに関与していたことが父の死と関係があるのかしら？」説明を終えると、エリザベスは逆に質問した。

ペインターは首を横に振った。「何とも言えないな。まだ捜査が始まったばかりだ。だが、君のお父さんが担当していた機密軍事プロジェクトを突き止めることはできた。その名称は――」

「スターゲイト計画ね」エリザベスはペインターの言葉を引き継いだ。ペインターの驚いた表情に、エリザベスはかすかな満足感を覚えた。

暖炉のそばにいたコワルスキが反応した。「ああ、その映画なら見たことがあるよ……エイリアンが出てくるやつだろ?」

「その『スターゲイト』じゃないわよ、ジョー」エリザベスは答えた。「それに心配はご無用よ、クロウさん。父は極秘情報を故意に漏らしたわけじゃないわ。父が何度かプロジェクトの名前を口にしたのを、たまたま聞いていただけ。それから十年くらいたって、情報公開法によって機密が解除されたCIAの報告書を読む機会があったのよ」

「それはどんなプロジェクトなんだ?」グレイは訊ねた。

ペインターはテーブルの上に置かれた書類の山を顎で示した。「詳細についてはそこに書かれている。冷戦時代にまでさかのぼるプロジェクトだ。公式には、この計画は我が国第二のシンクタンク、スタンフォード研究所が管轄していた。後にステルス技術の開発に関与する研究所だ。一九七三年、スタンフォード研究所はCIAから委嘱を受けた。情報収集に際して超心理学を応用することが可能かどうか、調査してほしいというものだった」

「超心理学?」グレイは眉を吊り上げた。

ペインターはうなずいた。「テレパシー、テレキネシスとかだな……だが、研究の中心になったのは『遠隔透視』だ。精神力だけを使って、はるか離れた地点にある物体や活動を監視するのが目的だった。『長距離テレパシー』とでも言ったらいいかな」

部屋の片隅から、小馬鹿にしたようなコワルスキの声が聞こえた。「超能力を持ったスパイか」

「馬鹿げた話に聞こえるかもしれないが、冷戦下の対立が頂点に達していた時期においては、ソ連側が優位に立つ技術があるとわかれば、我々も対抗せざるをえなかった。技術力で相手より劣ることは、たとえわずかであろうとも容認されなかったのだ。ソヴィエト連邦はあらゆる研究を行なっていた。ソ連にとって、超心理学は複数の分野にまたがる研究対象で、生体工学、生物物理学、精神物理学、生理学、神経生理学を網羅《もうら》するものだった」

ペインターは言葉を切ると、エリザベスに向かってうなずいた。「君のお父さんが行なっていた特殊能力や直観の研究と同じだ。神経生理学が関係していたんだよ」

エリザベスはグレイに視線を向けた。目に浮かぶ不信の色から判断すると、彼は上司の説明を話半分で聞いている様子だ。だが、口を挟むことなく耳を傾けている。エリザベスもグレイに合わせることにした。

「CIAの報告書によれば、ソ連は成果を残し始めていたという。だが、一九七一年、ソ連の計画は突如として最高レベルの機密扱いとなった。まったく情報が入ってこなくなったんだ。ロシアでの研究はKGBの資金援助により継続している、ということしか確認できなかった。我々の側も対抗して同種の研究を行なわなければ、技術的に先行されるおそれがあった。そのため、スタンフォード研究所に調査が委嘱されたわけだ」

「その結果は？」グレイは訊ねた。

「微妙といったところだな」ペインターは認めた。

エリザベスも機密が解除されたその報告書に目を通していた。「実際のところ、プロジェクトの成功例はほとんどなかったという話よ」

「それは必ずしも事実ではない」ペインターは反論した。「公式の報告書によると、遠隔透視の実験では十五パーセントの有用な結果が得られた。統計学的な確率を上回る数字だ。また、例外的な事例が存在していたのも事実だ。例えば、ニューヨーク在住のアーティスト、インゴ・スワン。彼は緯度と経度の座標を与えられただけで、その場所にある建物の形状を詳細に説明することができた。ある関係者によると、彼のヒット率は八十五パーセント近かったという」

ペインターは二人の聞き手がまだ疑いの目で見ていることに気づいたに違いない。彼は書類の束を指先で叩いた。「スタンフォード研究所での結果は、フォート・ミードやプリンストン変則工学研究所が行なった実験でも再現された。さらには、顕著な成功例もいくつか残っている。その中でも最も有名なのが、誘拐されたジェームズ・ドジャー准将の救出に関する事例だ。プロジェクトの責任者を務めた物理学者によると、ある遠隔透視者は准将が監禁されている町の名前を言い当てた。また、もう一人は監禁されている建物の様子を詳細に描写し、准将が鎖でつながれているベッドの位置まで特定することができたそうだ。そのような成果を無視するわけにはいかないだろう」

「確かにそうね」エリザベスは応じた。「でも、私の理解が正しければ、その研究は一九九〇年代半ばに打ち切られた。プロジェクトは廃止されたはずよ」

「完全にではない」ペインターは謎めいた言葉をつぶやいた。

ペインターが説明を続けるより先に、グレイが口を挟んだ。「それはともかく、最初の話に戻しますが、今の内容がジェイソンズとどう関係してくるのですか？」

「ああ、その話に移ろうと思っていたところだ。どうやらスタンフォード研究所は、ソ連と同じように、研究の範囲を拡大し始めたらしい。ほかの科学分野にも対象を広げたんだ」

「例えば、神経生理学ですね」グレイは応じた。「ドクター・ポークの専門の」

ペインターはうなずいた。「プロジェクトは厳重な機密のもとに進められたが、スタンフォード研究所はプロジェクトの一部を類似の研究を行なっていたジェイソンズのメンバー二人に委託した。その一人が、エリザベス、君のお父さんだ。もう一人は、脳生理学を専門とする生体医工学者、ドクター・トレント・マクブライドという人物だ」

エリザベスはその名前を覚えていた。夜遅くに来客があり、父が見知らぬ相手とともに書斎にこもってしまうことがしばしばあったが、そんな来客の一人がドクター・マクブライドだった。腹の底から絞り出すような大きな声は忘れようがない。気さくな人だったように記憶している。エリザベスがまだ幼い頃、お土産を持ってきてくれたこともあった。ナンシー・ドルーが主人公の探偵ものの初版本だった。

「ドクター・マクブライドと話をしようとしたんだが」ペインターは話を続けている。「この五カ月ほどの間、誰も彼と連絡を取っていないらしい」

エリザベスはひんやりとした不安を覚えた。五カ月前というと……「私の父がインドを訪れた頃だわ」

グレイの方を見ると、彼も不安げな表情を浮かべていた。

いったい何が起こっているの？

午後九時四十分

ユーリ・ラエフは研究施設の地階でエレベーターを降りた。電話を受けた後、メリーランド州にあるウォルターリード陸軍研究所まで移動するのに四十五分かかった。建物内には総床面積四万五千平方メートルに及ぶ研究施設があり、その大部分がBL―3のバイオハザード研究用に指定されている。それはつまり、あらゆる種類の伝染病に関わる研究が行なわれていることを意味していた。

ジェイソンズと連絡を取るために、ユーリは緊急用の暗号「パンドラ」を使用した。自分が求める相手に警報が送られるまでには、それからさらに十分という時間を要した。その相手こそ、「両国のためのより大きな利益につながる」プロジェクトにおいてロシア人と協力していた、組織内の秘密のグループだった。ユーリは自分のためにジェイソンズの協力を取りつけたいと考えていた。サーシャをマップルソープの手から守らなければならない。様々な経歴を持つ科学者たちが集まったジェイソンズならば、子供を扱う際に生理学的側面と心理学的側面の両面から、きめの細かい配慮が必要なことを理解してくれるはずだ。

一方、マップルソープは、周囲に危険が及ぶことなど顧みない、政治的野心と私利私欲の塊のような男だ。あんな男は信用できない。

サーシャが行方不明になった今、ユーリにはアメリカでの協力者が必要だった。

ユーリは秘密グループの一員で神経学者のドクター・ジェームズ・チェンと会い、計画を話し合うようにとの指示を受けた。

そのほかにもう一人、同席する人物がいるらしい。

「役に立つ人物」ということしか聞かされていない。

ユーリは待ち合わせ場所への行き方について具体的な指示を受け、そこへの立ち入り許可も与えられていた。彼は廊下を歩き始めた。時間が遅いため、すべての扉は閉まっている。そもそも、地下のこの階に入っている研究所は少ない。漂白剤のにおいが鼻をつき、ジャコウのような香りと混じり合う。ある扉の奥からは、類人猿独特の静かな鳴き声が聞こえてくる。研究所で行なう実験用の動物が保管されている階なのだろう。こんな時間だからスタッフがいないのも無理はない。

ユーリは部屋番号をチェックした。

Ｂ―２　３４０。

扉にはくもりガラスがはめ込まれている。ノックをすると、ガラスの向こう側を動く影が見え、すぐに扉が開いた。

「ドクター・ラエフ、わざわざお越しいただいてありがとうございます」

若いアジア系の男性はすぐに背を向けたため、ユーリは顔をしっかりと確認することができなかった。実験用の白衣に青いデニムのジーンズ姿だ。頭の上には、まるで存在を忘れられたかのように眼鏡が乗っている。室内には片方の壁沿いに作業用のテーブルが置かれ、もう片方の壁際にはステンレス製のケージが並んでいた。ケージの格子の間からは、ひげの生えた黒い鼻がいくつか突き出ている。小さな爪で床を引っかく音も聞こえる。実験用のラットだ。ただ、ひげを除くとまったく体毛がない。

ドクター・チェンは部屋の奥にあるもう一つの扉へとユーリを案内した。扉の先には乱雑なオフィスがあった。学会誌が積み上げられたスチール製の机、四角で囲んだ予定がいくつも書き込まれたホワイトボード、ガラスの標本瓶が所狭しと並んだ本棚。

机の奥で携帯電話をかけている大柄な男がいる。見覚えのある人物の姿に、ユーリは驚いた。五十代半ばにさしかかろうかというその男は、がっしりとした体格、赤みを帯びた頬、短く刈り込まれた赤毛と白髪の入り混じったひげのあるとがった顎から、スコットランド系であることがわかる。この男こそ、ロシア人に協力していたジェイソンズ内部の秘密グループのリーダーで、アーチボルド・ポークの同僚であると同時に、長年の友人でもあった人物だ。

ドクター・トレント・マクブライド。

「今、到着したよ」マクブライドはユーリに向かってうなずきながら、電話の相手に伝えた。「一時間後、全員に状況を説明する」

マクブライドは携帯電話を閉じ、立ち上がりながら手を差し出した。「君の状況については報告を受けている、ユーリ。少女が不安定な状態にあることを考慮すると、これは最優先事項だ。少女を発見するために、できる限りの援助をするつもりだよ」

ユーリは彼の手を握ってから椅子に座った。マクブライドの姿を見て驚くと同時に、安心している自分がいる。人のよさそうな外見とは裏腹に、マクブライドは抜け目がなく現実的な考えの持ち主だ。

「つまり、君は理解してくれているわけだな？」ユーリは口を開いた。「少女を取り戻すことが、我々にとっていかに重要な問題であるかを。事は急を要するのだ」

マクブライドはうなずいた。「その少女は薬なしで何時間生きていられるんだ？」

「三十二時間だ」

「最後に注射したのは？」

「七時間前になる」ユーリは厳しい表情を浮かべながら答えた。

サーシャを発見するための時間的余裕は、一日ちょっとしか残されていない計算になる。

「それならば、急いで行動を起こす必要があるな」マクブライドは応じた。「もう気づいているとは思うが、マップルソープも私に電話をしてきた。実を言うと、私が自らここに来たのはそのためだ」

「君はジュネーヴにいるものだと思っていたよ。目立つ行動は控えることにしたのではなかったのかね？　隠れている予定だったのでは？」

「アーチボルドの件が片付くまでの話だ」ユーリを見るマクブライドの目が、やや鋭くなる。「どうやら解決したようだしな。ただ、もっといいやり方はなかったものかと思うよ。彼は私の友人だったのだから」

「君も承知だと思うが、ドクター・ポークはどうせあと数日しか持たない体だった。私は必要なことをしたまでだ」

だが、マクブライドはまったく納得していない様子だ。

「それに、君も覚えているはずだが」ユーリは食い下がった。「そもそもドクター・ポークと接触することに、私は反対したのだよ」

マクブライドは深く座り直した。椅子のきしむ音がする。「アーチボルドがもっと素直に従ってくれるだろうと考えていたんだ。プロジェクトを直に目にすれば、納得してくれるはずだと。あれは彼のライフワークの延長線上にあるプロジェクトなのだから。それに、彼の存在がもたらす脅威を考えると、唯一の選択肢は――」

マクブライドは悲しそうに肩をすくめた。

ドクター・ポークは研究プロジェクトの核心に迫りすぎていた。マクブライドが懸念していたよりも、多くのことを知りすぎていたのだ。彼らに残された選択肢は二つ。彼を仲間に引き入れるか、それともその存在を抹消するか。

仲間に引き入れようという試みは失敗した……しかも、最悪の事態を引き起こしてしまった。ウォーレンを訪れたドクター・ポークは、貴重な情報を盗んで逃亡したのだ。そうなれば、残された選択肢は一つしかない。

「アーチボルドのことは残念だと思っている」ユーリは言った。

それは本心からの言葉だった。必要に迫られたものだったとはいえ、ドクター・ポークの死は大きな損失でもある。教授は独力で多くの成果を残し、ロシア側がアメリカに隠していた情報までも暴きかねないほど深く踏み込んでいた。結局のところ、ロシアもアメリカも、ドクター・ポークの力を甘く見ていたということだろう。

彼を誘拐する前も、誘拐した後も。

ユーリは話を続けた。「行方不明の少女に関してだが――」

マクブライドはユーリの言葉を遮った。「確か、彼女は君のところのオメガ被験者の一人だということだが」

ユーリはうなずいた。「検査の結果、九十七パーセンタイル値を示している。彼女は我々のプロジェクトにとって欠かすことのできない存在だ。それは君たちにとっても同じだ。オメガ被験者を生かし、かつ機能させるために必要な微妙なバランスを、マップルソープは理解していないのではないかと危惧しているのだよ」

マクブライドは眉間を指でこすった。「電話で話をした時、マップルソープは少女の身柄を我々の手で確保した方がいいのではないかと提案していた」

「彼がそんなことを企んでいるのではないかと思っていたよ」

ユーリの背後で廊下に面した扉の開く音がした。ドクター・チェンが誰かに挨拶をしている声が聞こえる。かしこまった口調だ。

振り返ったユーリは、話に名前の出ていた当人が入ってきたのを目にして驚きを隠せなかった。マップルソープのたるんだ体型が、いつにもまして不機嫌そうに見える。ユーリは嫌な予感がした。

マクブライドは立ち上がった。「ジョン、ちょうど君の話をしていたところだ。君のチームは増幅器を取り付けた頭蓋骨を発見できたのか?」

「いいや。二つの博物館内を徹底的に捜索したんだが」

「変だな」マクブライドは不安げな表情を浮かべている。「それで、少女に関して何か情報は?」

「ヘリコプターを使って全市内をブロックごとに捜索している。動物園を中心にして、捜索範囲を徐々に広げているところだ。しかし、今のところ追跡装置に反応はない」

ユーリには最後の言葉が引っかかった。「追跡……追跡装置とは、何のことだ?」

マクブライドはユーリの方へと歩み寄った。握ったまま片手を突き出す。指を開くと、手のひらには小さな物体が乗っていた。

ピンの頭くらいの大きさしかない。

はっきりと自分の目で確認するために、ユーリは身を乗り出さなければならなかった。

「ナノテクノロジーというのは驚異的な技術だな」マクブライドは説明を始めた。「バースト波減衰器を備えたパッシブマイクロトランスミッターが、検知不可能なポリマー製のスリーブの内部に収められている。この前ウォーレンを訪問した際、子供たち全員にこれを埋め込ませてもらった」

ユーリはそのような移植について、何も聞かされていなかった。もっとも、彼にはすべての情報が与えられているわけではない。「サヴィーナはこの追跡装置を承認したのかね?」

ユーリが顔を上げると、マクブライドは片方の眉を吊り上げて見せた。「答えは聞かなくてもわかるだろう、ドクター・ラエフ」そんなマクブライドの返事が聞こえてくるかのようだ。

ユーリは目の前にいるアメリカ人の意図を理解した。サヴィーナは追跡装置について何も知らない。子供たちに装置を埋め込んだのは、マクブライドの独断だ。秘密裏に、誰にも気づかれないように行なったのだ。ただ、マクブライドは子供たちと自由に接することができるものの、その行動は常に監視されていた。ユーリはもう一度マイクロトランスミッターを凝視した。この大きさなら、持ち込む方法はいくらでもある。

〈いったいなぜマクブライドは——？〉

ユーリは心の中で、いくつかの可能性、影響、結果について、素早く考えを巡らせた。マクブライドは子供たち全員に追跡装置を移植したと言っていた。追跡装置の移植が終わったら、あとはもっともらしいシナリオを作成し、一人あるいは複数の子供がウォーレンの外に出るような状況を作り出せばいい。

ユーリはアーチボルド・ポークの顔を思い浮かべた。その瞬間、彼はすべてを理解した。胃をわしづかみにされたような衝撃が走る。

「すべて計画通りだったのか」ユーリはあえぎながら言った。「ドクター・ポークの逃亡は……」

マクブライドは笑みを浮かべた。「その通り」

マップルソープの気配が、息詰まるほどの重苦しさとともにのしかかってくる。

自分はいいように操られていたのだ。ユーリはマクブライドをにらみつけた。「アーチボルドが姿をくらました時、君はウォーレンにいた。君が彼の逃亡に手を貸したのか？」

マクブライドはうなずいた。「君たちのオメガ被験者の一人を、外へおびき出すための作戦が必要だったのだ」

「君はドクター・ポークを囮《おとり》として使用したのだな。同僚であると同時に、友人でもある彼を」

「必要に迫られれば、仕方のないことだ」

「彼は……アーチボルドは、自分が利用されていることを知っていたのか？」

マクブライドはため息をついた。その声に込められた苦悩の響きは、本心からのものなのだろうか。「感づいていたかもしれないな……だが、彼には選択の余地がなかった。死を選ぶか、わずかな可能性に賭けるか。自分が望もうが望むまいが、愛国者にならざるをえない時があるものだ。実際、彼はよくやってくれたよ。ゴールテープを切る一歩手前まで到達したのだから」

「子供を一人誘拐するためだけに、これだけのことをしたというのか？」

マクブライドは再び眉間を指でこすった。「どうせ君たちロシア人も、何かを隠しているんだろう？」

ユーリは表情を変えまいと努めた。マクブライドの推理は正しい。だが、我々が密かに進めている計画は、彼の想像など及びもつかないほどの規模だ。

「我々はこの子供を利用させてもらう」マクブライドは話を続けている。「ここアメリカで、我々の計画を立ち上げるために。君たちが子供に対して何をしたのか、詳しく調べさせてもらうよ。我々が幾度となく照会したにもかかわらず、君たちのグループは情報の全面的な開示に協力的ではなかった。当初から重要なデータを隠していた」

その通りだ——データだけでなく、将来の計画も。

ユーリは気になっていた質問を口にした。「サーシャの薬はどうするつもりだ？」

「何とかできるさ。君の協力があれば」

ユーリは首を横に振った。「断る」

「そう答えるだろうと思っていたよ」

マクブライドの視線がかすかに動いたことに気づき、ユーリは肩越しに振り返った。

マップルソープが手に銃を握っている。

彼は至近距離から引き金を引いた。

午後九時四十五分

グレイは偶然の一致で物事を片付けることができない。同じプロジェクトに関与している二人の科学者が同じ時期に行方不明となり、そのうちの一人が放射線を浴びた瀕死の状態で、ワシントンＤＣに姿を現した。

グレイは痛むこめかみを指で抑えた。「エリザベス、どうやらすべては君のお父さんが行なっていた研究と関係しているようだ」

ペインターもうなずいた。「だが、問題はどのように関係しているのかという点だ。詳細に関する情報があれば……もしかすると、君のお父さんが記録に残していない事柄があるのかもしれない」

その疑問に対する答えは出てこない。

エリザベスは膝の上に視線を落とした。彼女は両手をしっかりと握り締めていた。それほど力が入っていたことに初めて気づいた様子で、指を開いて凝りをほぐしている。

エリザベスは誰に対してともなくつぶやいた。「わからないわ。ここ数年間は……あまり話をしていないの。私が人類学の道に進んだことを、父はあまりうれしく思っていなかったみたい。自分と同じ道を……」エリザベスは首を横に振った。「そういうことなの」

グレイはマグカップに熱いコーヒーを注ぎ、エリザベスに手渡した。エリザベスはうなずきながらマグカップを手に取った。だが、コーヒーには口をつけず、両手でマグカップを包み込むように持ったままだ。

「君の選んだ専門分野について、お父さんがうれしく思っていなかったわけではないはずだ」グレイは応じた。「君のために、ギリシアの博物館での研究者の地位を見つけてくれたんだから」

エリザベスはグレイの言葉にうなずかなかった。「父の援助は、必ずしも私のためを思ってというわけではなかったの。父は昔からデルポイの巫女に興味を抱いていたわ。預言の力がある女性を、直観や特殊能力に関する自分の研究と結びつけていたみたい。そうした女性たちには生まれながらに何らかの力があって、共通する何かを持っていたと信じるようになった。遺伝的な共通点を持っていたというわけ。別の言い方をすれば、神経学的なある種の異常を共有していたということね。だから父は、私がデルフィの博物館の職に就ければ、自らの研究にも役に立つと考えたのよ」

「しかし、具体的に君のお父さんはどのような研究を行なっていたんだ？」グレイはエリザベスから話を引き出そうとして訊ねた。「君の知っていることが、もしかしたら手がかりになるかもしれない」

エリザベスはため息をついた。「私の父が直観や特殊能力の研究に執着するようになったきっかけならわかるわ」彼女はグレイとペインターの間を見つめている。「ロシア人が直観に関して行なった最も初期の実験をご存じかしら？」

二人は首を横に振った。

「残酷な実験だったけれど、父が専門としていた神経生理学と重なる部分があったわ。二十年ほど前、ロシア人たちは生まれたばかりの数匹の子猫を母猫と引き離し、子猫だけを潜水艦に乗せた。そして母猫の生命兆候を監視しながら、潜水艦の乗組員は一匹の子猫を殺したのよ。

子猫が殺された瞬間、母猫の心拍数は急上昇し、脳内には激しい苦痛を伴う反応が見られた。母猫は興奮して混乱状態に陥ったわ。その後も数日間にわたって、ロシア人は同じ実験を繰り返した。子猫が殺されるたびに、母猫はまったく同じ反応を示したのよ。まったく別の場所にいるにもかかわらず、母親は自分の産んだ子猫の死を感じ取っていたの」

「ある種の母性本能というわけだな」グレイはつぶやいた。

エリザベスはうなずいた。「あるいは、母親ならではの直観とも言えるわ。いずれにしても、私の父の目には、この実験はある種の生物学的な結びつきを示す証拠として映った。父はこの奇妙な現象を神経学的な側面から解明することに、研究者としての精力を傾けるようになったわ。やがて、父はインド在住の教授と共同で研究を行なうようになった。その教授は、ヨガの行者や神秘主義者の間に見られる同じような能力の研究をしていたらしいの」

「それはどんな能力なんだ?」ペインターは訊ねた。

エリザベスはコーヒーを一口すすり、かすかに首を横に振った。「父は特殊な精神能力を持つ人々に関する逸話を詳しく研究し始めたわ。その中から単なる変人やペテン師の話を除外し、ある程度は実証可能な事例だけを集めていった。数少ないながらも、信頼できる科学者によって検証された事例がいくつか存在したのよ。例えば、アルバート・アインシュタインが認めた事例とか」

グレイは驚きを隠すことができなかった。「アインシュタインだって?」

エリザベスはうなずいた。「二十世紀になったかならないかの頃、シャクンタラーという名のインド人女性が、不思議な能力を実演するために世界各地の大学を訪れたの。高等学校程度の教育しか受けていないのに、数学に関しては説明のつかないほど高度な能力を持っていたわ。どんなに複雑な計算でも、暗算で解いてしまうのよ」

「サヴァン症候群の一種なのか？」ペインターは訊ねた。

「それ以上の能力だったらしいわ。チョークを手に持ったその女性は、問題が伝えられる前に、答えを黒板に書き始めたらしいの。アインシュタインも彼女の才能を目の当たりにしているわ。アインシュタインは彼女に、自分が三カ月かけてようやく解いた問題を出した。複雑な段階をいくつも踏まなければ解けないような問題だったそうよ。それなのに、アインシュタインが問題を最後まで言い終えないうちに、その女性はチョークで答えを書き始め、黒板全体が解答で埋め尽くされたのよ。アインシュタインはどうしてそんなことが可能なのか訊ねたけれど、その女性にも理由はわからなかった。本人の言葉によれば、目の前に浮かんだ数字をただ書き記しただけということだわ」

　エリザベスは二人の方をじっと見つめている。信じられないという反応が返ってくるのを予期しているのだろう。しかし、グレイはうなずきながら話を続けるように促した。グレイが話を素直に受け入れたことで、彼女は逆にいらだちを覚えた様子だ。グレイが話を否定してくれれば、自分の心の中にあるわだかまりと折り合いをつけることができると思っていたのかもしれない。

「ほかにも事例があるのよ」エリザベスは続けた。「これもインドの例よ。マドラスでリヤカーを引いていた少年の話だわ。その少年も、数学の問題を聞く前に答えを言うことができた。その子の説明によると、数学の問題を考えている人が近づくと、頭の中が不安でいっぱいになるそうよ。そんな状態の時、答えが頭の中に『兵隊のように』並んで見えてくるらしいの。彼はオックスフォード大学に連れていかれて検査を受けたわ。自分の能力を証明するために、その少年は当時まだ誰も解くことのできなかった数学の問題に答えたの。オックスフォード大学はその答えを記録に残しておいた。何十年も経過し、数学の研究が進んで初めて、その子の答えが正しかったことが証明されたのよ。でもその頃には、問題に答えた当人は老衰で亡くなっていたわ」

　エリザベスはコーヒーの入ったマグカップをテーブルに置いた。「こうした驚くべき事例が集まるにつれて、父は不満を募らせるようになった。生きた被験者が必要だったからよ。逸話として残っている事例の検証を続けているうちに、父は興味をひかれる事例の多くがインドに集中していることに気づいたわ。インドのヨガの行者や神秘主義者の間に、そうした能力を持つ人が多くいたのよ。その頃にはほかの科学者たちも、ヨガの行者が持つ驚くべき能力の多くには生理学的な根拠があることを発見していた。例えば、手足や皮膚の血流を調節することで、何日も極端な寒さに耐えることができる。あるいは、基礎代謝率を下げることで、何カ月も断食を続けることができるのよ」

グレイはうなずいた。そうした行者の教えは研究したことがある。すべては精神力の問題で、不随意と考えられている体の機能を自由に制御できるようになることが鍵なのだ。

「父は、インドの歴史、言語、さらには預言について述べた古代ヴェーダ語の文書の研究にまで、没頭していったわ。修業を積んだヨガの行者を探し、様々な検査を行なったの。血液検査、脳波図、脳マッピングにとどまらず、最も大きな能力を秘めた行者の家系をたどるためにDNA鑑定まで行なったわ。最終的には、ロシア人が母猫を使って示した能力が脳の機能として存在することを、科学的に証明しようと試みたのよ」

ペインターはソファーに深く座り直した。「君のお父さんがスタンフォード研究所のプロジェクトの委嘱先として目に留まったのも当然だ。彼の研究はスタンフォード側の目的と見事なまでに一致している」

「でも、どうして父はそのために殺されなければならなかったの？　もう何年も前の話よ」エリザベスの視線がグレイをとらえた。「それに、あの奇妙な頭蓋骨はどんな関係があるの？」

「まだわからない」ペインターは答えた。「だが、明朝までには例の頭蓋骨に関してもっと情報が得られるはずだ」

グレイはペインターの言葉が正しいことを願っていた。あの奇妙な物体を調査するために、専門家のチームがシグマに召集されている。頭蓋骨が中央司令部へと移送されることを、グレイはしぶしぶ承諾した。あの頭蓋骨はすべての謎の鍵を握っている。自分の目の届かない場所へと運ばれることに対して、素直に納得することができなかったのだ。

扉をノックする音で三人の会話は止まった。

ペインターは扉の方をのぞき込んだ。コワルスキも手に片方の靴を持ったまま、暖炉のそばで立ち上がった。

グレイもソファーから腰を浮かす。

隠れ家の外には、私服の護衛が二人、配置に就いている。何か問題が発生した場合は、無線で連絡が入るはずだ。グレイはホルスターのボタンを外し、半自動小銃を手に取った。無線を持っている護衛が、なぜ扉をノックするのか？

グレイはほかの三人に向かって扉から離れるように合図を送り、家の正面玄関へと近づいた。壁沿いに歩きながら、小さなビデオモニターのもとへと向かう。モニターの画面は四つに分割されていて、外のカメラからの映像が送られていた。左上の画面に、ポーチの様子が映っている。

扉から数歩離れた位置に、二つの人影が立っていた。

赤いウインドブレーカーを着た筋肉質の男性が、小さな子供の手を握っている。女の子だ。少女は髪の毛のリボンを指でいじっている。男の様子からは危険があるようには見えない。もう片方の手には厚手の紙を持っている。あるいは、封筒かもしれない。男はかがむと、扉の下へと手を伸ばした。

グレイは思わず身構えた。だが、それはただの一枚の黄色い紙だった。男が扉の下の隙間から滑り込ませたのだ。紙はワックスをかけられた玄関の木の床を滑り、グレイのつま先のあたりで止まった。

紙には黒のクレヨンで子供の手による絵が描いてあった。太い線で、隠れ家の室内の様子が丁寧に記されている。暖炉、椅子、ソファー。室内とまったく同じ配置だ。四人の姿も描かれている。ソファーに座っているのが二人、椅子に座っているのが一人。片手に靴を持って暖炉に寄りかかっている大きな人物は、コワルスキに間違いない。

子供が室内の様子を描いた絵だ。

グレイはモニターの映像に視線を戻した。

ほかの三つのカメラからの映像に動きがある。複数の男たちの姿が映っている。彼らもウインドブレーカーを着用していた。護衛が一人、そしてもう一人、姿を現した。二人とも、銃を突きつけられている。

コワルスキがいつの間にかグレイのすぐ横に来ていた。靴下しか履いていないので、近寄る音が聞こえなかったのだろう。コワルスキはモニターの画面を眺めてから、大きなため息をついた。

「またかよ」コワルスキはつぶやいた。「いったいどうなっているんだ？　隠れ家の住所をネット上に公開しているのかよ？」

外では護衛がひざまずくように命令されている。

隠れ家は包囲されていた。

逃げ道はない。


地球の裏側では、モンクという名前だと聞かされた男が、脱出方法を探していた。

三人の子供たちが病室の入口で見張っている間に、モンクは厚手のデニムの作業着に袖を通していた。その下に来ている長袖のシャツと同じで、濃い青色をしている。片手しか使えないので、服を着るだけでも一苦労だ。椅子の上には、黒の網編みの帽子と、厚手の靴下が残っている。帽子をつるつるの頭の上にかぶってから、靴下を履き、さらにブーツに足を押し込む。ブーツは少しサイズが小さいように感じたが、すぐに足になじんだ。

一人になって服を着替えながら、モンクはようやく気持ちが落ち着いてきた。けれども、記憶の欠落部分は一向に埋まってくれなかった。ここで目を覚ます以前のことは、いまだにまったく思い出せない。それでも、着替えるために体を動かしたことで、ようやく人心地がついた気がする。

病室の入口では、いちばん年長の少年、コンスタンティンが待っていた。扉は鋼鉄製で、外側にはかんぬきが付いている。頑丈な造りの扉から判断すると、自分は囚われの身で、脱走を試みている最中ということになるのだろう。

三人の中で最も年下のピョートルがモンクの手を握ると、ナースステーションの明かりとは反対の方向へと引っ張った。モンクは訴えかけるようなピョートルの声を思い出した。

「僕たちを救い出して」

モンクは理解できなかった。いったい何から救い出してほしいというのだろうか？　キスカという名前だと聞かされた少女が、赤色灯に照らされた奥の階段へと先導してくれている。階段へと向かいながら、モンクは顔を上げて赤色灯に記された文字を確認した。

キリル文字だ。

ここはロシアに違いない。記憶を失っているにもかかわらず、自分がこの国の人間でないことはわかっていた。頭に浮かぶのは英語だ。言葉にイギリス訛りはない。ということは、自分はアメリカ人なのだろう。これだけのことを認識できるのならば、どうして自分の――？

突然、大量のイメージが頭に浮かび、モンクは目の前の光景が見えなくなった。他人の生活を切り取ったかのような静止画像が、カメラのフラッシュのように頭の中に次々と浮かび上がる。

……笑顔……キッチンにいる誰かの背中……太陽の光を反射して輝きながら、青空から振り下ろされる鋭い斧……真っ暗な水中深くから近づいてくる無数の光……

　次の瞬間、画像はすべて消えた。

　頭がずきずきと痛む。階段の手すりにつかまって体を支えようとして、反射的に差し出した腕には手首から先がなかった。切断面が手すりを滑る。モンクはかろうじて体勢を立て直した。前腕部の切断面を見つめたモンクの頭に、記憶の断片がよみがえった。

　……太陽の光を反射して輝きながら、青空から振り下ろされる鋭い斧……

　そのせいで手首から先がないのだろうか？

　前を見ると、二人の子供はすでに階段を駆け下りていた。だが、いちばん年下のピョートルは、もう片方の手を握ったまま隣に立っている。ピョートルは青い瞳でモンクを見上げていた。透き通るような青い瞳だ。小さな指が、大丈夫だよと力づけるかのように、強く握り締めてくる。ピョートルはそっと手を引っ張り、階段を下りるように促した。

　モンクはあわてて子供たちの後を追った。

　階段では誰とも出会わないまま、四人は建物の裏口から外に出た。夜空はどんよりと曇っていて、月が出ていない。空気は少しひんやりとしている。風は吹いておらず、少し湿気がある。モンクは大きく息を吸い込んだ。心臓の鼓動が正常に戻っていく。

　周囲には発電機の発する大きな機械音が響いている。モンクは病院の形状と広さを観察した。低い病棟が複数あり、その中央には五階建ての塔が二つある。

「来て。こっちだ」そう言うと、今度はコンスタンティンが先頭に立った。

四人は病院と壁との間にある暗い小道を走った。道には丸石が敷かれていて、左手にある壁は建物の二階部分にまで達するくらいの高さがある。モンクは自分の位置を確認するために壁を見上げた。壁の向こう側には明かりがついていて、タイル張りの屋根だけが見えるが、どのような建物があるのかまではわからない。敷地の角に達すると、壁に囲まれた隣の敷地へと入り込む。足もとはむき出しの岩となり、露で濡れているために滑りやすい。このあたりにはまったく明かりがない。目に見えるのは、ずっと左手に見ながら走っているコンクリートブロック製の壁だけだ。モンクは走りながら、ブロックの表面に触れてみた。モルタルの接合部分が雑で、ブロックの積み方も不規則なことから推測すると、かなり急いで建設されたもののようだ。

壁の向こう側から不気味な遠吠えが響いてきた。それに続いて、こもったようななり声と甲高い鳴き声も聞こえる。

モンクは走る速度を緩めた。動物の鳴き声だ。壁の向こう側には動物園でもあるのだろうか？

まるでモンクの心を読み取ったかのように、コンスタンティンが振り返った。小声で「メナジェリー」とささやきながら、先を急ぐように促す。

メナジェリー？

敷地のいちばん端に達すると、そこから先は傾斜の急な下り坂になっていた。高い場所から見下ろしたモンクは、すり鉢状の窪地に絵葉書にあるような美しい村が広がっていることに気づいた。とがった屋根や花壇を備えた屋並みの間に、丸石を敷いた小道が延びている。装飾の施された黒い街灯には、ガスの炎がともっていた。村の一角は三階建ての校舎が占めていて、数面の球技場や円形の屋外競技場がそのまわりを取り囲んでいる。小さな村の中央には広場があり、噴水から高々と噴き上がる水しぶきが街灯の炎を反射して輝いていた。

村の向こう側には、工業団地風の建物が何棟も並んでいた。五階建ての建物が、碁盤の目状に整然と配置されている。真っ暗で明かりがついていない。かなり老朽化していて、人は住んでいないようだ。

しかし、真下にある村は違う。

村は大勢の人であふれていた。あちこちから叫び声が上がっている。寝間着姿のまま集められた子供たちが見える。同じように、ベッドから出てきたばかりの格好をした大人たちの姿も確認できた。灰色の制服に身を包み、つばを上に向けた帽子をかぶっている人たちもいる。懐中電灯の光が狭い路地を動き回っていた。

村では何か騒ぎが持ち上がっているようだ。

名前を呼ぶ声がする。優しく呼びかける声もあれば、怒りが込められている声もある。

「コンスタンティン！　ピョートル！　キスカ！」

三人の子供たちの名前だ。

村の中央広場から赤い照明弾が打ち上げられた。まだ目覚めていない村が明るく照らし出される。コンクリートの壁や窪んだ窓のガラスが赤く染まると、村の奥にある団地の建物群がいっそうさびれて見える。

モンクは照明弾の軌道を目で追った。上昇が止まると小さなパラシュートが開き、ゆっくりと揺れながら落下していく。

だが、モンクの視線は上空を見上げたままだった。

この空は……月が出ていないのではない。

そもそも、ここにあるのは、空ではない。

照明弾の赤い光が照らし出したのは、巨大なドーム状の岩盤だった。頭上をすっぽりと覆い、この地域一帯を包み込んでいる。モンクはあんぐりと口を開けたまま、周囲を見回した。

自分たちは外に脱出できたわけではない。

巨大な洞窟の内部にいるのだ。

天井や側面の岩肌に爆破したような跡が見られることから推測すると、これは人工の地下洞窟だろう。

モンクは美しい村に目を向けた。瓶の内部に作られた模型の船のように、洞窟の中で保存されている。だが、ゆっくりと観光を楽しんでいる時間はなさそうだ。

コンスタンティンに袖を引っ張られて、モンクは石灰岩の岩陰に隠れた。三台のジープが彼らの方に向かって急な坂を静かに上ってきた。だが、そのまま岩の脇を通過し、病院の建物へと向かっていく。ジープは電動式で、乗っているのは軍服姿の男たち。銃を携帯している。

まずい状況だ。

ジープの姿が見えなくなると、コンスタンティンは村とは別の方角を、洞窟の奥に広がる暗闇の方を指差した。四人はごつごつした岩から成る大地を横切り、細い道に出た。見たところ、ほとんど使用されていない様子だ。

四人は洞窟内の斜面の高い地点に沿って通じる道をたどりながら、眼下に見える村を迂回した。モンクは村を挟んで反対側の位置に、大きなトンネルがあることに気づいた。ライトに照らされたトンネルの入口は、巨大な金属製の扉でふさがれている。あの広さなら、二台のコンクリートミキサーが並走することも可能だろう。トンネルはこの洞窟から外に通じる道に違いない。

しかし、子供たちはトンネルとは反対の方向へ連れていこうとしている。

いったいどこに向かっているのだろうか？

その時、背後で大きな警報音が鳴り響いた。洞窟内の密閉された空間にいるため、まるで空襲警報のサイレンのように耳にがんがん響く。四人はいっせいに音の方を振り返った。病棟の屋上で赤いライトが回転しながら光を発している。

村人たちはもう一つの事実に気づいたのだ。

行方不明になったのは、子供たちだけではないことを。

モンクは子供たちとともに先を急ごうとしたが、大音響のせいで三人は身動きができなくなっていた。両手で耳をふさぎ、目をきつく閉じている。キスカは今にも吐きそうな顔色だ。コンスタンティンは両膝をつき、体を前後に揺すっている。ピョートルはモンクにしっかりとしがみついていた。

感覚過敏の症状だ。

それでも、モンクは子供たちに進むよう促した。ピョートルを抱きかかえ、キスカを半ば引きずりながら歩き続ける。

モンクは鳴り響くサイレンの方を振り返った。自分は記憶を失っている――正確には、無理やり記憶を消されたのだろう。それでも、一つだけ断言できることがある。

再び捕まったら、今度は記憶を失うだけではすまないはずだ。

子供たちにはもっとひどい苦しみが待っているかもしれない。

とにかく、進み続けなければならない――しかし、どこへ行けばいいのだろう?

6

九月六日午前五時二十二分
ウクライナ　キエフ

ニコライ・ソロコフはカメラの準備ができるまで待機していた。彼自身の準備は終わっていたが、きれいに糊付けされた白いシャツの襟には、まだ薄い紙が巻かれている。シャツや濃い青のスーツに、メークが付着してしまうのを防ぐためだ。一人で考えを巡らせるために、ニコライは病院の奥にある病棟へと移動していた。海外向けニュースのスタッフは、この子供病院の正面玄関から中継する朝の番組の準備に余念がない。

キエフ子供病院の奥にある病棟には、高い位置にある窓から太陽の光が差し込んでくる。一人の看護師がベッドの見回りを行なっていた。最も症状の重い子供たちは、この病棟に隔離されている。喉の甲状腺に手術不能な腫瘍《しゅよう》がある二歳の女の子、水頭症《すいとう》のために頭部がふくれ上がった十歳の男の子、重度の知的障害のためにうつろな目をしているまだ十歳にも満たない男の子。知的障害がある男の子は、両手足をベッドに拘束されていた。

青の作業着姿の大柄なウクライナ人の看護師長は、ニコライの視線に気づいた。

「自傷行為を抑えるためですよ、上院議員」看護師長は説明した。多くの子供たちの苦しみを目の当たりにしてきたその目からは、疲労の色しか感じ取れない。

しかし、かつてはもっと悲惨な症例もあった。一九九三年にモルドバで生まれた赤ん坊は、二つの頭、二つの心臓、二つの脊髄を持ちながら、手足は二本ずつだった。脳が頭蓋骨の外にある状態で生まれた子供もいた。

すべて、チェルノブイリの影響だ。

一九八六年春、深夜にチェルノブイリ原子力発電所の四号炉が爆発した。その後の十日間で、原子炉からは広島に投下された原子爆弾四百個分に相当する放射性物質が放出され、地球全体に拡散した。ロシア医学アカデミーによると、今日までに放射線の影響で十万人以上が死亡し、七百万人が被曝したとされている。その多くが子供たちで、いまだに癌や遺伝子異常の報告例が後を絶たない。

さらに近年、悲劇の第二波が発生し始めた。幼い頃に被曝した人たちが、子供を産む年齢へと成長したのだ。先天性欠損の事例が三割増加したとの報告がある。

そのため、歯に衣着せぬ物言いで知られるロシア上院議会のカリスマ的なリーダーが、この病院を訪れたのだった。ニコライの選挙区であるチェリャビンスクはここから千五百キロ近く離れているが、そこでも同じような問題を抱えている。彼の選挙区内のウラル山脈は、チェルノブイリで使用される大部分の核燃料の採掘地であったと同時に、ソヴィエトの兵器開発用プルトニウムの入手先でもあった。現在、付近は地球上で最も放射線の数値が高い地域と言われている。

「準備ができました、上院議員」背後から補佐官が声をかけた。

ニコライは声の主を振り返った。

エレーナ・オゼロフはまだ二十代前半の黒髪の女性で、ややくすんだ色の肌をしている。小ぶりの胸を黒のビジネススーツで隠したその身なりからは、中性的な魅力が感じられる。無口で、常に厳しい表情を浮かべ、片時もニコライのそばから離れない。マスコミは彼女に「ニコライのラスプーチン」というあだ名をつけたが、ニコライもそれをあえて否定しなかった。

大胆な改革派として印象づけると同時に、旧ロシア帝国時代の皇帝の栄光に憧れるという彼の政治姿勢に、そのあだ名はうってつけだからだ。ロマノフ朝最後の皇帝で、彼の名前の由来となったニコライ二世は、エカテリンブルクで監禁生活を送った後に殺害されたが、ニコライが生まれたのはそのエカテリンブルクだった。生前のニコライ二世は皇帝として指導力を発揮することがなかったが、死後にロシア正教会によって列聖されている。主教は皇帝とその家族が殺害された館の跡地に、金色のドームを持つ「血の上の大聖堂」を建立した。大聖堂の建立は、ロマノフ朝再生への象徴的な出来事であった。

長く伸ばした黒髪に短く刈り込んだ巻き毛の顎ひげを持つ四十一歳のニコライ・ソロコフ上

院議員を、皇帝の生まれ変わりだと評する声もある。

そのような比較を、ニコライは喜んだ。

借金と貧困を抱え、賄賂《わいろ》と不正がはびこる中、その不安定な基盤の上に再興しようとするロシアには、二十一世紀の新たな指導者が必要だった。

ニコライはその地位を狙っていた。

野心はそれだけにとどまらない。

ニコライは襟元に巻かれた薄い紙を、エレーナに外してもらった。エレーナはニコライの全身を眺め、大きくうなずいた。

ニコライは病院の外で彼を待つ照明のもとへと向かった。

扉を押し開けるニコライのすぐ後ろを、エレーナがぴったりと寄り添うように歩いている。正面玄関の階段の上には、演壇が用意されていた。演壇に立つニコライをカメラが映すと、病院の名前が彼の背後に入るような場所に設置されている。

ニコライは何本ものマイクが置かれた演壇へと向かった。片手を上げて、質問を浴びせる記者たちを制止する。一人の記者が、かつてのＫＧＢとの関係について問いただしている。ニコライの家族がウラル山脈で行なわれている大規模な採掘作業から資金を得ているのではないかとの質問も聞こえてきた。権力を手にするにつれて、彼をその地位から引きずり下ろそうと目論む者たちの声も大きくなってくる。

そうした質問を無視して、ニコライは予定の演説を始めた。

マイクに顔を近づけると、浴びせかけられる質問をかき消すかのような大きな声で話し始める。「この扉を閉ざすべき時が来たのです！」ニコライは声を張り上げながら、背後にある子供病院の正面玄関を指差した。「ウクライナの、ベラルーシの、そして母なるロシアの子供たちは、我々の過去がもたらした罪によって苦しんできました。二度とそのようなことを繰り返してはなりません！」

ニコライは声に怒りを込めた。視聴者の目を考えてのことだ。改革と怒りに燃える厳しい表情は、テレビ映りがいい。ニコライは熱のこもった演説を続けた。ロシアの新しい未来、行動の呼びかけ、過去を忘れることなく未来へと目を向けることの必要性を説いていく。

「二日後、チェルノブイリ原発の四号炉は、新しい鋼鉄製のドームで密閉されます。『新しい石棺』は悲劇の幕を閉じると同時に、我々の母国のみならず世界を救うために命を捧げた多くの人々を未来永劫《えいごう》にたたえる記念碑となるのです。放射線によって自分の未来を蝕《むしば》まれながら、ホースを手に消火活動に当たった消防士たち。有毒な煙も顧みずにコンクリートや物資を届け続けた操縦士たち。四号炉を遮蔽《しゃへい》する最初のシールドを建設するために国中から集まった鉱夫たち。愛国者としての誇りに燃えたこれらの栄誉ある人たちこそが、ロシアという国の真の中核を成しているのです。彼らのことを忘れてはいけません！　彼らの犠牲を忘れてはならないのです！」

ニコライの演説が進むにつれて、報道陣の背後に集まる群衆の数が増えていく。言葉を切るたびに聞こえる歓声や拍手は、ニコライの気持ちを高揚させた。

この演説を皮切りとして、ニコライは多くの演説を予定していた。その最後を飾るのが、チェルノブイリで行なわれる式典での演説だ。廃炉となった原子炉を新しい石棺が密閉する、それを祝う式典が行なわれる。現在あるコンクリート製のシールドは、一時しのぎの遮蔽物として建造されたもので、二十年が経過した今ではすでに老朽化が進んでいた。新しい石棺は重さが一万八千トン、高さはエッフェル塔の約半分に達する、地球上で最大の可動式建造物だ。

ほかの政治家たちもこの式典を利用しようと、同じようなイベントや演説を行なっていた。だが、最も声高に主張を展開しているのがニコライだった。彼は原子力政策の改革を唱え、国内各地に点在する放射線のホットスポットの除染を訴えていた。そんな彼の声を、莫大なコストを理由に抑え込もうとする人も多い。同じ国会議員の中にも、マスコミの前でニコライを愚《ぐ》弄《ろう》したり批判したりする者がいる。

だが、ニコライは自分が正しいと信じていた。

ほかの連中も近いうちに理解するはずだ。

「よく考えてください！」ニコライは続けた。「我が国の歴史の一つの時代に幕が下ろされることとなりますが、それは穴を指でふさぎながら堤防の決壊を防いでいるにすぎないのです。我々の核の歴史は、まだ終わっていません――国内だけではなく、世界にとっても同じです。

再びその時が訪れた場合には、あの悲劇が起きた日に自分たちの未来を犠牲にした勇気ある人々と同様に、我々もみな、勇敢な心の持ち主であることを証明するはずだと信じています。彼らが我々に残してくれた贈り物を、無駄にしてはなりません。新しいルネッサンスを起こそうではありませんか。炎の中から、新たな世界が誕生するのです」

演説を締めくくりながら、彼は目が涙で潤んでいるのを自覚していた。これこそが、彼の改革のスローガンだった。

新しいルネッサンス。

ロ、シ、アのルネッサンス。

そのためには、正しい方向へのちょっとした一押しが必要だった。

エレーナが近寄り、耳に入れたい知らせがあるという様子で、ニコライの肘に手を触れた。ニコライは彼女の方に首を傾けた。その瞬間、道路を挟んだ公園の方角から、ライフルの銃声がとどろいた。ニコライが目の端で銃口から発する閃光をとらえた直後、何かが彼の耳元を通過した。

狙撃者がいる。

暗殺者だ。

群衆の間から叫び声と悲鳴があがる中、エレーナはニコライを演壇の陰に押し倒した。いったい何が起こったのか、周囲はまだ理解できずにいる。その隙を利用して、ニコライは自分の唇でエレーナの唇に軽く触れた。片手で彼女の長い黒髪をかき上げる。指が耳の後ろに装着された冷たい金属の曲線をとらえた。

唇を重ねたまま、ニコライはエレーナにささやいた。

「うまくいったな」

九月五日午後十時二十五分
ワシントンDC

ペインターは玄関脇に立つグレイのもとへと近づき、ビデオの映像を凝視した。銃口を突きつけられた護衛の姿が映っている。

ポーチにいる謎の男が、扉の向こうから呼びかけた。相手がすぐ近くにいるとわかっているようだ。「危害は加えない」その声は訛りが強い。おそらく東欧系だろう。

ペインターは画面に映し出された男の姿をじっと見つめた。隣に立つ少女は、男の手を握っている。少女は隠しカメラを真っ直ぐにのぞき込んでいた。

男は再び呼びかけた。「我々はアーチボルド・ポークの協力者だ！」男の声からは迷いのようなものが感じられた。家の中にいる人物が、自分の意図を理解してくれるかどうか、測りかねている様子だ。「時間がないんだ！」

　エリザベスもペインターの後ろにやってきた。二人は顔を見合わせた。彼女の父の運命に関する何らかの情報を得るためには、多少のリスクを覚悟しなければならない。ただし、リスクは最小限にとどめる必要がある。ペインターはインターコムのボタンを押して話をした。

「もし味方ならば、部下を解放して武器を捨ててくれ」

　ポーチの男は首を横に振った。「そっちが信頼に足る相手だと証明されるまではだめだ。少女を連れてくるために、我々は大変な危険を冒した。自分たちの存在をさらしたんだからな」

　ペインターはグレイの方を見た。彼は肩をすくめただけだ。

「中に入れてやる」ペインターは答えた。「ただし、君と少女の二人だけだ」

「それなら、我々の身の安全を確保するために、君の部下の身柄は外で預かっておくぞ」

　エリザベスを直接目の届かない場所へと連れていくよう、ペインターはグレイに指示した。隣でコワルスキがつぶやいた。「仲良くみんなでお話しすればいいのに」

　ペインターは体を扉の脇へと寄せた。反対側には靴下姿のコワルスキがいる。コワルスキは唯一の武器である靴を構えた。

　多少は役に立つだろう。

　ペインターはかんぬきを外し、扉をかすかに開けた。男は片方の手のひらを向け、何も持っていないことを示した。もう片方の手は少女が握っている。少女はまだ十歳にも満たないくらいだろうか。髪は黒く、グレーと黒のチェック模様の服を着ている。男の肌はオリーブ色で、顔の下半分はすでにうっすらとひげが伸びていた。エジプト人、あるいはアラブ系だろうか。濃い茶色の瞳はポーチの明かりを反射して黒く輝いている。その瞳からは警戒心をはっきりとうかがうことができる。男はジーンズを履き、上は深紅のウインドブレーカーを羽織っていた。

男は顔を横に向けたが、戸口からは視線をそらさないまま、部下に向かって大きな声を出した。ペインターは男の言葉を理解できなかったが、その口調から警戒を緩めるなと指示していることは容易に想像できる。

「彼はジプシーだ」コワルスキがつぶやいた。

ペインターは大柄な部下に視線を向けた。

「家の近所にジプシーの家族が住んでいたんですよ」コワルスキは男を親指で示した。「彼がしゃべっていたのはロマ語です」

「彼の言う通りだ」男は応じた。「私の名前はルカ・ハーンだ」

ペインターは扉を大きく引き開け、中に入るよう合図した。

男は警戒しながら扉をくぐって室内に入ると、ペインターとコワルスキに向かって挨拶した。

「サスティモス」

「ナイス・トゥケ」コワルスキは答えた。「言っとくけど、俺が覚えているロマ語はこれだけだからな」

ペインターはルカと少女を居間へと案内した。少女の手足はかすかに震えている。だが、その顔は熱があるかのように汗ばんでいた。

ルカは居間の隅にいるグレイと、彼が手に握っている拳銃に気づいた。

ペインターはグレイに向かって、拳銃をホルスターにしまうよう指示した。この男から明らかな脅威は感じられない。異常なまでに警戒しているだけだ。

エリザベスが前に進み出た。「私の父のことを知っているの？」

ルカは眉間にしわを寄せた。すぐに意味が理解できなかったようだ。

ペインターは説明した。「この女性はアーチボルド・ポークの娘だ」

ルカは目を見開いた。エリザベスに向かってお辞儀をする。「お父様のことはお気の毒でした。素晴らしい方だったのに」

「私の父について、何を知っているの？」エリザベスは訊ねた。「この女の子は誰なの？」

少女はルカの手を離し、テーブルへと近づいた。テーブルのそばに両膝をついて座ると、体を前後に揺らし始める。

「この子かい？」ルカは聞き返した。「わからない。謎のままだ。私は君のお父さんから連絡を受けた。取り乱した声のボイスメールだったよ。混乱している様子で、早口でまくしたてていた。ラジオシャックでコブラマリーンの受信機を十二台購入し、ある波長に合わせておくようにとの指示でね。明らかに様子がおかしかった。うわごとのように数字を繰り返していたよ。

受信機を持って、ナショナルモールの周辺に張り込んでいてほしいというんだ。受信機に反応がある荷物に注意するようにと言っていた」

「荷物だって?」ペインターは訊ねた。

ルカは少女を見た。「この子だよ」

「この女の子が?」エリザベスはショックを受けた様子だった。「どうして父が?」

ルカは首を横に振った。「我々は君のお父さんに借りがあった。だから言われた通りにしたまでだ。彼が撃たれた時もモールにいた。だけど、撃たれたのが君のお父さんだとは、その時には気づかなかったんだ。でも、子供の後を追うことはできた」

ペインターは少女をじっと観察した。体内のどこかに小さな機器が、おそらくマイクロトランスミッターが埋め込まれているのだろう。

「我々は彼女を追跡して動物園に行き、誰にも気づかれないように回収することに成功した」

「この子を誘拐したのか?」ペインターは訊ねた。

ルカは肩をすくめた。「ボイスメッセージの最後の言葉は、『荷物を盗め』だったものでね。盗んだ荷物を『シグマ』という名前の人物だか団体だかのところへ持っていくように、という指示だったんだ」

ルカの言葉はペインターに衝撃を与えた。

「メッセージはそこで突然切れてしまった」ルカは話を続けている。「それ以降、追加の指示や説明はない。少女の身柄の確保に成功したら、素早く行動しなければならなかった。彼女の捜索が行なわれるおそれがあったからな。我々と同じ方法を使えば、彼女を追跡することが可能だ。しかも、この地域一帯には緊急警報《アンバーアラート》が発令されている。だが、我々は教授の言葉にあった『シグマ』が何を意味するのか、わからなかった。その単語の意味を考えながら市内を移動していると、この子がものすごい勢いで絵を描き始めたんだ」

ルカは少女を指差した。少女は立ち上がり、壁の前へと移動している。暖炉にあった木炭のかけらを指でつまみ、壁にでたらめに絵を描き始めた。ぎこちなく体を動かしながら、ある部分を描いていたかと思うと、まったく別の部分の作業に取りかかる。

「描き始めたら止まらないよ」ルカは説明した。「車の中で、あの子はたくさんの木がある公園の全景と、ロッククリーク・ブリッジの絵を描いた」ルカは窓の外に向かってうなずいた。「それから、同じように木々の茂った中にある家を描いたんだ。その絵に何か重要な意味があると思ったから、公園の外側を一周して絵に描かれている家を探した。この場所を突き止めた時には、あの子はさっき扉の下から渡した絵も描き上げていたというわけさ」

ルカは四人をじっと見つめた。「その絵の中には君たち全員の姿が描かれていた。ドクター・ポークの友人と家族だ。私が聞きたいのは、君たちがその『シグマ』とやらを知っているのかということだ」

ペインターは光沢のある黒いＩＤカードを取り出した。大統領の紋章と彼の写真付きだ。写真の上には、ホログラフのギリシア文字が印刷されている。

　ルカはＩＤカードを手に取り、ホログラフをよく見ようと斜めに傾けた。浮き上がった文字を確認すると、彼は目を丸くした。

　ペインターがルカと話をしている間に、グレイは少女のそばに近づいていた。彼は床に座り込み、少女の作業をじっと観察しながら、指先で顎をこすっている。何かが彼の注意を引いたようだ。グレイは指を一本立てたが、膝の間に隠れてペインターからはよく見えない。ピッチャーへとサインを送るキャッチャーのようだ。グレイは少女に指先を向けた。

　少女の表情はさっきと比べると明るい。軽く首をかしげるような仕草を見せている。目を開けているが、その視線は木炭を持つ指が描いている作品を追っているわけではない。少女の様子にはどこか引っかかるものがあるが、グレイが指摘しているのはそのことではなかった。

　ペインターもすでに気づいていた。汗で濡れた少女の髪が乱れ、隙間から耳の後ろ側が見える。そこには銀色に輝く金属製の物体があった。あの奇妙な頭蓋骨に付着していた装置と、まったく同じ形状をしている。

　ただし、ここにあるのは生きた被験者に装着された機器だ。

　アーチボルドはいったい何を届けてくれたのだろうか？

　ペインターが頭の中で様々な可能性を探っている間に、エリザベスは壁から離れた部屋の奥へと移動していた。壁を指差している。「ちょっと、あれを見て」彼女の声はかすかな恐怖で震えていた。

ペインターはエリザベスの隣に移動した。彼女は壁に完成しつつある絵を指差している。無意味な落書きのように思われたが、離れた位置から眺めると、次第に形を取り始めていることがわかる。それからほぼ四分間、ペインターは絵が完成していくのを無言で見つめていた。

驚きのあまり、エリザベスはすぐに言葉が出てこない。「あれは……あの形は……」

「……タージ・マハルだ」ペインターはエリザベスに代わって答えた。

全員が無言で絵を見つめる中、遠くからかすかな音が聞こえてきた。

ローターの回転音。

低空飛行のヘリコプターが、接近している。

グレイは立ち上がり、少女へと手を伸ばした。「見つかったぞ！」

九月六日午前六時二分
ウクライナ　キエフ

ニコライはエレーナの体から離れ、仰向けに寝転がった。

ホテルの部屋に備え付けの扇風機が、汗ばんだ体を冷やしてくれる。腰は痛むし、両肩の引っかき傷はまだひりひりする。エレーナは軽やかな身のこなしでベッドから下りた。肩甲骨の下のあたりまで垂れた髪が揺れている。シャワーへと向かうエレーナの腰から下の曲線に、ニコライは再び気持ちが高ぶり始めた。欲望の誘惑に駆られそうになったが、三十分後に予定されている記者会見に備えなければならない。

暗殺未遂事件のニュースは、すでに大きく広まっていた。世界各国のニュース番組で、彼の名前が報道されるはずだ。警察によって撃たれた狙撃者は、病院に到着する前に死亡したとの知らせが入っていた。

暗殺未遂がニコライの側で周到に準備した計画だとは、誰も思わないだろう。犯人はポレフスコイ出身の鉱夫で、昨年発生した作業中の事故で兄を失っていた。その犯人でさえ、自分がニコライの狙い通りに暗殺犯へと仕立てられていたとは、夢にも思っていなかったに違いない。すべては綿密な計算に基づいて進行した。エレーナが肘に触れたタイミングは完璧だった。彼女ならではの能力だ。刺激を与えられると、彼女は物事の確率を最大限に計算することができる。ビジネス用のスプレッドシートを統計学的に分析する能力では、世界で最も優秀な経済学者にもひけを取らない。さらに、ほとんどの拳銃やライフルのスペックを研究済みのため、武器の握り方と銃口の向きを見るだけで、銃弾の軌道を正確に計算できる。

今朝、ニコライはその能力を信頼して、自分の命を彼女に託した。

そして、生き延びた。

演壇の後ろに立ったあの時のような無力感を、ニコライはこれまでの人生で味わったことがなかった。自分の生死を他人の手に委ねていたのだ。これまですべてを思いのままに支配してきた自分が、その支配をほんの一瞬であっても手放したことで、彼の心臓の鼓動は速まった。

病院を後にすると、ニコライははやる気持ちを抑えながらホテルへと取って返した。

エレーナがシャワーから出てきた。濡れた裸体を見せつけるかのように、部屋の入口に立っている。増幅された神経系からの官能的な刺激が燃え尽き、その目に輝く欲望の炎がゆっくりと消えていく。獰猛なライオンのメスが、大人しい子猫へと変貌しつつある。ニコライが感じ取った残り火――依存と嫌悪の入り混じった欲望の余韻さえも、冷静な従順さに取って代わられる。

インプラントによるそうした刺激は必要不可欠だった。男女の交わりを激しくするためだけではない。妊娠の可能性を高めるための、適切な生理学的反応を引き起こすという目的もある。ニコライはその問題に関する研究書を読んだことがあった。それに母はニコライの子供を待ち望んでおり、ニコライとエレーナが愛を交わすことも認めていた。二人は申し分のない組み合わせだった。強い意志を持つニコライと、冷徹な計算を備えたエレーナ。

母に喜んでもらうために、今朝のニコライは最善を尽くした。

その証が、打ち身と引っかき傷だ。

もっとも、エレーナが息子をベッドの支柱に縛りつけ、太腿をたわしで殴りつけたと聞けば、母も眉をひそめることだろう。だが、子供の頃から母に言い聞かされてきた言葉がある。

〈目的のためには手段を選ぶな〉

母は実に現実的な女性だ。

ナイトテーブルの上に置かれた電話が鳴った。テーブルへと歩み寄ったエレーナは、電話に応対し、ニコライの方に受話器を差し出した。

「サヴィーナ・マートフ少将からです」かしこまった口調のエレーナは、いつもの冷静な補佐官に戻っていた。「上院議員宛てにお電話です」

ニコライはため息をつきながら受話器を手に取った。いつものことながら、電話のタイミングは完璧だ。暗殺未遂事件の知らせが耳に届いたに違いない。詳細な説明を求めてくるのだろう。どうしてニコライからの報告が先に入ってこないのかと思っているに違いない。これからチェルノブイリの密閉に至るまで、スケジュールはどちらの側もぎっしり詰まっていて、わずかなずれも許されない。問題が起きてはならないのだ。

ニコライは顔をしかめながら、痛む腰に体重がかからないように姿勢を変えた。

ニコライが口を開くより先に、相手が話し始めた。「問題が発生したわ、ニコライ」

ニコライはため息をついた。「どうしたんですか、お母さん」

九月五日午後十時五十分
ワシントンDC

グレイは少女を両腕で抱えながら、隠れ家の前庭を急いで横切った。九月の夜のひんやりとした空気とは対照的に、少女の体は熱を帯びている。シャツを通しても、少女の皮膚から発する熱を感じ取れるほどだ。絵を描いている間に、体温が急上昇したに違いない。グレイが指から木炭を取り上げた瞬間、少女は倒れてしまった。意識はあるが、目はうつろだ。手足はまるで棒切れのように固まっているので、等身大の人形を運んでいるような錯覚に陥る。顔色が青白いため、余計にその印象が強まる。

グレイは少女の顔に触れた。細くてきれいな小さいまつ毛をしている。

〈いったい誰が小さな子供にこんなことを〉

この子を安全な場所へと連れていかなければならない。

庭に出ると、グレイは空を見回した。軍隊仕様の黒いヘリコプターが一機、通りの上を低空飛行している。別のヘリコプターは隠れ家のあるブロックの外れの上空で待機中だ。さらにもう一機が、隠れ家の裏にある公園の上空を旋回していた。

三方向から隠れ家を包囲している。

グレイたちがここまで乗ってきたセダンは私道に停めてある。ルカと部下たちは、三台の同じ型のフォードSUVを通りに駐車していた。ジプシーのリーダーはすでに部下たちを集めていた。ロマ語で命令を発しながら、手でいくつかの方向を指し示している。別方向へと逃げるように指示を与えているのだろう。三人の男が公園に向かって歩き始め、公園の入口で三方向に分かれた。別の二人の男は足早に通りを横切り、二軒の家の間へと姿を消した。侵入してきた二人に驚いたのか、犬の鳴き声が聞こえる。

前方に目を向けると、コワルスキがエリザベスとともに、私道に停めたリンカーン・タウンカーへと向かっていた。エリザベスは携帯電話を耳に当てている。

ペインターは歩道脇に停めた小型車を目指していた。トヨタのヤリスは護衛の一人が使用していた車だ。グレイはペインターの後を追った。ルカの部下から解放された護衛が、すでに運転席に座っている。

ペインターは後部座席の扉を開け、グレイの方に向き直ると、両手を差し出した。グレイはペインターに少女を託した。

「高熱を出しています」グレイは伝えた。

ペインターはうなずいた。「安全な場所に着いたら、診察を受けさせる。キャットとリサには中央司令部に来るよう連絡済みだ」

リサとはドクター・リサ・カミングズのことで、生理学の博士号を持つ経験豊かな医師だ。彼女はペインターの恋人でもある。キャット・ブライアント大尉は、情報収集と作戦調整にかけてはシグマで随一の能力を持つ。彼女が作戦全般を統括することになるだろう。

「だが、その前に」子供を抱えて後部座席に座りながら、ペインターは空に視線を向けた。「この包囲網を破らなければならない」

通りの反対側の車線を、一台のフォードSUVがヘッドライトを消したまま猛スピードで走り抜けた。もう一台のSUVはUターンし、エンジンを入れて待機しているトヨタ車をかすめ、スピードを上げながら逆方向へと疾走していく。

「うまくいくように祈りましょう」

隠れ家から表に出る前に、ペインターはルカに頼んで、彼らがナショナルモールから少女を追跡する際に使用したコブラマリーンの受信機を調べさせてもらっていた。司令官の予想通り、ルカたちが使用していたのはトランシーバーで、受信と送信の両方の機能がある。ペインターはルカに、特定の信号を受信するのではなく、送信できるように切り替える方法を教えた。ルカは部下の全員に対して、機能を切り替えるように指示した。ルカの部下たちは各自が少女と同じ信号を発しながら、ばらばらの方向へと散っていった。つまり、敵は十以上の信号を追跡しなければならないことになる。おそらく、少女に埋め込まれたマイクロトランスミッターよりも、強い信号を発しているはずだ。その混乱に乗じて、ペインターが少女を地下にあるシグマの中央司令部へと連れていく計画だった。中央司令部にいれば信号が外部に漏れることはないため、少女を保護することができる。

グレイはペインターの乗った車から離れ、タウンカーへと向かった。コワルスキはすでにエンジンをふかしながら、いらいらした様子でグレイを待っている。彼らの目的地はレーガン国際空港だ。グレイは少女が木炭で描いたタージ・マハルの絵を思い返していた。あの有名な霊《れい》廟《びょう》はインドにある。ドクター・ポークが最後に目撃された国だ。少女が自分たちのもとに転がり込んでくる前から、グレイはインドへと調査の範囲を広げ、現地でのドクター・ポークの足取りを追うことを決めていた。少女が描いた不思議な絵を見て、グレイの決意は揺るぎないものとなった。

アーチボルド・ポークの研究について、および彼が失踪する前の居場所に関して、ヒントを与えてくれそうな人物がインドに一人いる。

エリザベスは不安そうに空を見つめながら、開け放たれた車の扉の脇に立っていた。グレイが近づくと、彼女は携帯電話を閉じた。

「ドクター・マスターソンと連絡が取れたわ。ムンバイ大学での父の研究相手なの。でも、彼はムンバイにはいないわ。アグラにいるのよ」

「アグラ？」グレイは聞き返した。

「インドの都市。タージ・マハルの所在地よ。私が電話をした時、彼はそこにいたわ。タージ・マハルにいたのよ」

少女が乗ったトヨタ車は、歩道を離れて通りを遠ざかりつつある。いったい何が起こっているのだろうか？

頭上ではヘリコプターが戸惑ったような動きを見せていた。やがて三機のヘリコプターは、囮の発する信号につられて、ばらばらの方角へと飛び去っていった。

グレイは最後の説得を試みた。「エリザベス、君は残る方が安全だ」

「いいえ、私も一緒に行くわ。あなたも会えばわかると思うけど、ドクター・マスターソンはあまり人当たりのいい人物ではないのよ。でも、私のことは知っているわ。私も一緒に来ると思っている。彼の協力を引き出すためには、私もインドに行く必要があるのよ」

エリザベスはグレイから視線をそらさない。彼女の表情には、様々な感情が入り混じっていた。決意、恐怖、そして心からの悲しみ。

「死んだのは私の父よ」エリザベスは訴えた。「私が行かないと」

「大丈夫だよ」車の運転席からコワルスキが口を挟んだ。「俺が目を離さないようにするから」

張り詰めたエリザベスの表情に、かすかな笑みが浮かんだ。「彼は当てになるの？」彼女は小声でグレイに訊ねた。

「かえって危ないかもな」

グレイは車に乗るようエリザベスを促した。同行したいと主張する彼女に対して、強く反対することはできない。今回の一件を解決するためには、彼女の知識が必要になるだろうという予感がしていたからだ。ドクター・ポークは自然史博物館にあるエリザベスの仮のオフィスに、わざわざ立ち寄ったのだ。しかも、娘をギリシアの博物館での地位に就かせるために、力添えをしたという。すべてはデルポイへとつながっている――しかし、いったいどのような関係があるのだろうか？

ルカも車のそばに来ていた。グレイとエリザベスの会話を耳にしたに違いない。「私も行かせてもらうぞ」

　グレイはうなずいた。ペインターはルカがインドへ同行するのを認めるのと引き換えに、少女の脱出への協力を取りつけたのだった。それに関してはグレイも異存はない。グレイはこのジプシーの男性に対して聞きたいことが山ほどあった。特に、ドクター・ポークとの関係が気になる点だ。ルカからは固い決意のようなものが感じられる。黒い瞳の奥に宿る影が、そのことを如実に物語っていた。

　これ以上、ここで話をすることはない。グレイは車の助手席に乗り込んだ。ルカとエリザベスは後部座席に座った。

「しっかりつかまってな！」そう声をかけながら、コワルスキはギアをバックに入れ、アクセルを踏み込むと、私道から勢いよく飛び出した。

　頭上に聞こえるヘリコプターのローターの回転音が、夜の闇に溶け込むかのように小さくなっていく。

　グレイの頭には少女に関するいくつもの疑問が浮かんでいた。

　あの子は誰なのか？　いったいどこからやってきたのか？

　モンクは三人の子供たちの後を追っていた。モンクの後ろからは、下の昇降口で合流した仲間がついてくる。

だが、その仲間は子供ではない。

モンクは背中にその黒い瞳の視線を感じた。

彼らは一団となって、石灰岩を掘り抜いて作った螺旋階段を上っていた。岩肌から水が滴り落ちているため、階段が滑りやすくなっている。階段の幅は狭く、装飾などは一切施されていない。業務用の階段なのだろう。予想していたよりもかなり長い。モンクはピョートルを抱きかかえながら上っていた。

サイレンが鳴り響く中、子供たちは地下洞窟の縁に沿って延びる小道を進み、小さな昇降口へとモンクを案内した。ハッチを開けた内部にあったのが、彼らが上っているこの螺旋階段だ。階段を上る前に、モンクは新しい仲間を紹介された。思いもよらない姿をした仲間だった。

名前はマータ。

「ここだ!」上からコンスタンティンの声がする。懐中電灯はコンスタンティンが持っている一つだけだ。彼は階段の最上部に到達していた。モンクは二人の子供とともにコンスタンティンのもとへと急いだ。コンスタンティンは細長い体を折り曲げるようにして、装備の入ったバックパックの前にしゃがみ込んでいる。前方には短いトンネルがあり、その先にはまたハッチがあった。

コンスタンティンはバックパックの一つをモンクに手渡した。モンクはバックパックを持ってハッチへと歩み寄り、手のひらを当てた。ハッチは暖かい。

振り返ったモンクの目に、最後に階段を上り終えた仲間がトンネル内へと入ってくる姿が映った。体重は三十五、六キロ、前かがみになった体高は一メートルもない。片手の拳を床につけて、体を支えている。顔、両手、両足以外は、やわらかくて色の濃い体毛で覆われていた。顔のまわりの体毛には、銀白色の白髪が混じっている。

コンスタンティンの話では、このメスのチンパンジーの年齢は六十歳以上だという。下の昇降口での子供たちとチンパンジーの再会は、心温まる光景だった。周囲にはサイレンが鳴り響き、音に過敏になった子供たちは苦悶の表情を浮かべていたものの、チンパンジーは子供たちを一人ずつ迎え入れ、安心させるかのように抱き締めた。それはまるで母親が見せるような仕草だった。

チンパンジーのおかげで子供たちが落ち着きを取り戻したことは、モンクの目にも明らかだった。

チンパンジーは今も、子供たちの間を歩き回り、顔を寄せては優しくささやきかけている。最年少のピョートルのことは、いちばん気にかけている様子だ。ピョートルとマータは、奇妙な方法で意思の疎通をしているように見える。手話というよりは、身体言語に近い。そっと体に触れたり、ポーズを取ったり、お互いの目をじっと見つめ合ったり。長い階段で疲れ果てていたピョートルは、年老いたチンパンジーから力をもらっているかのようだ。

コンスタンティンがハッチの前にやってきた。モンクに向かって小さなプラスチック製のバッジを差し出すと、作業着への取り付け方を教えてくれる。

「これは何だい？」モンクは訊ねた。

コンスタンティンはしっかりと閉ざされたハッチの方を見ながらうなずいた。「モニターするためのバッジだよ……放射線のレベルを」

モンクはハッチへと視線を向けた。放射線だって？　この向こうに何があるというのだろうか？　そういえば手のひらで触れた時、ハッチはほんのりと暖かかった。モンクは頭の中で、爆発によってすべてのものが吹き飛んだ光景を思い浮かべた。町は廃墟と化し、溶けて固まった残骸だけが残っている。

全員の準備ができたことを確認すると、コンスタンティンはハッチに手を伸ばし、レバーを力いっぱい引っ張った。金属音とともにハッチが開く。

外からまばゆい光が差し込んできた。燃え盛る溶鉱炉の内部を直接のぞき込んだかのようだ。モンクは手をかざして光から目を守った。だが、そのままの体勢で数秒間いるうちに、日の出直後の太陽の光が差し込んでいるだけだということに気づいた。子供たちとともに、モンクはおぼつかない足取りで外へと出た。

目の前に広がる光景は、モンクが危惧していたような荒れ果てた廃墟ではなかった。むしろ、その正反対だ。

ハッチの外にある岩棚の先には、緑豊かな斜面が広がっていた。シラカバやハンノキが生い茂っている。紅葉の季節を迎え、木々の葉は燃えるように赤く色づいていた。緑色の苔《こけ》に覆われた岩の間を流れる小さな川も見える。はるか彼方には低い山脈が連なり、点在する小さな高山湖が銀色の雫《しずく》のように光り輝いている。

地獄の底から楽園へと這《は》い出してきたかのようだ。

しかし、まだ地獄から逃げ切れたわけではない。

背後のトンネルの中から、奇妙な遠吠えが響く。モンクは病院に隣接する壁に囲まれた建物の中から、同じような遠吠えが聞こえてきたのを思い出した。

メナジェリー。

最初の遠吠えにこたえるかのように、二頭目の、そして三頭目の遠吠えが聞こえる。

コンスタンティンから急ぐように促されるまでもない。

モンクは遠吠えの持つ意味を理解していた――記憶にある知識ではない。脳の奥深くには、肉食動物と捕食動物のそれぞれが持つ本能が、今も刻み込まれている。

また別の遠吠えが聞こえた。

さっきよりも大きい。さっきよりも近い。

モンクたちは狩りの獲物だった。

7

九月六日午前四時五十五分
ワシントンDC

小さな届け物は、いまだに謎だらけだ。

ペインターは窓を通して少女の様子を観察していた。ようやく眠ったようだ。ベッドの脇では、キャット・ブライアントが少女を見守っている。膝の上には、ドクター・スースの『緑色のハムエッグ』が置かれていた。鎮静剤が効いて少女が眠りに落ちるまで、キャットは絵本を読み聞かせていたのだった。

真夜中過ぎに到着して以来、少女は一言も口をきかなかった。視線は動いていたので、身のまわりの様子は認識していたはずだ。しかし、それ以外の反応はほとんど見られなかった。上体を前後に揺らすばかりで、誰かが触れると体をこわばらせる。パック入りのジュースを飲ませ、チョコレートチップ入りのクッキーを二個食べさせるのがやっとだった。簡単な検査も済んでいた。血液検査と身体検査を行ない、全身のＭＲＩ画像も撮影した。まだ微熱があるが、だいぶ下がってきている。

身体検査では、少女の上腕部に深く埋め込まれたマイクロトランスミッターのチップも発見された。チップを取り除くためには外科手術が必要なため、そのままにしてある。この建物内にいれば信号は遮断され、外部に漏れる心配はない。少女の居場所を突き止められるおそれもない。

キャットが立ち上がった。カジュアルな服装で、黄褐色のスラックスの上にコットン地の白い広幅のシャツを着ている。白いシャツが鳶《とび》色の髪をいっそう引き立たせていた。彼女が自宅から中央司令部へと急遽《きゅうきょ》呼び出されたのは、作戦全般を統括するためだ。しかし、グレイたちのチームはまだ飛行機で移動中のため、キャットは自分に適した別の任務を行なっていた。自分にも幼い娘がいる彼女は、自宅からドクター・スースの絵本を持参した。相変わらず少女は目立った反応を見せなかったものの、キャットにはなついた様子だった。その証拠に、体を揺らす速さがゆっくりになっている。

キャット・ブライアントが仕事に復帰した姿を目にして、ペインターは安堵していた。夫であるモンクを失って以後、キャットは何週間も抜け殻のような状態だった。しかし、そんな彼女も自分を取り戻しつつあり、再び前へ進もうとしている。

部屋から出ると、キャットは静かに扉を閉め、隣の監視室で見守っていたペインターのもとへと歩み寄った。会議用テーブルのまわりには背もたれの高い椅子が配置されている。

「眠ったようです」キャットは椅子に腰を下ろすとため息をついた。

「君も寝た方がいいんじゃないのか。グレイたちの乗った飛行機がインドに着陸するのは、まだ数時間先だ」

キャットはうなずいた。「ペネロペの面倒を見てくれているベビーシッターに連絡を入れてから、少し睡眠を取らせてもらいます」

廊下側の扉が開く。二人が顔を向けると、リサ・カミングズとシグマの病理学者マルコム・ジェニングスが室内に入ってきた。二人とも青い手術衣の上に研究室用の白衣を着用している。声を落としているが、活発な議論の真っ最中のようだ。リサは両手を白衣のポケットに突っ込んでいた。肩のラインがはっきりと浮き出るほど、白衣が下に引っ張られている。何かに集中している時に彼女がよく見せる仕草だ。長いブロンドの髪は三つ編みにしている。二人はこの一時間ほどＭＲＩの検査室にこもり、診断結果を検討していた。

二人の会話に頻出する医学の専門用語を、ペインターはさっぱり理解できなかった。だが、熱のこもった議論を戦わせている様子から判断すると、何らかの結論には達したものの、必ずしも意見の一致を見ているわけではなさそうだ。

「あれほどの規模の神経変調が膠《こう》細胞の力を借りることなく起こっているというのですか？」

リサは信じられないと言いたげに首を振りながら訊ねた。「基底核からの刺激があるというのなら、納得できますが」

「おいおい、何の話だ？」ペインターは二人の注意を引くために質問を挟んだ。

リサはそれまで、室内にペインターとキャットがいることにすら気づいていない様子だった。肩から力が抜けると同時に、両手がポケットから出る。ペインターと目が合うと、リサの表情から険しさが消え、かすかな笑みが浮かんだ。そばを通る時に片手で軽くペインターの肩に触れながら、リサは空いている椅子に腰掛けた。

マルコムは残った最後のイスに腰を下ろした。「子供の様子は？」

「今のところは眠っています」キャットは答えた。

「それで、何かわかったことは？」ペインターは訊ねた。

「我々は新しい領域と古い領域の両方をたどっているということだ」マルコムは意味ありげに答えながら眼鏡をかけた。コンピューターの画面を長時間眺めていても目に負担がかからないように、レンズは青みがかった色をしている。眼鏡の位置を調節しながら、マルコムは小脇に抱えていたラップトップコンピューターを開いた。「子供のＭＲＩ検査の結果と、私が行なった例の頭蓋骨の分析結果をまとめてある。装置はどちらも同じ構造だが、子供に取り付けられている装置の方がより高性能だといえる」

「あの装置は何ですか？」キャットは訊ねた。

「だいたいのところは、ＴＭＳジェネレーターと機能が同じだ」マルコムは答えた。

「経頭蓋《けいとうがい》磁気刺激装置のことよ」リサは具体的に説明してくれたが、わかりやすくなったとは言い難い。

　ペインターはキャットの方を見た。彼女も理解できていないようだ。「最初から話をしてくれないか?」ペインターは頼んだ。「なるべく難しい言葉を使わずに」

　マルコムは手に持ったペンで側頭部を軽く叩いた。「それなら、ここから話を始めるとしよう。人間の脳の話だ。こいつは三百億個の神経細胞からできている。それぞれの神経細胞は複数のシナプスによって隣の神経細胞と結合している。シナプスによる結合の数はおよそ十億の百万倍ある。これらの結合によって、きわめて大量の数の神経回路が形成されるわけだ。『大量の数』という言い方をしたが、具体的な数字で言うと十の百万乗になる」

「百万乗?」ペインターは聞き返した。

　マルコムは眼鏡越しにペインターを見た。「比較のための数字をあげておこうか。全宇宙に存在する原子の総数は、十の八十乗だけしかないのだよ」

　ペインターの驚いた反応を確認して、マルコムは続けた。「つまり、我々の頭蓋骨の中には膨大な処理能力を持つコンピューターが備わっているのに、それに関する我々の理解はまだ入口に立ったばかりだ。まだ表面を探っているだけの段階なのだよ」マルコムは隣の部屋が見える窓を指差した。「ところが、もっと深く掘り下げている者がいる」

「どういう意味ですか?」キャットの表情からは、少女を気遣うような様子がうかがえる。

「現在の我々の技術は、この新しい研究領域におずおずと踏み込もうとしている段階だ。宇宙を調べるために探査ロケットを打ち上げるのと同じように、脳の内部に電極を挿入して探っている。人間の脳への情報伝達は、すべて電気信号によりもたらされる。我々はものを見る時、目で見ているのではない。脳を使って見ているのだよ。耳の聞こえなくなった人が、人工内耳によって聴力を取り戻すことができるのも、それと同じ理屈だ。人工内耳が音を電気信号へと変換し、その信号が聴覚神経内部に挿入された微小電極を通じて脳へと送られる。やがて大脳皮質はこの新しい信号を再解釈できるようになる。言ってみれば、新しい言語を覚えるような要領で、耳が聞こえなくなった人も再び音を聞き分けられるようになるわけだ」

マルコムはラップトップコンピューターを指差した。「人間の脳は電気信号の集まりで、新しい信号への適応能力もあるため、機械へと接続することが可能だ。ある意味、人間は生まれながらにして完璧なサイボーグであるとも言えるな」

ペインターは顔をしかめた。「これまでの話から何が言いたいのですか？」

リサはペインターの手に自分の手をそっと乗せた。「話は結論に達しているわ。人間と機械との境界線は、すでに曖昧なものとなっているのよ。個々の神経細胞の内部に埋め込むことも可能なほどの大きさしかない微小電極も、すでに開発されているわ。二〇〇六年にブラウン大学は、体が麻痺した患者の脳に、そのような微小電極を百本接続したマイクロチップを埋め込んだの。その患者は四日間の練習を積んだ後、体を一切動かすことなく頭で考えただけで、コンピューターの画面上のカーソルを動かしたり、電子メールを開いたり、テレビのチャンネルを切り替えたり、ロボットアームを動かしたりできるようになったわ。私たちは人間の脳という領域にそこまで踏み込むことができたのよ」

ペインターは窓の方に目を向けた。「ところが、それ以上に深く入り込んでいる者がいると？」

リサとマルコムは同時にうなずいた。

「それで、例の装置は？」ペインターは訊ねた。

「これまでに私たちが見たものよりも、さらに一段階上をいく機器だわ。ナノフィラメントの電極があまりに小さいものだから、どこまでが装置でどこからがあの子の脳なのか、境目の区別がつきにくいほどよ。でも、基本的な機能は同じ。ハーバード大学がラットに行なった実験によると、ＴＭＳジェネレーターは神経細胞の成長を促進することがわかっている。でも、奇妙なことに、学習と記憶に関連する領域だけが成長したのよ。その理由はいまだに解明されていないわ。ただ、そのような磁気的な刺激によって、まるで電気のように、神経細胞のスイッチを入れたり切ったりできるの。子供の場合、そうした影響を特に受けやすいわ」

「つまり、私の理解が正しいとすれば、何者かがそのような装置を子供に取り付け、特定の領域の神経細胞の成長を促し、スイッチを入れたり切ったりしながらその機能を制御しているということなのか？」

「だいたいのところは、その理解で正しいな」マルコムは答えた。「そいつらはさっき私が話をした膨大な数の神経回路に深く踏み込もうとしている。新しい神経細胞に磁気刺激を加えることにより、神経回路をさらに拡大させたのだ。もし私の推測が正しいなら、その何者かは非常に狭い領域の拡大に焦点を絞っている」

「なぜそうだと言い切れるのですか？」

「神経学にはある法則がある。ヘッブの法則だ。簡単に説明すると、『発火する神経細胞同士は、結びつきを強める』ということになる。つまり、脳のある一部分を刺激すれば、その部分がどんどん強化されるというわけだ」

「その目的は？」ペインターは訊ねた。

マルコムとリサは不安げな表情で顔を見合わせた。マルコムは自分の口から詳しく説明したくない様子だ。

リサはため息をついた。「心理学者のザック・ラーソンと話をしたの。あの女の子がここに連れてこられた時、最初に検査をした医師よ。反応を示さないこと、同じ動作の反復が見られること、刺激に対して敏感なことから、ザックはあの女の子が自閉症だとほぼ断定している。また、あなたが説明してくれた隠れ家での行動から判断して、サヴァン症候群の可能性が高いということだったわ」

ペインターもラーソンの報告書にはすでに目を通していた。短時間で作成されたものながら、要点はしっかりと網羅されていた。ラーソンは心理学検査をいくつか行ない、その中には自閉症に特有の遺伝子マーカーの検査も含まれているが、その結果はまだ解析中とのことだった。

また、ラーソンの報告書にはサヴァン症候群に関する概説も添付されていた。サヴァン症候群というまれな症例の患者は、知的障害があるにもかかわらず、限られた分野で驚異的な才能を持つ。範囲は限定されるものの、その能力は並外れている。ペインターは映画『レインマン』でダスティン・ホフマンが演じた人物を思い出した。その人物はずば抜けた計算能力を持っていた。しかし、それはラーソンが列挙したサヴァン症候群の能力のほんの一例にすぎない。それ以外にも、曜日の計算、記憶力、音楽の才能、機械操作、空間認識力、嗅覚・味覚・聴覚の識別力、さらには絵画の才能などがある。

ペインターの脳裏に、少女の描いたタージ・マハルの絵が浮かんだ。あの絵が完成するまでに、ほんの数分しかかからなかった。縮尺は正確で、遠近感も見事に表現されていた。間違いなく、あの少女には才能がある。

しかし、絵の才能だけにとどまらないのではないだろうか？

ラーソンのリストの最後には、サヴァン症候群の患者が示す能力の中でも極めてまれで、かつ議論の的となっている、超感覚的知覚に関する報告が記されていた。

少女の描いた絵を頼りに、ジプシーたちが隠れ家の場所を正確に突き止めたという事実は、無視することができない。ペインターはエリザベスとの会話も思い返していた。彼女の父は直観や特殊能力を研究していたという。しかも、遠隔透視に関する政府の極秘プロジェクトにも関与していた。

リサは話を続けている。「あの装置はサヴァンの能力が眠っている脳の領域を刺激するものではないかと思うの。サヴァンの能力のほとんどが、右脳にあることはわかっているわ。例の頭蓋骨もあの少女も、装置は右側頭部に装着されている。現在の科学技術をもってすれば、この能力を制御している脳の領域の特定はそれほど困難な作業ではないわ。領域さえ特定できれば、磁気刺激を与えることでその部位を強化すると同時に、制御することもできるのよ」

恐ろしい事実に思い当たり、ペインターは椅子から立ち上がった。リサとマルコムの話が正しいとすれば、何者かがあの少女の能力を操っていることになる。ペインターは窓の方へと近づいた。

〈いったい誰がこんなことを？〉

ペインターの隣に並んだキャットが、窓の奥を指差した。「あの子が目を覚ましているわ」

少女は再び絵を描いていた。

ナイトテーブルの上に置かれていたメモ用紙と黒のサインペンを使っている。隠れ家での時のように一心不乱に描いているわけではないが、それでもメモ用紙に顔がくっつかんばかりの姿勢で絵に集中している。

キャットは扉の方へと向かった。ペインターも後を追う。

少女は二人の存在に気づいた素振りを見せなかったが、二人が室内に入ってくると同時に、メモ用紙とペンが少女の手からベッドの上に落ちた。少女は再び体を前後に揺らし始めた。少女の描き上げた作品を目にしたキャットは、息をのんで後ずさりした。そんな反応をするのも無理はない。メモ用紙に黒のサインペンで描かれていたのは、似顔絵だった。

キャットの夫、モンクの顔。

午前十一時四分
ロシア連邦　ウラル山脈南部

モンクはピョートルに手を貸しながら、倒木を渡っていた。倒木の下は深い渓流になっていて、川底の岩の上を白く泡立った水が流れている。倒木の上には緑色の苔が密生し、太くて白いキノコも何本か生えている。付近一帯は湿気でじめじめしていた。

キスカはすでに倒木の橋を渡り終え、老チンパンジーのマータの手を握りながら向こう側で待っている。モンクはこの先にある丘陵地帯を越え、隣接する谷へ下りたいと考えていた。倒木を渡り終えたモンクは後ろを振り返った。彼らは鬱蒼《うっそう》と茂ったシラカバの森を縦断中だった。白い樹皮に覆われた幹は、まるで乾燥した人骨のように見える。緑色の葉は、一部ですでに紅葉が始まっていた。

モンクは赤く色づいた葉っぱを一枚手に取り、指の間でこすった。葉はまだやわらかく、完全に水分が抜けているわけではない。季節は初秋だろう。しかし、木々の葉が色づき始めたということは、標高の低いこの山岳地帯の夜はかなり冷え込むはずだ。だが、雪が降るほどの寒さではない。モンクはつぶした葉っぱを投げ捨てた。

〈なぜそんなことまで推測できるのだろうか？〉

モンクは頭を振った。その答えを探すのは後回しだ。そう思う一方で、記憶の欠如がありながら世の中に関する知識は残っているという違和感に対して急速に適応しつつある自分に、モンクは戸惑いを覚えていた。とにかく今は、狩りの獲物となっている身だ。素早く移動しなければならない。山岳地帯では音が遠くまで届く。モンクたちはできるだけ声を落とし、あるいは身振りを使いながら、意思の疎通を行なっていた。

モンクは自分たちがたどってきた道筋の方に目をやった。かれこれ三時間近く逃げ続けている。子供たちにはつらいペースだろう。だが、地下の洞窟の出口からはできる限り距離を取らなければならない。逃亡者たちはすでに洞窟を後にしたと追っ手が気づくまでに、それほど長い時間はかからないはずだ。すでに森の捜索を開始している可能性もある。

モンクは渓流を渡り終えた地点で後続を待った。

〈コンスタンティンはどうした？〉

その思いが聞こえたかのように、背の高い少年が渓流の向こう岸にある斜面を駆け下りてきた。若い雄ジカのように、敏捷《びんしょう》でしっかりとした足取りだ。だが、両手を前に伸ばしながら滑りやすい倒木の上を近づいてくるのを見ると、その顔は恐怖で歪んでいた。

「やったぞ！」コンスタンティンは叫んだ。ぜいぜいと息をしながら倒木から飛び降り、モンクの隣に着地する。「病院で君が着ていた寝間着を、別の谷を流れる小川のところまで引きずったよ」

「川の中にちゃんと投げたか？」

「ビーバーの巣に引っかからないようにね。言う通りにしたよ」

モンクはうなずいた。彼が病院で来ていた寝間着は、血が付着し、汗がしみ込んでいる。病室で着替えた後、子供たちはその寝間着を持って逃げたのだった。賢明な判断だったと言えるだろう。寝間着を残していけば、別の服に着替えたことがわかってしまう。

同時に、追っ手をまく目的にも役立つ。寝間着で額とわきの下の汗をふき、入念ににおいをしみつけてある。子供たちとチンパンジーの額やわきの下にも、寝間着をこすりつけておいた。強烈なにおいがする寝間着は、偽の臭跡を残してくれるはずだ。そのにおいにつられた追っ手が、別の場所を捜索してくれることを祈るしかない。

「こいつを手伝ってくれ」モンクはコンスタンティンに声をかけ、渓流を渡るために使用した倒木に手をかけた。

だが、二人で力を合わせても、倒木を揺することはできるが、動かすことはできない。その時、モンクは頬に息づかいを感じた。振り返ると、マータが肩を使って丸太を押している。チンパンジーは一気に倒木を押し込み、渓流へと転がした。かなりの力の持ち主だ。倒木は大きな水しぶきをあげて渓流へと落下し、水面を上下しながら流れを下っていく。モンクは流れていく倒木を目で追った。追っ手の目をくらますためには、様々な手を尽くさなければならない。

流木が消えるのを見届けてから、モンクは先を急いだ。

コンスタンティンはモンクのペースについてくるが、キスカとピョートルは苦しそうだった。かなり急な上りになっている。モンクとマータが二人の子供を助け、傾斜の急な箇所は抱き上げながら歩き続けた。ようやく彼らは丘の頂上に到達した。前方にはさらなる丘陵地帯が広がっていた。大部分は深い森に覆われているが、ところどころ草地が開けている。左手の方角には、それほど遠くない地点に銀色の湖面が見える。かなり大きな湖のようだ。

モンクは湖の方向へと足を踏み出した。あれだけ大きな湖なら周囲に人が住んでいるはずだ。助けを求めることができるかもしれない。

コンスタンティンはモンクの肘をつかんだ。「あっちはだめ。死の世界があるだけ」少年はもう片方の手でベルトに留めたバッジを握り締めていた。放射線量をモニターする線量計だ。

緑豊かな自然の中を進んでいたために、モンクはその危険についてすっかり忘れていた。自分のバッジを上に向ける。今のところ、表面は白い色をしているが、放射線量が上昇するにつれて、バッジの色はピンクになり、赤になり、紫になり、最後は黒になる。薬局で売られている妊娠検査キットのようなもので――

モンクの視界を記憶の画像が遮った。

――笑っている青い瞳、ちっちゃな爪――

次の瞬間、画像は消えた。

頭がずきずきと痛む。モンクは帽子の上から指で真新しい縫合跡に触れた。コンスタンティンが心配そうな目でのぞき込んでいる。

キスカが両手で腹部を抱え込んだ。モンクはこの少女がコンスタンティンの妹だと聞かされていた。「おなかが空いた」人に聞かれることと自分の弱さを見せることの、両方を恐れているかのようなか細い声だった。

コンスタンティンは妹に向かって顔をしかめた。だが、モンクはエネルギーを補給するために食事を取るべきだと考えていた。ここまでひたすら逃げ続けてきたが、このあたりで態勢を立て直し、ただ走り続ける以外の作戦を考えるための時間が必要だ。モンクは指先でバッジに触れながら、湖の方に目を向けた。

〈死の世界があるだけ〉

自分たちが置かれている状況を、もっと深く理解する必要がある。

「一休みしながら食事のできる場所を探そう」モンクは提案した。

モンクは隣の谷へ下っていった。テラス状に連なった岩棚には、小さな池がいくつも点在している。池から流れ落ちる滝の数も十カ所以上はあるだろうか。空気中には土のにおいと湿気が充満している。半分ほど斜面を下ると、シダの生えた断崖が浸食されて、せり出した岩肌の下に大きな窪みができていた。モンクは子供たちとともにその窪みへと向かった。

一行は腰を下ろし、バックパックを開いた。プロテインバーとペットボトルの水が各自に配られる。

モンクは自分のバックパックの中を探した。武器は見当たらない。だが、地形図が入っている。モンクは地図を地面の上に広げた。地図の名前はキリル文字で書かれている。コンスタンティンがピーナッツバター味のバーをかじりながらそばに寄ってきた。モンクは地図上の山岳地帯に小さな×印がたくさん記されていることに気づいた。

「鉱山だよ」コンスタンティンが教えた。「ウランの鉱山」コンスタンティンはキリル文字の下を指でなぞってから、円を描くように地図上の一帯を指差した。「ウラル山脈の南部。チェリャビンスク地区。古い武器工場の中心地。とっても危険なんだ」

少年は地図のあちこちに指先で触れた。放射性危険物の記号が地図上に点在している。「露天の採掘場とか、放射性化学物質やプルトニウムの古い工場がたくさんある。核廃棄物貯蔵施設も。一カ所か二カ所を除いて、全部閉鎖されたんだ」

危険物の所在地を示す無数の記号を見ながら、モンクは首を横に振った。「それで、俺たちは今どこにいるんだ?」

「とっても危険なところ」コンスタンティンは警告しながら、大きな湖の見えた方角を指差した。「ここからは岩と木々に隠れて見えない。「あれはカラチャイ湖。昔のマヤーク原子力施設からの廃液を捨てたところなんだ。湖畔に一時間立っていたら、一週間後には死んじゃう。迂回しないといけないよ」

コンスタンティンは地図に顔を近づけ、鉱山や原子力施設が密集した場所の中央を指差した。

「僕たちはここから逃げてきたんだ。『ウォーレン』というところ。チェリャビンスク８８と呼ばれていた昔の地下都市で、鉱山で働く何千人もの囚人が収容されていた。似たような場所はほかにもたくさんある」

モンクは洞窟内で目にした工業団地風の建物を思い出した。廃棄された都市の跡地の新しい利用法を思いついた人間がいるようだ。

コンスタンティンは話を続けている。「カラチャイ湖は迂回しないとだめ——近づきすぎると危ないよ」コンスタンティンはモンクが理解していることを確認するかのように顔を上げた。「だから、アサノフ湿地を横断してここへ行かないと」

少年は湖の反対側にある別の鉱山の入口を指差した。

モンクはわけがわからなかった。自分たちは逃げているのではなかったのか？　助けてくれる人を探しているのだと思っていたのだが。

「そこには何があるんだ？」鉱山を示す記号を顎で示しながら、モンクは訊ねた。

「彼らを止めないと」コンスタンティンはピョートルの方を見た。いちばん年下の少年は、マータと一緒に苔の上で体を丸くして横になっている。

「誰を止めるんだ？」モンクの脳裏にピョートルの語った言葉がよみがえる。

〈僕たちを救い出して〉

コンスタンティンはモンクの方に向き直った。「だから君をここに連れてきたの」

午前十一時三十分

サヴィーナ・マートフ少将は集められた子供たちをにらみつけていた。場所は小学校の大教室だ。アメリカ人の顔が、背後に設置された大型のＬＣＤモニターに映し出されている。

「今朝、この男が隠れているのを見た人はいる？　病院の寝間着を着ていたかもしれないわ」

何列も並べられた木製の椅子に座った子供たちは、うつろな表情で彼女を見つめ返している。子供たちは今朝早く、寮で寝ているところを叩き起こされた。六十人以上の子供たちが、シャツの色ごとにグループ分けされて座っている。後ろの方に白いシャツを着て座っているのは、遺伝子マーカーを持っているものの、ほとんど能力を発揮していない子供たちだ。真ん中の列にいる灰色のシャツの子供たちは、いくらか才能が見られるとはいえ、特に目を引くほどではない。

だが、最前列に座った子供たちは違う。

黒いシャツを着た十人の子供は、「オメガクラス」に属している。桁外れの能力を示す、数少ない子供たち。サヴィーナの息子、ニコライに仕えるために選ばれた十二人の最も優秀な子供たちは、これから訪れる苦難の時代に、ニコライの側近を務めることになる。その取りまとめ役がサヴィーナだった。

　ニコライのことを思うと、サヴィーナは今でも心が痛む。彼は生まれながらの「白シャツ組」だった。遺伝子との賭けに敗れたのだ。サヴィーナは第一世代の男性の子供を人工授精で身ごもった。だが、結果を急ぎすぎたため、その代償は高くついた。遺伝子に関する理解がまだ不十分なうちに、行動を起こしてしまったのだ。しかも、妊娠中に合併症を起こしたために、サヴィーナは子供の産めない体になってしまった。しかし、彼女はニコライのために新しい目標を作った。それが実現した暁には、本当の意味での、そして永続的な変革が実現するだろう。ニコライの誕生後、それが彼女のライフワークとなった。

　今、実現まであと一歩のところに来ている。

　サヴィーナは黒いシャツを着た子供たちを射るような視線で見つめた。

　オメガクラスの子供が座っている列には、二つの空席がある。

　昨夜、その一人が姿を消した。

　ピョートル。

　そのピョートルの姉も、ほぼ同時刻にアメリカの動物園で行方不明となった。少女に関する最新情報に関しては、まだユーリから連絡が入ってきていない。ユーリからこれだけ長時間、何の連絡もないのはおかしい。緊急事態の発生を知らせる暗号を送っても、反応が返ってこない。

何かが起こりつつある。

サヴィーナは答えを求めていた。口調が自然と厳しくなる。「コンスタンティン、キスカ、ピョートルの三人が寮の部屋から出るのを見た人もいないの？　一人もいないの？」

この問いかけにも、うつろな視線が返ってくるだけだった。

大教室の奥で人の動く気配がする。サヴィーナが視線を向けると、ヒキガエルのような体形をした男性が室内に入ってきて、彼女に向かってうなずいた。副官のボルサコフ中尉だ。いつもの灰色の制服姿に、黒いつばの帽子をかぶっている。彼は何かを発見した様子だ。

ようやく手がかりが見つかったのだろうか？

サヴィーナは脇に立っている三人の教師の方を向いた。「子供たちを寮に閉じ込めておきなさい。今回の一件が片付くまで、厳重に監視しておくのよ」

サヴィーナは段を上って大教室から外に出た。ボルサコフもすぐ後ろからついてくる。顔にあばたと傷のあるボルサコフは、背の高さがサヴィーナの肩と同じくらいしかないが、彼女はそこが気に入っていた。自分よりも身長の低い男性が好みだったからだ。しかも、ボルサコフは横幅がありながら、筋肉質のいい体をしている。時々サヴィーナは、自分を女として意識しているボルサコフの視線に気づくことがあった。彼女はそのことも気に入っていた。

すぐ後ろにボルサコフを従えながら、サヴィーナは学校の中を横切り、校舎の外へと出た。表に出ると、ボルサコフの部下が二人立っていた。一人は鎖につながれたロシアオオカミを連れている。オオカミはうなり声をあげながら口を開いた。鋭い牙が見える。部下は鎖を引っ張りながら、オオカミを叱っている。

サヴィーナは必要以上にオオカミに近づかないよう距離を取った。ボルゾイとシベリアオオカミとの交配種は、引き締まった体をしており、体高はボルサコフの胸くらいまである。このオオカミは彼らの動物研究施設、通称「メナジェリー」で飼育されている。新しい増幅器の実験はメナジェリーで行なわれており、あらゆる高等動物――犬、猫、ブタ、ヒツジ、チンパンジー――を対象とした様々なテストが実施されている。メナジェリーは動物と触れ合うことのできる格好の場でもあった。長年の研究から、子供たちは動物に対してある種の絆を感じ、動物との触れ合いが子供たちを心理的に落ち着かせる効果があることもわかってきた。おそらく、それは単なる人間と動物との絆ではないのだろう。増幅された脳同士が、共通点を感じ取っているのかもしれない。

目の前にいるオオカミにも、金属製の装置が外科手術によって埋め込まれている。

増幅器はオオカミの頭蓋骨の基部に、チタン製のスクリューとワイヤーによって固定されていた。無線機のボタンを押すだけで、オオカミに苦痛や快楽を与えることができる。攻撃性を高めたり、手なずけたり、感覚を鈍らせたり、性的に刺激させたり、思いのままに操れる。

「何かわかったの、中尉？」サヴィーナは訊ねた。

「子供たちは地下の洞窟内にはいません」ボルサコフは答えた。

サヴィーナは立ち止まると振り返った。

「我々は工業団地も含めて、村内をくまなく捜索しました。捜索の範囲を広げていくと、村の外れにある動物研究施設に接した壁沿いで、子供たちの臭跡を発見したのです。そのにおいを追っていくと、地上に通じる業務用のハッチへとたどり着きました」

「彼らは外に出たのね？」

「病院にいたアメリカ人も一緒だと思われます。子供たちの臭跡は病院から、ずっと続いていました」

少なくとも、一つの答えがはっきりした。あのアメリカ人が病院を抜け出し、子供たちを誘拐したのではない。むしろその逆で、子供たちがアメリカ人の脱出に手を貸したに違いない。

だが、なぜそんなことをしたのか？

あのアメリカ人の男の、何がそれほどまでに重要なのだろうか？

それはあの男がここに到着して以来、サヴィーナが抱き続けている疑問だった。二カ月前のこと、ロシアの情報機関は、伝染病患者を満載したクルーズ船がインドネシアの海域で海賊の襲撃を受けたとの情報を入手した。世界中の情報機関が、血眼《ちまなこ》になって船の行方を捜索していた。その時サヴィーナは、被験者が船を探し出せるかどうか試してほしいとの依頼を受けた。一種のテストのようなものだ。そして、彼女はそのテストに合格した。刺激を与えられた十二名のオメガクラスの子供たちは、クルーズ船が隠されている島を特定することに成功したのである。ロシアの潜水艦が一隻、調査のために派遣され、該当する礁湖に到着した時、クルーズ船はまさに沈没している最中だった。

サヴィーナにとって、それは大きな成果だった――だが、その時サーシャが、増幅器が焼き切れてしまうのではないかと思われるほどの激しさで、絵を描き始めたのである。十二の方向から描かれた、十二枚の絵。網に絡まったまま沈んでいく、一人の男の姿を描いた絵だった。何か重要な意味があるに違いないと思うと同時に、興味を引かれたサヴィーナは、ロシアの潜水艦にその男のことを伝えた。

すでに水中で調査中だったダイバーたちは、絵と同じように網に絡まった状態でほぼ意識を失っている男を発見した。彼らは男の口に酸素マスクを当てながら急いで引き上げ、潜水艦へと収容した。

サヴィーナはその男をここに連れてくるように指示した。何か重要な鍵を握っていると考えたからである。しかし、チェリャビンスク８８に到着すると、その男は自分のことをクルーズ船の電気技師だと言うばかりだった。尋問の間も、サヴィーナにはその男に格別すぐれた能力があるとは思えなかった。体に傷があり、頭を剃り上げていて、片手の手首から先がない。言葉遣いも乱暴な、ただの粗野な男だった。男の姿を見ても、サーシャは何の反応も示さない。オメガクラスのほかの子供たちも同じだった。

男は正体が謎であるだけでなく、厄介な存在でもあることが判明した。ある日、手首の人工皮膚につながれていた発信装置を操作している現場を発見されたのである。いったい男が何をしていたのか、どんな種類の信号を送っていたのかはわからない。しかし、その行為によって何か問題が発生した様子もなかった。ただ、念のために、男の手首の人工皮膚は外科手術によって切除した。

数週間が経過するうちにサヴィーナは、サーシャが必死になって絵を描いたのは溺死する男がいることを怖がっていただけなのだろうと確信するようになった。そうと決まれば、もはや用済みだ。サヴィーナはアメリカ人をメナジェリーの研究グループに引き渡した。彼らは記憶に関する研究を行なっている。生きた人間は彼らにとって貴重な被験者だった。

サヴィーナは手術の現場に立ち会わせてもらった。

〈研究員たちがあの男にしたことといったら……〉

思い出すだけで、今でも身の毛がよだつ。

その男が脱走した――サーシャの弟と一緒に。しかも、サーシャも行方不明になっている。子供たちはいったい何を企んでいるのか？

その答えはわからない。しかし、計画が最終段階にまで進んだ今、答えが見つかるまで悠長に待っている時間はない。

「指示をお願いします、少将殿」

「地上を捜索しなさい」

「捜索犬を総動員します」ボルサコフは緊張感に満ちた声で答えた。

サヴィーナは立ち去ろうとするボルサコフを呼び止めた。「犬だけではだめね」

ボルサコフはサヴィーナをじっと見つめた。聞き間違いではないかとでも言うように、眉間にしわを寄せている。それでも、サヴィーナの意図は伝わったようだ。「よろしいんですか、少将殿？　子供たちはどうなさるおつもりで？」

サヴィーナはすでに立ち去り始めていた。今は慎重な手立てを考えている場合ではない。まだ十人の子供たちが残っている。それだけの人数がいれば十分だろう。

サヴィーナは改めて指示を出した。「猫も放ちなさい」

午前十一時四十五分

ピョートルはマータの膝の間に座っていた。彼女の力強くて暖かい腕が、体を包み込んでくれている。触られるのは好きではなかったが、マータは別だ。濡れた体毛の発する甘い土のにおいが、ピョートルのまわりに満ちている。マータの息づかいが聞こえ、マータの大きな心臓の鼓動を背骨で感じ取ることができる。ピョートルはずっと前からマータを知っていた。ずっと前からマータの腕に抱かれていた。五歳の時に最初の手術を受けた直後、マータはピョートルの部屋に連れてこられた。

マータの大きな手は今でもはっきり覚えている。初めて見た時は怖いと思った。でも、マータはその日、ずっとそばにいてくれた。顎をベッドの端に乗せたまま、じっと見つめていてくれた。しばらくしてから片手を伸ばして、マータの手のひらに刻まれた深いしわを、そっと指でなぞってみた。不思議に思えたからだ。マータは大きな茶色い瞳で、ずっと見つめていた。つぶらなその瞳は、何もかもわかってくれているかのようだった。あの時、マータの長い指がピョートルの指に絡みついた。

それが何を表しているのか、ピョートルはすぐにわかった。

約束。

マータと一緒に遊ぶ子供もいれば、マータの腕に抱かれて泣く子供もいる。眠れない夜にマータと一緒に過ごす子供もいる……でも、初めて会った日の朝、ピョートルは真実を悟った。マータはピョートルにだけ秘密を明かした。そして、ピョートルも彼女に秘密を明かした。

そんな思い出のある腕に抱かれたまま、ピョートルは不思議な森をじっと見つめていた。これまでにも何度か森に来たことがあった。先生と一緒に森の中を歩いたり、静かな世界の中でじっと座っていたりしたことがあった。それでも、ピョートルは森が怖いと思う。風が森の中を通り過ぎ、木々を揺らし、葉っぱがくるくると回りながら風に飛ばされる。そんな光景を見るうちに、ピョートルは何かが近づいていることに気づいた。

自分は姉のサーシャとは違う。

でも、自分にはわかる。ピョートルは舞い散る木の葉から離れようと、マータに深く寄りかかった。心臓の鼓動が速くなるにつれて、目の前の景色が薄れていき、木の葉だけが残る。風に飛ばされ、回転し、宙を舞い……怖い……

マータが耳元で優しくささやいた。〈どうかしたの?〉

ピョートルの体が震える。心臓は今にも口から飛び出しそうだ。心臓の鼓動が警告を発するにつれて、舞い落ちる木の葉の枚数がどんどん増えていく。ピョートルは葉っぱと葉っぱの間に神経を集中した。前にコンスタンティンから、暗算で素早く掛け算をするこつを教わったことがある。

〈数字にはどれも形があるんだ……この世界で最も大きな、最も長い数字にも、形がある。僕は計算をする時、二つの数字の間の何もない隙間を見る。その隙間にも形がある。二つの数字によって縁取られた形がある。その隙間の形も数字になる。その数字が計算の答えなのさ〉

説明を聞いても、ピョートルは完全には理解できなかった。コンスタンティンのように計算が得意ではないし、キスカのようにパズルを解くこともできない。姉のように遠くのものを見ることもできない。でも、自分が持つ能力はほかの誰も真似できない。

ピョートルは心を読むことができた……あらゆる種類の心を。

大きな心も、小さな心も。

何かが近づいている。邪悪で、飢えた心を持つ何かが。

自分の小さな心臓が高鳴る音を聞きながら、ピョートルは舞い落ちる木の葉の隙間に目を凝らした。空いている隙間を一つずつ埋めていく。

汗が額を流れ始めた。目の前に広がるのは、舞い落ちる木の葉と、その間にある黒い隙間だけ。回転し、宙を舞いながら、ピョートルの方へと近づいてくる。はるか彼方で、コンスタンティンが名前を呼んでいるような気がする。

体を包み込むマータの腕の力が強くなった。ピョートルを危険から守ろうとしているのでは

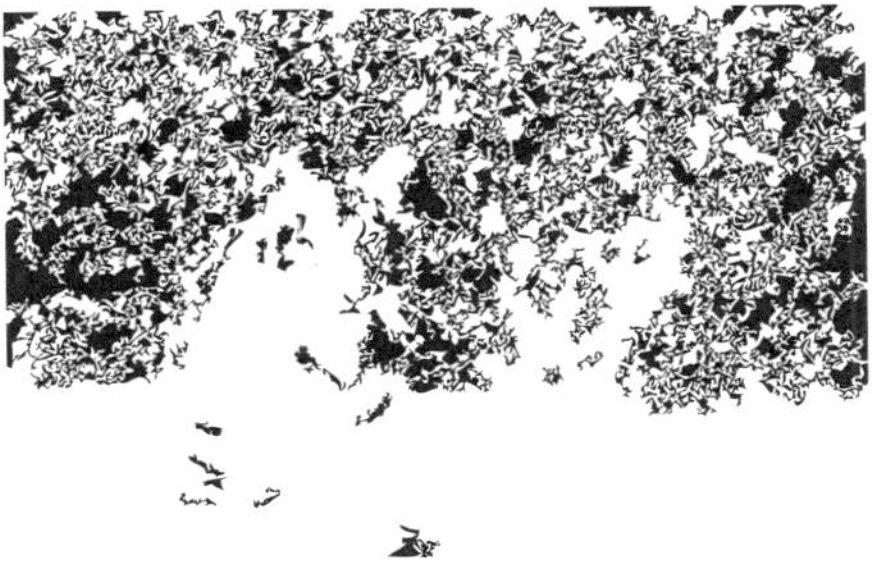

ない。安心させようとしているのだ。マータもピョートルの心がわかるから。

見なければいけない。

知っておかなければいけない。

何かがやってくる。

ピョートルは隙間を黒と影で埋めていった。牙と口元が浮かび上がる。大地を踏みしめる前足が浮かび上がる。ピョートルの目には、近づいてくる動物の姿が映っていた。

第二部

8

九月六日午後零時五分
カスピ海上空　高度一万四千五百メートル

着陸まであと二時間。

グレイはボンバルディア・グローバル・エクスプレスＸＲＳの窓から外を見つめていた。プライベートジェット機が東に向かって飛行するにつれて、時間が先へと進んでいく。飛行中に新しい一日の太陽が昇り、頭上高くに達し、西の空へと傾き始めた。音速を超える速度で飛行しており、燃料は目的地までぎりぎり持つかどうかだ。社用機を改造したこのジェット機は、オーストラリアの億万長者で航空産業にも多大な投資をしているライダー・ブラントから、命を助けてくれたお礼としてシグマに寄贈されたものだった。米国空軍の二名のパイロットが、現地時間の午後早い時間にインドへと到着できるよう、エンジンの性能を最大限に引き出して操縦していた。

グレイはチーク材でできたテーブルのまわりに集まったグループへと視線を戻した。全員に六時間の睡眠を取らせたが、十分に疲れの抜けていない者が多い。コワルスキはまだ椅子の背もたれを倒したまま、エンジン音に合わせていびきをかいている。この男を無理に起こす必要はない。コワルスキが寝ていてくれれば、全員がゆっくり休める。

その中で一人だけ、目の前に広げたファイルを熟読しながら、まったく疲れた様子を見せていない女性がいる。このチームに新たに加わった人物だ。アーチボルド・ポークと同じ神経学および神経化学を専門とするシグマ所属のこの女性を、ペインターがチームの一員として加えたのもうなずける。

ドクター・シャイ・ロサウロは女性にしては背が高い方で、黄褐色の肌をしている。濃い琥《こ》珀《はく》色の瞳の輝きからは、高い知性を感じ取ることができる。肩まで届く長さがある黒髪は、黒のバンダナで後ろにまとめられていた。かつては空軍に所属しており、その経歴からすると、このボンバルディア機の操縦も十分に任せられそうだ。空軍時代のシャツにカーキ色のズボンとブーツを履き、幅広の黒いベルトを締めたその姿を見ると、なおさらその印象が強まる。

グレイはこの女性と一緒に任務を遂行した経験がなかったが、彼女はコワルスキと顔見知りのようだった。搭乗前にコワルスキの巨体を目にした時、ロサウロははっきりと二度見した。一方、コワルスキはにやりと笑いながら、挨拶代わりに彼女をぎゅっと抱き締め、ジェット機へと乗り込んだ。コワルスキの後を追いながら、グレイの方を振り返ったロサウロは、「何かの間違いじゃないの？」とでも言いたげな表情を浮かべていた。

各自がある程度の休息を取った今、必要なのはインドに着陸するまでの間に、全員が共通の認識を持っておくことだ。特に、インドで会う予定の人物について知っておく必要がある。

「エリザベス、ドクター・ハイデン・マスターソンについて教えてくれないか？　君のお父さんは、このムンバイ大学の教授と、どんな内容の研究を行なっていたんだ？」

エリザベスは拳を口元に当ててあくびをこらえながらうなずき、眼鏡をしっかりと掛け直した。「彼はオックスフォード大学の出身なの。心理学と生理学を専攻し、中でも瞑想法と脳の機能が専門だわ。この三十年ほどはインドに滞在して、ヨガの行者や神秘主義者の研究をしている」

「君のお父さんの研究と共通しているわけだな？」

エリザベスはうなずいた。

「私もマスターソンの研究については知っているわ」ロサウロはやや驚いた様子で言った。「彼は優秀だけど変わり者で、論議を呼ぶような理論も発表している。人間の脳に可塑性《かそ》があると提唱した最初期の学者の一人だわ。当時は物議を醸したけれど、今では受け入れられつつある考え方よ」

「『可塑性がある』とはどういう意味なんだ？」グレイは訊ねた。

「つまり、ほんの数年前まで、人間の脳は『配線が固定されている』とする古い学説が、神経学の世界では大勢を占めていたの。脳の各部分は単一の目的にしか使用されないという考え方よ。一つの部位につき、一つの機能ということね。この二十年間ほど、神経学の目標は脳のそれぞれの部位がどんな機能を有しているかを突き止めることにあった。言語能力を司るのはどこか、脳のどの部分が聴覚を担当しているのか、左手の感覚と関わっている神経細胞はどれなのか、平衡感覚の場合はどれなのか、といった具合ね」

　グレイはうなずいた。

「でも今では、脳の配線は固定されたものではないと理解されている。脳の各部位の機能は、変化したり入れ替わったりすることが可能なのよ。それを言い換えると、『可塑性がある』ということになるわ。脳卒中の患者の多くが、脳の一部に損傷を受けたにもかかわらず、一度麻痺した手足の機能を取り戻すことができる理由は、そうした脳の流動性にあるわけ。脳が自ら損傷部位の周囲の配線をやり直すのよ」

　エリザベスはうなずいた。「ドクター・マスターソンはヨガの行者を対象とした研究で、調査をさらに深めていったわ。自らの新陳代謝や血流を制御する力を持つそうした神秘主義者を通じて、脳は変わることができるだけでなく、鍛えることができるということを示そうとしたのよ。脳の可塑性は、鍛錬によって作り出すことができると」

　ロサウロは椅子に寄りかかった。「可塑性が制御可能だという考え方の出現とともに、神経学者の目の前には新たな世界が広がったというわけ。知力を増加させたり、目の見えない人の視力を回復させたり、耳の聞こえない人の聴力を取り戻したりすることも、夢物語ではなくなるかもしれないわ」

　グレイは頭蓋骨に装着されていた機器を思い浮かべた。耳の聞こえない人の聴力を取り戻す。確かに、あの装置は人工内耳のような形状をしていた。

　グレイはエリザベスに質問した。「ドクター・マスターソンは、君のお父さんと最後に会ったのがいつだか教えてくれたか？」

「詳しくは会った時に教えるということだったけれど、その前に私の父を雇った人たちと話がしたいと言っていたわ。なんだか怖がっている様子だったの。それ以上は彼から話を引き出すことができなかったわ」

「君のお父さんを雇った人たちだって？」

　これまで黙って話を聞いていたルカ・ハーンが口を開いた。疲労からか、ロマ語の訛りが耳につく。「それは我が種族のことだ。ドクター・ポークを雇ったのは我々だ」

　グレイはルカの方を見た。彼は着陸までの間に、ドクター・ポークの話においてジプシーたちがどんな役割を担っていたのか、きちんと問いただすつもりでいた。隠れ家からの脱出後、数々の疑問はそのままになっている。例えば、なぜドクター・ポークは連絡相手にルカを選んだのだろうか？　被害妄想のせいなのか？　ほかの誰も信用できないと思い込んでいたのだろうか？　殺害直後にアメリカ政府の機関が捜索を開始したという事実を考え合わせると、ドクター・ポークの予感は当たっていたのかもしれない。

「教授とはどんな関係だったんだ？」グレイは訊ねた。

「二年前、彼の方から我々に接触してきた。我が種族の中にいる一部の者のＤＮＡサンプルを採取したいと言ってね。ペン・ドゥッケリンを行なう者たちだ」

「ペン……何だって？」

その質問に、背もたれを倒した椅子に横になったままのコワルスキが答えた。いびきはすでに止まっていたが、口は動いても目は閉じたままだ。「ドゥッケリンだ。占いのことさ。手相を見たり、水晶玉をのぞき込んだりするやつ」

ルカはうなずいた。「何百年も昔から、我が種族の間に受け継がれてきた伝統だ。だが、ドクター・ポークがまったく興味を示さなかった技もある。ホッカニ・ボロ——大がかりなトリックのことだ」

「手品だよ」コワルスキが付け加えた。「ちゃんとタネがあるやつさ」

「ドクター・ポークは我が種族の中に、種族の仲間からもその技術を崇拝されている者たちが存在することを知っていた。類まれな能力を持つ、真のショヴィハニ。天賦の才能を持つ者たちだ。彼が探し求めていたのは、その者たちだった」

エリザベスが顔を上げた。「私の父はインドのヨガの行者たちに対しても、同じ調査をしていたわ。ＤＮＡサンプルを採取して、共通性を見出そうとしていたの」

グレイはエリザベスの父が、ヨガの行者や神秘主義者のうちで、きちんとした記録が残っている実証可能な数少ない例を探し求めていたという話を思い出した。彼らは極めて高い直観や特殊能力を発揮していたという。ジプシーの間に見られる占いやタロットカードも、同じような能力だと考えられる。ただし、種族の遺伝子という角度からの研究が加わっている。

グレイの頭に別の疑問が浮かんだ。「どうしてヨガの行者からジプシーへと研究対象が突然変わったんだ？　何か関連があるのだろうか？」

ルカはなぜそんなわかり切ったことを聞くのかと当惑したような顔でグレイを見た。「ロマの種族がどこからやってきたのか、君は知らないのか？」

今度はグレイが当惑する番だった。ジプシーに関しては移動生活を送っているということ以外はあまり知らないし、そもそもの起源を訊ねられても見当がつかなかった。

ルカはグレイの戸惑いに気づいたようだ。「我々の歴史に詳しい人は少ないみたいだな。我が種族はヨーロッパに移住した当初、エジプト出身だと思われたらしい」ルカは磨き上げた銅のような色をした顔を手の甲でこすった。「肌の色は浅黒いし、瞳も茶色だったからな。『エイジプトイ』または『ジプシャンズ』と呼ばれ、それが『ジプシー』の語源となった。つい最近まで、我々自身も自分たちの起源に関してはっきりとわかっていなかった。それが言語学者の研究によって、ロマ語はサンスクリット語が起源だと判明した」

「古代インドの言語か」グレイはつぶやいた。驚きはしたものの、徐々に関連性が見えつつある。

「我々はインドを起源とする種族だったんだ。インドが『アマロ・バロ・ゼム』、すなわち、我が大いなる故郷だ。正確に言うと、インド北部のパンジャブ地方らしい」

「でも、なぜあなたたちの種族は移住したの？」エリザベスは訊ねた。「私が知る範囲の歴史の知識では、ジプシーはヨーロッパで苦難の時代を送ったんでしょう？」

「苦難の時代だって？　我々は迫害され、追い回され、殺されたのさ」ルカの口調が険しくなる。「黒の正逆三角形の紋章を身に着けるように強制された末、ナチの手によって数十万人が命を失った。ベンゲスコ・ニアムソ！」最後の言葉は、ナチに向けた罵りの意味だろう。

ルカの怒りの激しさに、エリザベスは思わず目をそらした。

ルカは首を横に振りながら、冷静さを取り戻した。「我が種族の初期の歴史に関しては、まだあまり明らかになっていない。歴史家たちの間でも、なぜインドを離れたのかについて、はっきりとした見解は出ていないんだ。古い記録から、ロマの種族がインドを脱出したのは十世紀頃だということがわかっている。我々の祖先はペルシアを抜け、ビザンチン帝国へと到達し、さらにその先へと広がっていった。当時、インドの北西部では戦乱が絶えなかった。また、インドでは厳格なカースト制度が導入されるようになっていた。最下層の取り残された者たち、カースト制度の枠組みから外れた者たちは、『不可触賤民《ふかしょくせんみん》』と見なされた。その中には、泥棒、音楽家、不名誉除隊となった軍人のほか、魔術師も含まれていた。その不思議な能力が、インドの宗教を信じる人たちの目には異端と映ったのさ」

「君たちの種族のショヴィハニのことだな」グレイは応じた。

ルカはうなずいた。「インドでの生活は耐え難いものとなり、身の安全も脅かされるようになった。だから、カースト制度の枠組みにすら入れなかった者たちが集まって一つの種族を形成し、インドを離れたんだ。西へ向かえば、温かく迎え入れてくれる場所があると信じて」ルカは忌々しげに笑った。「今もそんな場所を探し続けているのさ」

「ドクター・ポークのことだが」グレイは会話の流れを戻した。「君たちは教授の依頼に応じたのか？　ＤＮＡのサンプルを提供したのか？」

「ああ。我々の血を差し出したよ。彼の協力と引き換えにね」

グレイはルカの顔をじっと見つめた。「何をするための協力だ？」

ルカの声に再び怒りが込められ始めた。「我々のもとから残忍な手段で強奪されたものを見つけ出すためだ。我が種族の心の拠り所とも言うべき存在。我々は――」

飛行機が激しく揺れた。コップがテーブルの上から飛び跳ね、コワルスキの体さえも椅子から浮き上がった。驚いて悲鳴をあげながら、コワルスキは毛布の下から這い出してくる。シートベルトを締めていたグレイも、胃が喉のすぐ下にまでせり上がってくるような不快感を覚えた。急激に高度が下がっている。

インターコムから操縦士の声が聞こえてきた。「みんな、大丈夫か？　しばらく揺れるかもしれない」

機体が大きく震動している。

「しっかりとシートベルトを締めておいてくれよ」操縦士の指示が続いている。「あと一時間ほどで着陸の予定だ。それとピアース隊長、クロウ司令官から電話連絡が入っている。そっちにつなぐから出てくれ」

グレイは全員に向かって、椅子に座っているように合図した。コワルスキは椅子の背もたれを戻し、すでにシートベルトをしっかりと締めている。

椅子を回転させて仲間に背を向けながら、グレイは肘掛けの部分に備え付けの電話を手に取り、耳に当てた。

「ピアースです」

「グレイ、例の頭蓋骨に付着していた装置に関して、リサとマルコムが分析した結果を君にも知らせておいた方がいいと思って連絡した」

微小電極やサヴァン症候群に関するペインターの説明に耳を傾けながら、グレイは窓の外に視線を移した。東へと高速で飛行するジェット機の後方では、太陽が西の空に傾きつつある。グレイは少女の小さな顔を思い返した。華奢な体つきと、疑うことを知らない瞳が脳裏によみがえる。

少なくとも、少女は安全な場所にいる。

しかし、グレイの頭の中ではある疑問が渦巻いていた。

〈あの少女のような子供が、ほかにもいるのだろうか？〉

午後零時二十二分
ウラル山脈南部

　モンクはピョートルを両腕で抱きかかえながら、流れに沿って走っていた。少年はぎゅっとしがみついたままだ。目はまだうつろで、顔は汗と涙で濡れている。すぐ前を走るキスカは、両手の拳をつきながら飛び跳ねるように進むマータの後を追っていた。コンスタンティンはモンクのすぐ隣を走っている。

「ピョートルの見たものが実在すると、どうしてわかるんだ？」モンクはあえぎながらコンスタンティンに訊ねた。「トラがいるって？　白昼夢でも見たんじゃないのか？　悪い夢にうなされたんだろう」

　コンスタンティンはモンクの方をちらりと見ながら、ウールの帽子を少し引き上げた。髪の毛をかき上げると、耳の後ろに丸みを帯びた金属製の装置が見える。「手術を受けたのは君だけじゃない」コンスタンティンは帽子をかぶり直し、ピョートルに向かってうなずいた。「彼が見たのは夢じゃないよ」

モンクは今の話を何とか理解しようとした。すでにコンスタンティンから、自分がここに連れてこられた経緯は聞いている。ピョートルの姉が描いた絵を手がかりにして、沈没するクルーズ船から救出されたのだという。だが、どうにも話がつながらない。

もしかすると、夢を見ているのは自分なのではないだろうか？

コンスタンティンは話を続けている。「メナジェリーには二頭のアムールトラが飼育されている。名前はアルカディとザハール。兵士たちは二頭を連れて森の奥でよく狩りをしている。イノシシやヘラジカが獲物。すごく賢いんだ。簡単には逃げられないよ」

「距離はどのくらいだ？」モンクは訊ねた。

コンスタンティンはロシア語でピョートルに話しかけた。

ピョートルもロシア語で答えた。話しているうちに、ピョートルの声は次第にしっかりしてきた。意識がはっきりしつつあるようだ。

コンスタンティンはようやくうなずいた。「彼にもわからない。でも、近づいていることは確かだって。二頭の空腹を感じ取れるって言ってる」

さらに走り続けていくと、流れは広い川へと合流していた。耳には勢いよく流れる水の音が先に聞こえ、やがて川面《かわも》が見えてくる。水深はかなりありそうだ。この川を渡ることができれば――

空中で何かが甲高い音を響かせた。はるか頭上、狭い谷の方角へと戻ったあたりだ。サイレンを思わせるようなその音は、やむことなく鳴り響いている。歯がきしみ、骨の髄まで揺さぶられるように感じる。子供たちは地面に倒れ込み、両手で頭を抑えながら苦しそうにもがいている。マータは鳴き声をあげながら、子供たちを守るかのように周囲を走り始めた。

甲高い音に歯を食いしばりながら、モンクはトウヒの枝の隙間から空を見上げた。自分たちが通り抜けてきた谷の奥の方に向かって、何かがゆっくりと降下してきた。炎のような真っ赤な色のパラシュートにつながれている。パラシュートの先端には、野球のボールほどの大きさをした金属製の丸い物体が見える。サイレンのような音は、そのボールから出ていた。一種の音響弾だろう。川岸の岩によじ登ったモンクは、同じような赤い点が遠くの空をいくつも落下しつつあるのを確認した。音響弾は一つだけではない。

モンクは岩から飛び降りた。

連中は手当たり次第に音響弾を打ち上げているのだろう。

小川の向こう岸から、何かが激しくぶつかる音が聞こえた。

モンクの目は黄褐色の毛皮をとらえた。心臓の鼓動が一気に激しくなる。

〈トラだ！〉

だが、目の前に飛び出してきたのは二頭のノロジカだった。ひづめを高く上げながら、あっと言う間に走り去っていく。モンクは心臓の高鳴りを抑えながら、子供たちへと歩み寄った。

大きな音のせいで、子供たちは地面に突っ伏したままだ。追っ手は子供たちが感覚過敏であることを知っていて、身動きできなくすることを狙っているのだろう。

モンクは手首から先のない左手でピョートルをすくいあげ、肩に担いだ。キスカの手を引っ張って立たせると、腰で支えながらもう片方の手で抱え上げる。残るはコンスタンティンだ。モンクは蹴っ飛ばしてでも少年を立たせるつもりでいた。

ここで止まっている余裕はない。

だが、マータの方が早かった。顔をコンスタンティンの胸の下に突っ込み、少年の片手を自分の背中に乗せる。コンスタンティンの体重を両肩で支えながら、マータは大きな川に向かってゆっくりと進み始めた。コンスタンティンの足は力なく地面を引きずっている。

モンクも二人の子供を抱えてマータの後を追った。音響弾のせいで耳がよく聞こえないが、苦痛にうめくピョートルの震える声は感じ取ることができる。モンクは足を速め、川の流れが見えるところまで到達した。

川の両岸は傾斜の急な土手になっており、川幅はたっぷり四メートルはありそうだ。川岸を洗う激流の音が、音響弾の甲高い音をいくらかかき消してくれている。

モンクはマータに向かって手を振り、川下の方角を指差した。マータはモンクの指示通りに歩き始めた。そのまま川の流れに沿って進み続ける。大きく蛇行した川沿いを進むにしたがって、急峻《きゅうしゅん》な尾根に遮られて音響弾のサイレンの音がますます小さくなっていく。

最初に元気を取り戻したのはキスカだった。モンクの手を振りほどくと、自分の足でしっかりと立つ。それでも、両手はしっかりと耳を押さえたままだ。コンスタンティンも立ち上がり、マータから離れた。ずっと少年を抱えていたマータは、両手の拳を地面につけて体を支えながら、肩で息をしている。

サイレンの音から逃れながら、モンクは常に背後を警戒していた。二頭のトラが今にも襲いかかってくるかもしれない。

後ろを振り返りながら歩いていたモンクは、立ち止まっていたキスカにぶつかった。バランスを崩して膝をつき、ピョートルを地面に落としてしまう。

コンスタンティンも妹の隣に立っていた。マータとともに、その場に凍りついたかのように動かない。警戒しなければならないのは、背後から迫り来る追っ手だけではなかった。

兄と妹の視線の先に目を向けると、巨大な茶色いクマが土手の上に姿を現した。体重は少なく見積もっても三百キロはあるだろう。体毛は川の水で濡れており、鳴り響く音響弾のサイレンで気が立っている様子だ。黒い二つの瞳が、獲物の姿をとらえる。クマは後ろ足で立ち上がった。二メートル五十センチは優に超える。毛を逆立て、うなり声をあげながら、クマは黄色い牙をむいた。

ヒグマだ。

母なるロシアのシンボル。

大きな声でひと鳴きすると、ヒグマは彼らに向かって突進した。

午前六時三分
ワシントンDC

老人が目を開けると、まばゆい光が見えた。目に突き刺さるような光で、頭蓋骨にまで痛みが走る。老人はうめき声をあげながら顔をそむけた。熱い胃液とともに吐き気が喉にまでせり上がってくる。老人は唾液とともに胃液を飲み込んだ。

まばたきをしながら光に目を慣らすと、ベッドに縛りつけられていることに気づいた。シーツはかけられているが、その下は裸だ。室内は真っ白で、一切の装飾が排除されており、温かみが感じられない。窓も見当たらない。扉が一つあり、格子のはめられた小さなのぞき窓があるだけだ。もちろん、扉は閉まっている。

ベッド脇の椅子に、誰かが腰かけている。スーツ姿で、上着は脱いで椅子の背もたれにかけてある。シャツの袖はまくってあった。脚を組み、両手は膝の上に乗せている。

男は顔を近づけた。「やあ、おはよう、ユーリ」

トレント・マクブライドはまったく好意の感じられない笑顔で見下ろした。

ユーリは自分の胸元に目をやった。麻酔銃で撃たれた記憶がある。ユーリは周囲を見回したが、まだ頭が混乱していて、状況が理解できない。

「単なる鎮静剤だよ」マクブライドは説明を始めた。「警告を与える必要があったのでね。話し合わないといけないことがたくさんある」

「カク……ヤー……」ユーリは口を開いたが、口の中がべとべとしていて舌がもつれる。

マクブライドはため息をつきながら、ナイトテーブルに手を伸ばした。ストローの入ったコップを手に取り、ユーリに飲むよう勧める。

ユーリは言われた通りにした。生ぬるい液体は最高級のウォッカのように喉に染みる。液体のおかげで頭の中のもやもやが消え、口の中の粘つきも取れていく。

「トレント、いったい何のつもりだ?」ユーリは両腕を固定している革紐を強く引っ張った。

「空白を埋めるためさ」マクブライドは枕元にあるインターコムのボタンを押した。「さっきも言ったように、チェリヤビンスク88での研究の詳細に関して、君はどうも正直に話してくれなかった節がある。その点を再確認する必要があるのだよ」

「いったい何の話だ?」ユーリは意味がわからないふりをしようとしたが、声が震えたために嘘が簡単に露呈してしまった。弱い自分に腹が立つ。

「ふーむ」そう言いながらベッドに近づくと、トレントはユーリの体を覆ったシーツをはぎ取った。「不愉快なやり取りは早く終わりにして、同僚らしく話をしようじゃないか」

ユーリは自分の裸体に目をやった。青白い肌には小さな吸盤がいくつも付いている。十セント硬貨ほどの大きさだ。吸盤の上には豆のような形をした突起状の電極があり、その先端から細いアンテナが伸びていた。吸盤は両足のつま先から付け根まで、両腕の指先から肩まで、線状に装着されている。胸部にもまるでチェス盤のマス目のように、吸盤が格子状に配列されていた。

ユーリが吸盤について問いただすより早く、部屋の扉が開き、細身の男性が入ってきた。さっき出会ったばかりのはずなのに、すぐに名前が思い出せない。ドクター・ジェームズ・チェンだ。ウォルターリード陸軍研究所で話をする際、使わせてもらったのが彼の研究室だった。

扉が閉まった。防音室なので、音は外に漏れない。

チェンが二人の方へと近づいてきた。ラップトップコンピューターを抱えている。「調整が完了しました」

チェンが椅子に座り、ナイトテーブルの上にラップトップコンピューターを置いた。その過程で一瞬、ユーリはコンピューターの画面を見ることができた。両手足を伸ばした男性の画像の上に、小さな丸印がいくつも点滅している。

「治療用の電気針だ」マクブライドは体に装着された吸盤の列を指差した。「主な経絡《けいらく》のつぼに、微小電極が挿入されている。私も詳しいことはよくわからないのだがね。これはドクター・チェンの専門だ。この技術を利用して、彼は痛みの軽減に目覚ましい効果をあげた。そのおかげで、戦場での緊急手術の際に全身麻酔を行なう必要がなくなったのだ。この素晴らしい業績が評価されて、彼はジェイソンズの一員に加わった。微小電極のその革新的な利用法に着目した私は、彼を我々の共同研究者としてスカウトしたんだ。君も被験者には微小電極を使用していただろう」

マクブライドは一本のアンテナを指でつまみ、軽くねじった。針で刺されたかのような痛みが走る。「痛みを緩和させるために使用できるということは、痛みを増幅させる目的にも使用可能だということだ」

「トレント……やめてくれ……」ユーリは懇願した。

マクブライドはユーリの言葉を無視して、チェンの方を向いた。膝の付近にある吸盤と、足の付け根近くにある吸盤を指差している。

チェンはタッチペンを手に取り、コンピューターの画面上に一本の線を引いた。

ユーリの片足を焼けつくような激しい痛みが貫いた。喉の奥から絞り出すような悲鳴が漏れる。膝から足の付け根にかけて、メスで肉を深くえぐり取られたかのような痛みだ。だが、痛みはすぐに消えた。

あえぎながら、ユーリは足に目を向けた。血が噴き出し、皮膚から煙が出ているに違いない。しかし、目に映ったのはいつもと変わらない白い皮膚だった。

マクブライドは再び小さな吸盤を指差した。「同じことがどの吸盤でもできる。好みの吸盤を結ぶことができるのだよ。髪の毛一本傷つけずに、徹底的に苦痛を与えることが可能なのさ。あらゆる種類の痛みを伴う、バーチャルな手術とでも言うべきかな」

「な、なぜこんなことを?」

マクブライドは再びユーリを見下ろした。表情は穏やかだが、目はまったく笑っていない。

「答えを得るために決まっているじゃないか。まずは子供たちについて、君が隠していることから話してもらおうか」

「私は何も――」

マクブライドはチェンの方を向いた。

「やめろ!」ユーリは大声をあげた。

マクブライドはユーリに視線を戻した。「それなら、下手な駆け引きなどやめることだ。君たちの増幅器など、我々は苦もなく複製できる。君のチームが提供してくれた図面は、丁寧で正確だったからな。だが、結局のところはそれほど革新的な装置でもない。TMSジェネレーターの改良版といった程度だ。カナダにいる二人のサヴァン症候群の子供を使って、君たちの実験結果を再現しようと試みた。我々の実験は……まあ、満足のいく成果は得られなかったよ」

ユーリは動揺を表に出さないよう努めた。どうやらアメリカ人たちは、サヴィーナが懸念していたよりも核心に迫りつつあるようだ。チェリャビンスク88特有の状況に、すでに感づいている。

「さあ」マクブライドは再び訊ねた。「いったい何を隠しているんだい？」

真実を話すべきか否か、ユーリの判断が一瞬遅れた。胸を切り裂かれたような激しい痛みが走る。筋肉が痙攣し、ブリッジをしているかのように体がベッドから反り返る。自分の悲鳴で周囲のすべての音がかき消された。

痛みが消えた後も、ユーリの体の震えは止まらなかった。舌を噛んでしまったのか、血の味がする。これ以上ためらうことは命取りだ。アメリカ人どもが答えを知ったところで何になる。今となってはすでに手遅れだ。

「ＤＮＡだ」ユーリはあえぎながら答えた。「彼らのＤＮＡなんだ」

マクブライドはベッドのそばへと近づいた。「詳しく話してもらおうか」

ユーリは大きく息を吸い込んだ。「秘密は被験者のＤＮＡにある。我々自身も、そのことに気づいたのはほんの二十年前のことだ」

説明を進めるユーリに対して、マクブライドは何度も質問を挟んできた。ユーリは一九五九年、ジプシーの子供たちの間に高度なサヴァン症候群の事例を発見したことから話を始めた。ジプシーの種族の間には、ある遺伝子を連綿《れんめん》と受け継いでいる家系が存在する。「ショヴィハニ」と呼ばれる家系だ。種族はこの血筋のことをよそ者には決して明かさず、近親交配によって維持しようとした。そのため、遺伝的な異常が数多く発生した。ロシア人がこの血筋を引く者たちを調査目的で徴用し、すでに行なっていた超心理学の研究に応用したことを、ユーリは説明した。

「だが、それは超能力の類ではなかった。子供たちはサヴァン症候群だったのだ。それも天才的なレベルの。我々は子供たちの能力をさらに高めようとした。最初は生殖を通じて、次に生体工学の技術を利用した。年月を経て遺伝子検査の技術が進歩すると、子供たちに特殊能力を発揮させている遺伝子を特定できるようになったのだ」

マクブライドはさらに顔を近づけた。

「自閉症は環境的な要因と、ある十個の遺伝子のうちのいくつかが組み合わさることによって引き起こされる。我々が発見したのは、サヴァン症候群の中でも最も優秀な事例――我々が『オメガクラス』と呼ぶ被験者たちは、ある決まった三個の遺伝子を持っているということだった。その三個の遺伝子が特定の配列で出現し、軽度から中度の自閉症を伴う場合、驚異的なまでの能力が発揮されるのだ」

「君たちはそれをさらに増幅させようとしたわけか」マクブライドは応じた。「遺伝子および生体工学の世界で、完全無欠の成果をあげようとしたんだな」

ユーリはうなずいた。

「素晴らしい。実に素晴らしい。我々がアーチボルドを利用して、君たちがひた隠しにしていたオメガクラスの被験者を外の世界へと連れ出していたことは、ますます好都合だったという

わけだ。今の話を聞けばなおさら、その少女の身柄を確保しなければならないということにな
る」
ユーリは唖然とした。自分の身よりも心配なことがある。「まだサーシャを発見できていな
いのか?」
マクブライドは顔をしかめ、椅子の背もたれに寄りかかった。「今のところはな。しかし、
一時間ほど前、少女が保護されているらしい場所を突き止めることができた。どうやら少女を
保護しているのと同じグループが、アーチボルドの足取りを追うためにチームを派遣したらし
い。もっとも、彼の足取りを消すための手筈はすでに打ってあるがな」
「誰が……誰がサーシャを?」
「知りたいのか?」マクブライドは鋭い目つきでユーリを見下ろした。そのグループのことを
快く思っていないらしいことは明らかだ。「見せてやろう」
マクブライドはチェンに合図を送った。
〈やめろ!〉
ユーリは胸部に焼けつくような痛みを覚えた。ジグザグの線状に胸部が燃えている。微小電
極の間に炎が走り、折れ曲がった文字を浮かび上がらせていた。ギリシア文字だ。

苦悶の表情を浮かべるユーリには目もくれず、マクブライドは断言した。「やつらの件は間もなく片がつく」

午後二時四分
インド　アグラ

足しげく通っていた父とは対照的に、エリザベスがインドを訪れるのは今回が初めてだった。空港から市内へと向かうワゴンタクシーの車内から、彼女は外の景色を見つめていた。窓は開いているが、外から入ってくるのはさわやかな風ではない。気温は優に三十五度を超えている。

道路は渋滞していた。自転車の牽引する輪タクが交通の妨げになっている。のんびりとラクダが引っ張っている輪タクも一台見かけた。すぐ隣を走るタクシーとの車間距離が近く、そのタクシーも窓を開けているため、運転手がくわえているタバコのにおいが漂ってくる。カレー、下水、調理用油が入り混じったような都会のにおいの中、タバコの煙はひときわ強烈な香りを添えていた。一向に進まない車の列に業を煮やした隣のタクシーの運転手は、手のひらを叩きつけながらクラクションを鳴らしている。

だが、都会の喧騒にかき消され、クラクションの音はほとんど聞こえない。ちょうど何かのお祭りが開催されているとあって、アグラの街はいつもにも増してにぎやかだった。シンバルの打ち鳴らされる音が響いてくる。歩道は歩行者であふれていて、自転車やバイクとぶつかりそうになりながら、ゆっくりと進む車の間をすり抜けようとする人も多い。

エリザベスは次第に呼吸が荒くなり、胸が締めつけられるような気がしてきた。湿気や高温のためではない。あまりにも人が多すぎるせいだ。普段は閉所恐怖症の気などないのに、騒音、果てしなく続く活気、大勢の人のざわめきや叫び声に包み込まれ、圧迫感すら覚える。気がつくと、膝の上に置いた両手を固く握り締めていた。

繰り返しクラクションを鳴らしながら、エリザベスたちの乗ったタクシーはようやく車列と人ごみの間を抜け、次の交差点へと進んだ。交差点を曲がると、市の中心部へと真っ直ぐ通じる広い大通りが延びている。この道は渋滞していない。

エリザベスは安堵のため息をついた。

「やれやれだな」隣のコワルスキもほっとした様子だった。「バンを借りればよかったんだ。俺が運転すれば、もっと早く着いていたぜ」

エリザベスの横に座る大柄な男は、彼女の気分がすぐれないことに気づいた様子で、体をぴったりとくっつけずに隙間を空けようとしていた。もっとも、同じ列に座っているもう一人の乗客にしてみれば、それは迷惑な話だった。

コワルスキを挟んで反対側にいるシャイ・ロサウロは、肘を突っ張りながら必死に自分のスペースを確保しようとしていた。顔は汗で光っている。タクシーが渋滞に引っかかっている間に、彼女は髪を結んでいた黒いバンダナをほどき、耳の後ろで結び直してスカーフ代わりにしていた。

ワゴンタクシーの助手席に座っているグレイが、運転手に体を近づけて前方を指差した。運転手がうなずくと、グレイは体勢を元に戻した。

チームのメンバーのもう一人は、ワゴンタクシーの最後尾の列に座っていた。ルカ・ハーンの表情からは彼の頭の中を読み取ることはできないが、その黒い瞳はかすかな動きも見逃すまいと警戒しているように見える。飛行機から降り立つ前、ルカは自らの種族の故国で手荒い歓迎を受けた場合に備えて、二本の短剣を手首の鞘《さや》に装着していた。

助手席のグレイが振り返った。「あと十分でホテルに到着する」

タクシーがスピードを上げて飛ばす道路は、やがてヤムナー川に突き当たった。明るい太陽の光を反射した川面は、青い金属のように輝いている。川の両岸にはヤシの木が植えられていた。左手には赤い砂岩で造られた巨大な砦があり、高い胸壁《きょうへき》と厚い壁で守られている。タクシーは砦とは反対の方向に曲がり、川の流れに沿って進んでいく。

再び車が混み始めたが、数分もしないうちに道路の左側の景色が一変した。草地、庭園、光り輝く池、点在する林から成る広大な緑地が姿を現す。緑地帯は川の両岸に沿って広がっているが、その中でも最も人目を引くのは、川や緑の上に浮かんでいるかのように見える建造物だった。まばゆいばかりの青空を背景にそびえたつ、白い大理石の塊。

タージ・マハルだ。

霊廟は土木工学の粋を集めた、建築史上の傑作である。しかし、目の前にあるタージ・マハルは現実の建物とは思えない。光り輝きながら空に浮かぶ宮殿のようだ。三百年以上前にムガール帝国の皇帝シャー・ジャハーンにより、最愛の妃《きさき》が永遠の眠りに就く場所として建設されたタージ・マハルは、多くの人にとって不滅の愛の象徴でもある。

だが、一行の目的地はここではない。

ワゴンタクシーは道路脇に寄り、五階建ての白い建物の前で停止した。各階には大きなアーチ状の窓が並んでいる。このディーダー・E・タージ・ホテルで、ドクター・マスターソンと会う約束になっていた。

「レストランは最上階にあるわ」タクシーから降りながらエリザベスは説明した。腕時計を見ると、約束の時間からすでに三十分も遅れている。

グレイが運転手に料金を払い終えると、一行は勢いよく水が上がる噴水の脇を通り、ホテルのロビーへと入った。エアコンが効いているのでありがたい。

「コワルスキ」名前を呼びながら、グレイはフロントの方を指差した。「ルカと一緒にチェックインの手続きをしてくれ。俺たちは先にレストランに行く」グレイはエリザベスとロサウロにうなずいた。

コワルスキは大きなため息をついた。冷たいシャワーがどうのこうのとつぶやいている。グレイがエレベーターの方を向くと、コワルスキはすぐにフロントへとは向かわず、エリザベスに近づいた。「大丈夫かい？」小声で話しかけてくる。

「私のこと？」

「タクシーに乗っている時さ。そんな気がしたんだよ……何だか……」コワルスキは肩をすくめた。

「暑さのせいよ……神経が高ぶっていたせいもあるかも」エリザベスは答えた。

「欲しくなったらいつでも言ってくれよ」コワルスキはこっそりと彼女に近づき、上着の内ポケットの中身を見せた。葉巻が二本、入っている。「キューバ産さ。空港の免税店で買ったんだ」

エリザベスの顔に笑みが浮かんだ。今この場で、コワルスキにキスをしたい気分だ。

エリザベスが返事をするより先に、エレベーターのチャイムが鳴った。急ぐように促すグレイの声が聞こえる。

コワルスキは素早く背筋を伸ばしながら、上着を軽くポンと叩いた。エリザベスにウインクをしてから、フロントへと歩いていく。エリザベスはびっくりした。今時、ウインクをする人がいるなんて。そう思いつつも、彼女は口元に笑みを浮かべたまま、グレイとロサウロが待つ方へと向かった。

エリザベスを先に乗せてから、グレイもエレベーターに乗り込み、最上階のボタンを押した。

「ドクター・マスターソンに関して、あらかじめ知っておくべきことは？」グレイは訊ねた。

「マンチェスター・ユナイテッドの話はしないように気をつけて」エリザベスは答えた。

「サッカーチームの？」

「ふざけているわけじゃないのよ。気をつけないと、父や研究の話は一切聞き出せなくなるわ。あと、無理に話を引き出そうとしないこと。彼が自分から話す気になるのを待つべきね」

エレベーターの扉が開くと、奇妙な光景が目に飛び込んできた。大きなレストランは最上階のフロア全体を占めており、時間が半端なために客の姿はまばらだ。テーブルの上にはナプキンと高級そうな食器類が並べられている。レストラン内に漂うカレーとガーリックの香りが食欲をそそる。

だが、このレストランが変わっているのは、店内がゆっくりと回転していることだった。食事をしながらタージ・マハルを含めたアグラの市街が一望できるようになっている。

窓際のテーブルに着いていた背の高い男性が立ち上がった。片手を上げ、その手を下ろしながら腕時計を指差している。

エリザベスは笑顔を浮かべ、男性の方へと向かった。床が回転している部分に足を踏み入れると、最初は違和感を覚える。彼女はグレイとロサウロとともに、テーブルの間を縫うように進んだ。金色のベストを着用したウエイターが、お辞儀をしてエリザベスたちを迎え入れた。

エリザベスがドクター・マスターソンに会うのは数年振りのことだった。以前と同じように白のフォーマルなスーツ姿で、植民地時代のイギリス紳士を髣髴《ほうふつ》とさせる。テーブルの上にはつばの広いパナマ帽が置かれていた。帽子の横には杖が立てかけてある。象牙でできた柄の部分は、白いツルの形に彫られていた。肩まで伸びた髪も白くなっているが、上着や杖と同じ色であることを本人はお洒落《しゃれ》だと思っているのではないか、エリザベスはそんな気がした。顔は彫りが深く、褐色に焼けた肌は革をなめしたかのように見える。この先、あの日焼けが落ちることはなさそうだ。

エリザベスは仲間を紹介した。ドクター・シャイ・ロサウロがお会いできて大変光栄ですと述べたことで、ハイデンの顔に浮かんだいらだちの表情が消え、歓迎している様子すらうかがえるようになった。ハイデンは女性に弱い。特に、ドクター・ロサウロのような手足の長い細身の女性が自分の名前を知っていたことで、虚栄心をくすぐられた様子だ。エリザベスは以前に父から、マスターソン教授がオックスフォードやケンブリッジではなくムンバイ大学にこだわる理由について、それとなく聞かされた覚えがある。大学生との人間関係において、あまり公にはできない事情があるらしい。

ハイデンは全員に座るよう勧めた。ドクター・ロサウロを自分の隣に座らせたのは言うまでもない。全員が座席に着いた頃には、テーブルはタージ・マハルが正面に見える位置へと移動していた。

ハイデンはエリザベスたちがタージ・マハルを眺めていることに気づいた。「皇帝シャー・ジャハーンの妃、ムムターズ・マハルのために建てられた霊廟へようこそ！」ハイデンは高らかに宣言した。「王妃は旦那から四つの約束を取りつけたと言われている」彼は指を折りながら一つずつ数え上げ始めた。「一つ目はもちろん、自分のために大きな墓を建てることだ。二つ目は、皇帝が再婚することだった。妻の鏡と言うべきだな！　三つ目は、皇帝が子供たちをずっと大切にすること。最後の約束は、毎年自分の命日に、ジャハーンが墓参りをするということだった。皇帝はその約束を守り続け、死後は最愛の妃とともにタージ・マハルに埋葬されたのだよ」

「愛し合っていたのですね」ロサウロは美しい霊廟に見とれていた。

「だが、愛の物語の裏には必ず血が流れるものだ」そう言いながらハイデンはロサウロの手に触れた。手のひらを重ねたまま、話を続けている。「言い伝えによると、霊廟の完成後、ジャハーンは建設に携わった職人の手をすべて切り落としたそうだ。タージ・マハルに匹敵するような壮麗な建築物を、二度と造らせないようにするためらしい」

ハイデンを挟んでロサウロとは反対側に座っているグレイが、落ち着かない様子で体を動かした。地球を半周してここまでやってきたのだから、早く本題に入りたくてうずうずしているのだろう。エリザベスはつま先でグレイの靴をつつき、警告を与えた。

グレイが顔を向けた。

〈無理に話を引き出そうとしてはだめ〉エリザベスは無言で訴えかけた。

エリザベスがハイデンの方に向き直ると、教授の右耳が血しぶきとともに吹き飛ぶところだった——水晶を指で弾いたような甲高い音が聞こえたのは、その一瞬前のことだっただろうか。

グレイとロサウロはすぐに行動を起こした。だが、エリザベスはその場に凍りついたまま動けない。ロサウロはハイデンを引きずりながら床に伏せた。グレイはエリザベスに体当たりした。ハイデンの背後の窓ガラスに丸い穴が開き、放射状に亀裂が入っている。

床に倒れながら、エリザベスの目は鋭い音とともに窓ガラスに次々と穴が開いていく光景をとらえていた。床に倒れ込むと、グレイが上に覆いかぶさってくる。

「そのまま伏せていろ！」

床に伏せたエリザベスの上を銃弾が飛び交い、レストランの内部を破壊していく。隣の建物の屋上に、狙撃者がいるに違いない。クリスタルガラスの食器が粉々に砕け散る。ウエイターの一人がまるで誰かに蹴られたかのように吹き飛んだ。倒れた彼の体から血が流れ出し、レストランの床を赤く染めていく。

腹這《はらば》いになったまま出口へと向かうようにグレイから促されたが、エリザベスは恐怖のあまり体が動かなかった。こうやって床に突っ伏した姿勢でいれば、狙撃者から狙われずにすむのではないだろうか？　だが、現実はそんなに甘くはない。

「やつの目的は俺たちを身動きできないようにすることだ！」グレイはエリザベスとハイデンに向かって大声で怒鳴った。ハイデンもこの場から動くのを拒んでいるのだろう。「このレストランから出られないようにしているんだ！」

エリザベスはグレイの意図を理解した。両手と膝をついて四つん這いの姿勢になる。移動しなければならない。今すぐに。

さもないと、敵の本隊がレストランに突入してくる。

9

九月六日午後一時一分
ウラル山脈南部

突進してくるクマを見て、大きな男はピョートルを川の方へと放り投げた。両腕を前に伸ばしたまま、体が土手の斜面を転がり落ちていく。木の枝の折れる音が聞こえ、何かが頬をかすめる。濡れたシダやマツの葉で滑りやすくなった斜面でもがきながら、ピョートルは川に向かって落下していった。ピョートルは泳ぎ方を知らなかった。水が怖いからだ。

クマが吠える鳴き声に混じって、甲高い悲鳴が聞こえた。

友達の声だ。

コンスタンティンとキスカ。

膝が岩にぶつかった。痛みが全身を貫く。ピョートルの体は川べりにうつぶせの姿勢で止まった。すぐ目の前を水が流れている。

ピョートルは暗い川面に映る自分の姿に怯えた。強い風が川の上にかかる木々の枝を揺らすと同時に、水面が波立ち、自分の顔が歪んでいく。太陽の光が水に反射して輝いている。

恐怖に怯えたピョートルは、暗くて吸い込まれそうな水面を見つめたまま、動けずにいた。

クマが姿を現すまで、ピョートルはその気配を感じ取ることができなかった。追っ手の飢えた心が強烈だったせいで、クマの穏やかな心は目立たなかったのだろう。落ち着いた心臓の鼓動も、背後で鳴り響くサイレンにかき消されてしまったのだ。

しかし、ピョートルの恐怖は高まる一方だった。

水が怖いせいではない。

クマがいるせいでもない。

目の前で光と影が交錯する。

水面に油が浮いている。

クマではない。

クマとは違う。

恐怖のあまり、ピョートルの呼吸が速くなる。

クマは危険ではない。

ほかの何かが……

午後一時二分

突進してくるクマを見て、モンクはバックパックを持ち上げた。武器はこれしかない。

ピョートルを川の方へと放り投げ、もう二人の子供には川と反対側にある茂みの中に隠れるように指示した。マータは低い枝に飛び移り、枝を伝いながらピョートルの後を追った。

モンクは大声をあげ、バックパックを高く振り上げた。

クマは真っ直ぐに向かってくる。モンクはバックパックを思い切り投げつけると、脇に飛びのいた。だが、タイミングがやや遅れた。飛び上がったモンクの両足に、クマの体がぶつかる。貨物列車が通過するような勢いだ。モンクは横にはじき飛ばされた。投げつけたバックパックはクマの肩に命中したが、まったく効果がない。

モンクはカラマツの木の幹に激突し、根元に落下した。腹部を幹にぶつけてほとんど息ができない状態のまま、モンクはあえぎながら立ち上がった。両手で顔面と頭を守り、クマの攻撃に備える。

しかし、クマはモンクに目もくれず、川沿いの小道を一直線に走っていく。

モンクは足を引きずりながら小道へと戻った。四十メートルほど前方を見ると、クマはその付近に潜んでいた二つの影に向かって突進していた。手足が長く体高のある二頭のオオカミが、牙をむき出してうなっている。クマは巨大な前足を突き出し、一頭のオオカミを突き飛ばした。オオカミは空中高くはじき飛ばされ、回転しながら地面に落下した。もう一頭のオオカミがクマの喉笛を狙って飛びかかったが、黄色い牙と怒りの咆哮《ほうこう》の前には歯が立たない。オオカミは苦しそうな遠吠えをあげたが、戦うのをやめようとはしない。

モンクはオオカミの後頭部に金属製のキャップのようなものがあることに気づいた。地下都市からやってきた追っ手だ。斥候《せっこう》の役割を務めているのだろう。ほかにも何頭か潜んでいる可能性がある。

モンクは急いでコンスタンティンとキスカを呼び寄せた。土手の下からピョートルを背負ったマータも姿を現した。モンクはいちばん年下の少年を抱きかかえてから指差した。

「走れ！」モンクは小声で指示した。

四人と一頭は走り出した。彼らの背後から迫り来る追っ手がいるとしても、まずはこのクマを相手にしなければならない。思いがけない味方がいてくれたものだ。

モンクが振り返ると、咆哮と遠吠えを挟みながら戦いは続いていた。クマは素早い攻撃でオオカミに致命傷を与えている。オオカミに向けられたあの敵意は、狂気と紙一重の激しさだ。これまでにも、あのオオカミたちと出会ったことがあるのだろうか？　兵士たちがオオカミを連れて、森で狩りをしたことがあったのかもしれない。それとも、もっと本能的な何かがあるのだろうか？　自然への冒瀆に対して、過剰な反応をしているとも考えられる。

いずれにしても、モンクと子供たちにとって格好の時間稼ぎになってくれていることは間違いない。

だが、それも長くはもたないだろう。

午後二時二十八分
インド　アグラ

グレイは破壊されたレストランの出口へと向かっていた。目標の姿が見えなくなったため、狙撃者の放つ銃声は散発的になっている。それでも、グレイたちを低い姿勢のままにとどめておくには十分だった。

床の上を這うように移動しながら、グレイは非常口を目指した。非常階段の入口は、エレベーターのすぐ隣にある。エレベーターを使用するわけにはいかなかった。この待ち伏せを計画した何者かは、ロビーにも人員を配置して、正面玄関とエレベーターを監視下に置いているに違いない。エレベーターを呼んだりすれば、ロビーにいる敵に対して「これから下りますよ」とわざわざ教えてやるようなものだ。たちまち包囲されてしまうだろう。階段を使ってホテルの別の階へと移動し、客室に身を隠して態勢を立て直すしかない。

非常階段へと最短距離で向かうためには床の回転を計算に入れる必要があるので厄介だったが、その回転のおかげでドクター・マスターソンの命が救われたのも事実だった。最初の銃弾は教授の後頭部を狙っていたはずだ。だが、レストランが回転していたために狙撃者の狙いが微妙にずれ、致命傷となるはずの弾が耳をかすめただけで済んだのだ。

グレイは教授の気丈さに感心していた。撃たれた直後こそはショックを受けた様子だったが、今ではすっかり落ち着きを取り戻している。耳に押し当てたテーブルナプキンは、すでに血で真っ赤に染まっていた。それでも、白い帽子を忘れていないばかりか、斜めにかぶる余裕すらある。ロサウロは象牙の柄が付いた杖を手に、教授の隣に寄り添っていた。

グレイとエリザベスが最初にレストランの入口へと到達した。ここまで来れば床は回転していない。ロサウロとマスターソンもすぐに合流した。「階段を頼む」グレイは指示した。

「了解」

ロサウロはロビーを二歩で走り抜け、ホームスチールを敢行する野球選手のように非常口の扉の下へと滑り込んだ。足首に留めたホルスターから、無駄のない動きでシグ・ザウエルの半自動小銃を取り出す。両膝をついた姿勢のまま、ロサウロは手を伸ばし、取っ手をつかむと、肩を使って扉をそっと押し開けた。拳銃を構えながら、階段の様子をうかがえるだけの隙間を開ける。

グレイの耳にもすぐに届いた。タイルでできた階段を駆け上がる足音。一人や二人ではない。

「七人から十人といったところね」ロサウロは人数を推測した。

非常階段の使用はあきらめなければならない。

「何とか食い止めてくれ」そう指示を与えながら、グレイは床を転がってエレベーターの前へと移動した。

グレイの動きに気づいたエリザベスは、エレベーターを呼ぶボタンに手を伸ばした。だが、グレイはボタンを押そうとする彼女を制止した。扉の横にある表示によると、エレベーターはロビーの階に停まっている。監視の目が光っていることは間違いない。

グレイはレストランの備品置き場を見つけ、肉切り包丁と一抱えのテーブルクロスを手に取った。エレベーターの前に戻ると、扉の間に包丁を挟み込む。包丁を傾けてできた隙間に指とつま先をこじ入れてから、グレイは両手の指に力を込め、エレベーターの扉を一気に引き開けた。

その瞬間、銃声が響いた。ほぼ同時に、非常階段の方角から驚きと苦痛の叫び声があがる。それに続いて、短い銃撃戦の音も聞こえてきた。高い位置から狙える分、ロサウロの方が有利だ。だが、いつまでも優位を保っていられるわけではない。敵が強引に突破してきたら、人数で圧倒されてしまうだろう。

素早く行動しなければならない。

開いた扉の奥には真っ暗なエレベーターシャフトがあった。油で汚れた二本のケーブルがぶら下がっている。片方の壁面には作業用に設置された金属製の梯子《はしご》がある。だが、梯子を使って下りるような時間の余裕はない。

グレイはマスターソンとエリザベスにテーブルクロスを手渡した。テーブルクロスを使って両手をくるむ方法を実演して見せる。「それほど長い距離じゃない」そう言って安心させながら、グレイはエレベーターのケーブルを指差した。「ケーブルをしっかり握り、足でブレーキをかけるんだ。下にある籠の上に降りる時は、できるだけ音を立てないように。着いたらそこで待っていてくれ」

エリザベスは不安そうにうなずき、マスターソンは冗談だろうとでも言うように両目をぐるりと回した。しかし、銃声が聞こえてくるので、反対意見は返ってこない。最初に挑戦するのはエリザベスだった。テーブルクロスをしっかりと巻きつけた両手を前に伸ばし、ケーブルへと飛び移る。小さな悲鳴をあげながら、エリザベスはケーブルを伝ってエレベーターシャフト内を降下していった。

エリザベスの姿が見えなくなると、次はマスターソンの番だ。杖をズボンのベルトの下に留めた格好は、まるで刀を鞘にさしているかのように見える。背が高くて手足も長いため、両腕を前に伸ばすだけでケーブルに手が届く。

マスターソンも降下していった。

「お先にどうぞ！」ロサウロの声が聞こえた。グレイの方を向かずに、ロサウロは素早く二度、引き金を引いた。「後からすぐに行くわ」

「エレベーターの扉——」

「早くして、ピアース！」

女性には逆らわない方がいい。拳銃を持っているのだから、なおさらだ。グレイは両手にテーブルクロスを巻きつけ、ジャンプし、ケーブルにしがみついた。ロサウロに大声で呼びかけながら、ケーブルを滑り下りていく。

グレイの呼びかけが終わるか終わらないかのうちに、ロサウロが頭上に姿を現した。明るい光を背に立つ影が見える。ロサウロは作業用の梯子に足をかけ、内側に設置されている取っ手を引っ張り、エレベーターの扉を閉めた。ケーブルを降下するグレイの体は、真っ暗な闇に包まれた。その直後、ケーブルの揺れが伝わってきた。ロサウロが飛び移ったのだろう。

グレイの目はほどなく暗闇に慣れてきた。各階の扉の隙間から、かすかな光が漏れてくる。階数を数えながら滑り下りていくうちに、下にエレベーターの籠の影が見えてきた。籠の隅には二つの人影が立っている。

小さな炎が揺らめいていた。

エリザベスのライターの火だ。

グレイは降下速度を緩めながら、エレベーターの上に静かに着地した。

その直後、ロサウロもグレイの隣に降り立った。

グレイは点検用のハッチを見つけた。拳銃を手に持ち、ハッチをかすかに開いて中をのぞき込む。エレベーターの籠には人が乗っていない。扉も閉まっている。グレイはほかの三人に向かって、上で待っているように合図した。

ハッチの開口部の端を片手でつかみながら、グレイはエレベーターの天井からぶら下がり、中へと飛び降りた。低い姿勢を取り、銃を構える。グレイは扉を開けるボタンへと手を伸ばした。外のロビーからは叫び声や悲鳴が聞こえてくる。銃声が聞こえたために、静かだったホテルは騒然とした雰囲気に包まれていた。

予想通りの展開だ。

ロビーの混乱は、自分たちにとって好都合になる。

グレイがボタンを押すと、扉が開いた。エレベーターの前に人がいないことを確認してから、グレイはロビーへと走り出て、左に素早く移動した。人の腰ぐらいの高さのあるプランターに、小さなヤシの木が植えられている。グレイはプランターの陰に身を隠した。

ロビーは大勢の人でごった返していた。ホテルの従業員たちが、ヒンディー語と英語で大声をあげている。

ほんの数歩離れた場所に、グレイは二人の人物を確認した。不自然なまでに落ち着いた様子で、この暑さにもかかわらずジャケットを着込んでいる。二人とも、両手をポケットに入れたままだ。イヤホンを装着しているのも見える。

彼らもグレイに気づいた。

だが、こんな近距離に目標がいきなり姿を現すとは、二人も想定していなかったようだ。人が多すぎるのは気になるが、ここは素早い反応が要求される。銃撃戦が長引けば長引くほど、巻き添えになる人の数も増えてしまう。

ヤシの葉の陰ですでに銃を構えていたグレイは、ためらわずに引き金を引いた。一人目の男の頭部に銃弾が命中する。グレイはつま先に重心をかけて体を回転させ、続けざまに引き金を二回引いた。狙いが十分に定まっていないのは承知の上だ。一発目の銃弾はもう一人の男の肩に当たった。男の体が反転する。二発目は大きく外れ、壁に深くめり込んだ。

男は手をポケットに入れたまま拳銃の引き金を引いたが、グレイはすでに床に伏せていた。グレイの背後で壁土が飛び散る。右肩を下にして横になった姿勢のまま、グレイは手を伸ばし、床から数センチの高さで発砲した。男の足首が粉砕される。男は前のめりに倒れ、大理石の床に顎をしたたかに打ちつけた。骨の砕ける音がする。男は動かなくなった。

グレイがエレベーターの方に向き直ると、ちょうど扉が閉まったところだった。

一瞬、ロビーを静寂が支配した。だが、我に返ったロビーの客たちは、悲鳴をあげながらクモの子を散らすように逃げていく。

グレイはエレベーターのボタンを押した。

だが、扉は開かない。

グレイはエレベーターの表示板を見た。すでに動き始めている。

エレベーターは上の階へと向かっていた。

敵の一団が待ち構えている最上階のレストランへと。

エレベーターの上にうずくまっていたエリザベスは、滑車が動く音を耳にした。がくんという振動とともに、籠が上昇を始める。エレベーターが呼ばれたのだ。

「しまった《ミエルダ》」すぐ横でロサウロが舌打ちをした。

エリザベスは真っ暗なエレベーターシャフトの内部を見上げた。「どうすればいいの？」彼女は訊ねた。手に握ったライターの小さな炎が揺らめいている。何もできないもどかしさを感じる。どうして手の震えが止まらないのだろう。

「ここにいるのよ」そう言いながら、ロサウロは息を吹きかけてライターの火を消した。「暗くしておくこと。しゃべってはだめ。音も立てないでね」

ロサウロは開口部の縁に腰かけ、エレベーターの内部へと下りた。

「ハッチは閉めておいて」ロサウロは小声で呼びかけた。「でも、鍵はかけないでね。念のために」

念のためにとは、何のためなのだろう？

それでも、エリザベスは言われた通りにした。ハッチは閉じたものの、小指で支えて隙間からエレベーターの内部をのぞき込む。ロサウロは銃を構えている。だが、すぐにその姿は見えなくなった。

上昇するエレベーターに対して毒づきたくなるのをこらえながら、グレイは階段へ向かって走った。行く手を遮る人を突き飛ばし、両手で頭を押さえながら階段の下でうずくまっているカップルを飛び越える。グレイは階段を三段ずつ駆け上がった。立ち止まるのはエレベーターが停止していないか確認する時だけだ。先回りしてボタンを押せば、最上階まで到達する前にエレベーターを停止させることができる。

二階では間に合わなかった。グレイは階段を駆け上がり続けた。

上の階から大声が聞こえる。野太くてぶっきらぼうな調子の声だ。攻撃部隊が階段を使って下りてきたのだろうか？　三階に到達してエレベーターを確認しようとしたグレイは、壁に激突した——壁にしてはやわらかくて暖かい。

エレベーターの前にいたのはコワルスキだった。指でボタンを押している。

「グレイ！」コワルスキはおなかをさすっていた。「痛いじゃないか。いったいどうしたんだ？」

チャイムの音とともにエレベーターが開く。

ロサウロが飛び出してきた。銃口をコワルスキの顔面に突きつける。

「何だよ！」コワルスキは後ずさりをした。

「エレベーターを呼んだのはおまえか？」グレイは訊ねた。

「ああ。レストランへ行こうと思ったんだ。どうも騒がしいなと思ったから」

騒ぎが起きてもエレベーターを呼んで悠長に待つ。そんなコワルスキの鈍感さに、グレイは今さらながらあきれた。

「みんな、エレベーターから降りるんだ！」グレイは大声で叫んだ。

ロサウロはすでに行動を開始していて、エリザベスとマスターソンがハッチから下りてくるのに手を貸している。グレイを先頭に、四人は階段へと向かった。コワルスキは後ろを警戒しながら一行の最後尾につく。

階段を駆け下りながら、ロサウロがグレイに話しかけてきた。「あいつらが話す英語を聞いたの。イギリス訛りがなかったわ。アメリカ人よ」

グレイはうなずいた。

ロビーにいた二人組の外見からすると、金で雇われた傭兵だろう。

グレイの頭の中には、アメリカ歴史博物館の外で見かけた男の姿が浮かんでいた。米国国防情報局の身分証明書を付けた男。名前はマップルソープ。自分たちがこのホテルに来ることを、知っていた者たちがいる。

グレイたちはロビーへと下りた。ロビーからはすでに人の姿が消えている。グレイは開け放たれたままの正面入口へと向かうように指示した――しかし、彼らの行く手を阻むかのように、一人の男が姿を現した。銃身を短くしたM４カービンのアサルトライフルを構えている。背中に背負った銃身の長いM２４には、狙撃用の照準器が装着されていた。

近くの建物の屋上から発砲した狙撃者だ。

M４カービンの銃口は、マスターソンの顔面に向けられている。

この距離からでは外しようがない。

その時、頭ががくりと後方に倒れたかと思うと、狙撃者は両膝から崩れ落ちた。まるで糸を切断された操り人形のようだ。大きな音とともに顔面から床に倒れ込む。男の後頭部の付け根には短剣が突き刺さり、銀色の柄が光を放っていた。

ホテルの外、噴水の脇にはルカが立っていた。ジプシーの男はもう一本の短剣も手に握っている。グレイは狙撃者が落としたライフルを蹴り飛ばした。コワルスキがライフルを回収する。ルカは四人のもとに駆け寄り、狙撃者の首に刺さった短剣を引き抜いた。

「ありがとう」グレイは感謝した。

「外でタバコを吸っていたら、銃声が聞こえたんだ」ルカは説明しながら中庭の方を指差した。「銃声の聞こえる方向へと通りを横切り、それらしき建物に入った。階段を上っていたら、この男とすれ違ったんだ。とっさに身を隠して、ここまで後をつけてきたというわけさ」

グレイはルカの肩をポンと叩いた。彼がいなかったら全員殺されていたところだ。グレイは扉を指差した。「外へ出るんだ。この街から脱出しないといけない。一刻も早く」

一行は急いでホテルから通りへと出た。

「『一刻も早く』というのは難しいかもしれないぜ」コワルスキが口を開いた。片手を腰に当て、奪い取った銃身の短いライフルを上着の下に隠しながら立っている。

グレイは通りに目を向けた。表通りも裏道も、どこに目を向けても、タクシー、輪タク、荷車、トラック、乗用車でぎっしりだ。

ホテルの周辺は大渋滞になっていた。車がまったく動かない。クラクションと音楽が鳴り響き、歌声や祈りの声も聞こえてくる。目の前の通りでは祭りが最高潮に達していた。祭りの喧騒がホテルで発生した騒ぎを隠してくれたようだが、まったく気づかれなかったわけではない。

遠くからサイレンの音が聞こえてきた。パトカーだ。銃声が聞こえたとの通報があったに違いない。ロビーの奥の方からも叫び声がする。攻撃部隊が下りてきているのだろう。

ロサウロがグレイの方を向いた。「どうやって――？」

彼女の声はバイクの大きなエンジン音にかき消された。グレイは音のした方角に目を向けた。数ブロック離れた左手の方向から、三台のバイクが渋滞した車の列を縫うように近づいてくる。スピードが速すぎる。明らかに何らかの意図を持った走り方だ。バイクは歩行者をはじき飛ばしながら、ホテルへと接近してくる。それぞれのバイクには運転手のほかに、ライフルを持った人物が乗っている。攻撃部隊がホテルへと集結しつつある。

グレイは全員をホテルの脇の道へと避難させた。ここなら表の通りからは直接見えない位置に当たる。グレイはマスターソンの方を向くと、彼の白い帽子を奪い取った。「上着も貸してください」グレイは指示しながら帽子をかぶった。

「いったい何をするつもりかね？」白い上着を脱ぎながら、マスターソンは訊ねた。

「ドクター・マスターソン、あの狙撃者は最初にあなたを狙いました。彼らにとって、あなたが第一のターゲットなのです」

「ピアース、まさか……」ロサウロは不安そうに口を開いた。

グレイはゆったりとした上着を羽織った。「俺が囮になってバイクを引きつける」グレイは説明しながら混雑した表通りの方向を指差した。もう一方の手で、脇道の奥を指し示す。「君はほかのみんなと一緒にこっちの道を行ってくれ。来る途中にタクシーの車内から見えた砦で落ち合うことにしよう」

グレイの計画を頭の中で反芻《はんすう》した後、ロサウロはうなずいた。

「俺はおまえと一緒に行くぜ」コワルスキが宣言した。エリザベスの横から前に一歩踏み出し、武器を上に掲げる。「援護が必要だろ？」

ロサウロはうなずいた。「彼はあなたと一緒にいる方が役に立つわ。民間人二人を守るので手いっぱいだし」

グレイには議論をしている暇がなかった。確かに、腕っぷしの強い男は役に立つし、武器の数が多いに越したことはない。「行け！」グレイは指示した。

「ピアース君！」

グレイは振り返った。マスターソンが杖を放り投げてくる。グレイは杖をキャッチした。これで変装は完璧だ。

「なくさないでくれたまえ。柄の部分の象牙は、十八世紀に彫られたものだからな」

グレイはコワルスキを従え、表通りへと走り出た。つまずいたふりをしながら杖を振り回し、イギリス訛りの英語で声を張り上げる。「誰か助けてくれ！　何者かに命を狙われているんだ！」

グレイは渋滞で動かなくなった車やのろのろと進む荷車をかき分け、祭りが行なわれている方向へと走った。グレイたちの背後で、バイクのエンジン音が小さくなり、アイドリングの音に変わった。ホテルの前に到着したのだろう――だが、再びエンジンが全開となった。

音は彼らの方へと近づいてくる。

すぐ後ろからコワルスキの声がした。「やつらが餌に食いついたぞ！」

午前六時三十三分
ワシントンDC

　ノックの音にペインターははっとした。椅子に座って頬杖をついた姿勢で、ついうとうとしてしまったようだ。目の前にはメモの山と、リサとマルコムによる検査結果の報告書が積まれている。少し前にキャットに対して、医療センターの空きベッドで仮眠を取るように指示したばかりだったが、一睡もしないままこの時間を迎えた自分こそ、仮眠が必要だったようだ。

　ペインターは机の下のボタンを押してロックを解除した。部屋の扉が開く。リサかマルコムが来たのだろうと思っていたペインターは、驚いて姿勢を正すと立ち上がった。

　室内に入ってきたのは、背が高く肩幅の広い、青いスーツ姿の男性だった。白いものが大半を占めるようになった赤毛の髪は、きちんと後ろになでつけられている。

「ショーン？」

　ショーン・マクナイトはＤＡＲＰＡの長官で、ペインターの直属の上司に当たる。十年以上前にペインターをシグマにスカウトした当人でもあり、その当時はショーンがシグマの司令官を務めていた。アーチボルド・ポークの発案を具体化し、シグマの初代司令官に就任したのが彼だったのである。それ以上に、ショーンはペインターにとって良き友人だった。

　ショーンは椅子に座るようにペインターを促した。

「わざわざ立ち上がるまでもないよ」ショーンは言った。「その椅子に再び座るつもりはないからな」

　ペインターは笑みを浮かべた。後任の司令官に就いた後、ショーンから胃薬を一箱贈られたことを思い出す。その時は冗談だと思って受け取ったのだが、二年以上が経過した今、すでに半分がなくなっていた。

「根拠があるわけではないんですがね、ショーン、あなたの仕事も決して楽ではないようですね」

「ああ、今日はそのことを痛感しているよ」ショーンは机を挟んでペインターの向かい側にある椅子に腰かけた。「ピアース隊長が博物館の外で目撃した男について調べてみた。マップルソープ。フルネームはジョン・マップルソープだ」

「では、グレイが目にした身分証明書は偽物じゃなかったんですね？」

「本物だ。マップルソープは米国国防情報局の部局長だ。ロシア連邦とその周辺諸国を管轄している」

　ペインターはマルコムから聞かされた放射線の話を思い出した。ポークが致死量の放射線を浴びたのは、チェルノブイリだという。いったいマップルソープは、今回の件でどんな役割を演じているのだろうか？

「この男は各情報機関に強力なコネを持っている」ショーンは説明を続けている。「情け容赦のないやり方と巧みな裏工作で知られる人物だ。その一方で、必ず成果をあげるという点で評価が高い。ワシントンにとっては貴重な人材といえるな」

「それで、彼は今回の件にどのように関わっているのですか？」

「君からの最新の報告書は読ませてもらった。機密扱いが解除されたスターゲイト計画については、すでに詳しい情報を得ているようだな。一九九〇年代半ばに計画が中止になった経緯についても」

「でも、実際には中止されたわけではなかった」ペインターは応じた。「終息へと向かう数年の間に、国防情報局が計画に深く関与するようになっていたのです」

「その通り。マップルソープの個人的なプロジェクトとなったのだ。一九九六年、彼は二名のロシア人科学者から接触を受けている。ソヴィエト版のスターゲイト計画に関与していた人物だ。ロシア側は資金に行き詰まったため、我々の支援を求めてきた。アメリカ側も援助に同意した――特定の国家だけを敵にしているわけにはいかなくなった現代の新しい世界において、協力することはアメリカにも恩恵をもたらすことになると判断したからだ。そこで、ジェイソンズ内の一部のグループが、ロシア人と共同で研究を行なうように任命された。その時点で、計画全体は機密という闇の中に葬り去られた。表向きには終了したことになったのさ。継続されているという事実を知っていたのは、ほんの一握りの人間だけだ」

「ところが、アーチボルドが我々のもとを訪れたわけです」ペインターは言った。

「彼は計画を白日の下にさらそうとしていたのだと思う。証拠を持ち出すことによってだ」

「科学の名のもとに行なわれた残虐な実験の証拠ですね」

「国家の安全保障の名のもとに、と言うべきだな」ショーンはペインターの言葉を訂正した。

「そのことは心に留めておいてほしい。ワシントンという大きな歯車を動かすのは、安全保障という名の潤滑油なのだ。マップルソープを甘く見てはいけない。彼はこの世界を知り尽くしている。しかも、自分こそが真の愛国者だと固く信じているから始末が悪い。諜報《ちようほう》の世界においで現在の地位を築くために、相当な努力を注いできた男だ。その範囲はアメリカ国内だけにとどまらない」

　ペインターは言葉が出てこなかった。

　ショーンは話を続けた。「マップルソープは国内のあらゆる情報機関を総動員して、君が入手した頭蓋骨を捜索させている。思いつく頭文字をあげていけば、たいていが該当するんじゃないか。ＣＩＡ、ＦＢＩ、ＮＳＡ（国土安全保障省）、ＮＲＯ（国家偵察局）、ＯＮＩ（海軍情報局）……ＡＡＲＰ（米国退職者協会）の名簿を使って、引退したスパイにも連絡をつけているに違いない」

　ショーンは自分のジョークに笑おうとしたが、疲れ切った表情が浮かんだだけだった。「これ以上、この件に関して素知らぬ顔をしていることは難しい。アーチボルドが殺害された地点は、シグマから目と鼻の先だ。彼にはジェイソンズと、さらにはシグマとも接点がある。マップルソープがそのことに気づくのも時間の問題だ。しかも、シグマの任務に対してアメリカ政府の内部監査が昨年行なわれたばかりだ。相手はここにつながる様々な機密情報を握っていると考えなければならない」

「つまり、何が言いたいのですか？」ペインターは訊ねた。

「頭蓋骨の行方を明らかにする潮時だということだ。オオカミどもが包囲網を狭めつつある。ほかの情報機関を通じて頭蓋骨の取引を持ちかけ、シグマに疑惑の目が向けられないようにすることは可能だ」ショーンはペインターの視線をとらえたまま、目をそらそうとしない。「だが、それでも時間を稼げるのはせいぜい半日がいいところで、次は少女の番だ。それまでにグレイのチームが何らかの答えを得られなかった場合、我々は少女の身柄の引き渡しに応じざるをえないだろう」

「それは認められません、ショーン」

「君に選択の余地はないのだよ」

ペインターは立ち上がった。「それならまず、あの子に会ってください。彼女に会って、連中が彼女にしたことをその目で見てください。それでもマップルソープに身柄を引き渡せと言うのなら、話を聞こうじゃないですか」

ショーンが躊躇していることはペインターにもはっきりと感じ取れた。会ったことのない人物については、何とでも言うことができるものだ。だが、ショーンはうなずいて立ち上がった。

困難に背を向けるような男ではないからだ。ペインターがショーンを尊敬する理由はそこにあった。

「挨拶しに行くとするか」ショーンはつぶやいた。

二人は並んで部屋を出て、少女が収容されている二つ下の階へと向かった。

二人が下りていくと、廊下の先にキャットとリサが立っていた。少女がいる部屋へと通じる扉の近くだ。キャットは取り乱した様子だった。少女が描き上げた夫の絵を見た時、キャットはかなり動揺していたが、その後は落ち着きを取り戻していたはずだ。少女の気を引くためにバッグから写真を何枚か取り出し、娘のペネロペの写真を見せたことは、キャットも認めていた。その中には、夫であるモンクの写真があった。

「でも、あの子はその写真を見ていないはずです」キャットは言っていた。「それだけは確かです」

それ以外に説明をつけようとしたら、少女がキャットの頭の中からモンクのイメージを、キャットがいちばん思っている人物の姿を抜き出したとしか考えられない。もちろん、かなり強引な説明であることは百も承知だ。

いずれにしても、キャットは冷静さを取り戻し、仮眠を取ることに同意したはずだった。疲労が蓄積すれば必要以上に神経が過敏になってしまうからだ。

ペインターたちの姿に気づくと、キャットは二人のもとに駆け寄ってきた。二人が近づくのを待ち切れない様子だ。

「司令官」キャットは息つく間もなく口を開いた。「連絡を入れようと思っていたところです。あの子が再び高熱を出しました。何か手を打たないと。リサが言うには……あの子は持たないかもしれません」

午後二時三十五分
インド　アグラ

グレイは表通りを急いだ。前方に見える大きな交差点が近づくにつれて、道路の混雑が激しくなってくる。歩行者たちは肩で押し合いへし合いしながら、ゆっくりと進む車の間を通り抜けていく。祭りに合わせて大通りが閉鎖されてしまったため、脇道へと迂回する車でそのほかの通りは大渋滞に陥っていた。

クラクションが響き、自転車のベルが鳴り、歩行者の叫び声と怒号が飛び交う。

グレイたちの背後では、バイクのエンジン音が苦しい息づかいにも似た低い音へと変わっていた。追っ手たちもこの人の波の中にのみ込まれてしまったようだ。それでも、グレイは低い姿勢を保っていた。

コワルスキが人ごみをかき分けながら近寄ってくると、荷馬車の陰に身を隠した。「連中がバイクを降りたぜ」

グレイは振り返った。三台の黒いバイクとの距離は開きつつある。だが、バイクに乗っているのは運転手だけで、ライフルを持った男たちは徒歩で彼らの後を追っていた。二人は道の両側を、もう一人は通りの真ん中を歩いている。

三つの脅威が倍に増えたことになる。

「どうも分が悪いな」グレイはつぶやいた。素早く計画をまとめると、コワルスキに指示を与え、落ち合う場所を指定した。「俺は上を行くから、おまえは下を進め」

大柄な男はトラックの前でしゃがみこんだ。路上には、馬、ロバ、ラクダの糞《ふん》が落ちている。コワルスキは動物たちの落とし物をじっと見た。「どうして俺が下なんだよ」

「白い服を汚すわけにはいかないだろう」

やれやれといった様子で首を横に振りながら、コワルスキはさらに体勢を低くして、片手をアスファルトについた。その姿勢のまま、ホテルの方向へと戻っていく。

一方、グレイは頭にかぶったパナマ帽を手で押さえながら、目の前のタクシーのトランクに飛び乗り、祭りの方向へと走り出した。タクシーの屋根とボンネットを踏みつけて打楽器のような音を鳴り響かせながら、グレイはさらに前の車へと飛び移り、通りの先へと進んでいく。車、タクシー、荷馬車の屋根伝いに走るグレイの背後から、罵声が浴びせられる。車から身を乗り出して拳を振り上げる運転手もいる。しかし、ほとんど身動きできないほど車が詰まっているため、上の道を進む方が時間はかからない。

グレイは肩越しに振り返った。狙い通り、追っ手は彼の姿に気づいた様子だ。見失うまいとして、バイクを降りた三人の追っ手も上の道を選択した。三方向からグレイを追い詰めようとしているが、足もとが不安定でバランスが悪いために、車の屋根からライフルの狙いを定めることができない。

マスターソンから借りた杖でバランスを保ち、体勢を低くしながら、グレイは騒々しくにぎやかな祭りの中心に向かって飛び跳ね続けた。徒歩でグレイを追う三人の敵を、バイクからできるだけ引き離さなければならない。

分断してから敵を倒すのは基本中の基本だ。

バンの屋根を滑るように進みながら、グレイは背後に広がる人の波へと視線を向けた。ただし、この波の下にはサメが潜んでいる。グレイはコワルスキの姿を目でとらえることができなかったが、彼が指示通りに動いていることは確認できた。後方を走る先頭のバイクがトラックの脇をすり抜けようとしていた。だが、バイクがトラックと並んだ瞬間、運転手の体がこわばり、痙攣を起こした。その直前、グレイの耳は何かが破裂するような音をとらえていた。祭りの方から聞こえてくる爆竹と似たような音だ。

運転手とバイクの姿は、人の波にのみ込まれて見えなくなった。

コワルスキの姿は依然として見えない。追っ手の注意は逃げるグレイに集中しているため、たとえ大柄なコワルスキであっても、人ごみの中に身を隠し、待ち伏せし、奪い取ったM4カービンを運転手に突きつけるのは容易なことだった。至近距離だから外しようがないし、銃口を食い込ませていれば音もそれほど響かない。

しかし、サメの仕事はまだ残っている。

バイクの運転手の始末はコワルスキに任せて、グレイは祭りの中心を目指した。混雑と混乱は激しくなる一方だ。歌と、踊りと、歓声と、笑い声と、悲鳴が交錯する。ラッパの奏でる音楽と、シンバルを叩きつける音が鳴り響く。クリシュナの生誕を祝う祭り「ジャンマシュタミ」が開催中だった。

高い位置から見下ろすと、ラス・リラを踊っている人々の姿が見える。ラス・リラは伝統的なマニプリ舞踊の一つで、まだ若くていたずら好きだった頃のクリシュナが、乳搾りの娘と戯れる場面を表現しているとされる。群衆の間には、人間ピラミッドを作ろうとしている若い男性たちもいた。通りの上の空中高くに吊り下げられた粘土の壺をつかみとろうとしているのだ。ダヒハンディと呼ばれるその壺には、カードやバターが詰まっている。少年時代のクリシュナが、友人たちと一緒に近所の家からバターを盗んで遊んでいたという話を再現したものだと言われている。

男たちに送られる伝統的な声援が聞こえてきた。

「ゴヴィンダ！　ゴヴィンダ！」

　クリシュナの別名のことだ。

　グレイは車の屋根を走りながら祭りの中心へと向かった。この先の大通りが閉鎖され、車に対して迂回するようにとの指示が出ているため、グレイが利用してきた上の道は終点が近づき、その先は大勢の人でごった返している。グレイは最後のタクシーのボンネットから群衆の中へと飛び降りた。

　祭りで盛り上がる人々の中に入ると、グレイは変装用に使った白の帽子と上着を脱ぎ捨て、人ごみの中に紛れ込んだ。片手に杖を持ち、もう片方の手に握った拳銃を太腿に押し当てたまま、群衆をかき分けて前方へと進む。グレイは祭りが行なわれている広場の端を目指した。客の群がる店や食べ物の屋台が軒を連ねているあたりだ。

　コワルスキとは広場の北東の角で落ち合う手筈になっていた。完全に追っ手をまいたと確信できるまでは、最終的な合流地点の砦へと向かうわけにはいかない。グレイは避難設備のあるビルの前に到達した。金属製の梯子が下ろされていて、バルコニーには高い場所から祭りを見物する人たちが鈴なりになっている。グレイは二階のバルコニーへと登った。群衆の様子を観察しながらコワルスキを探すには格好の場所だ。

　バルコニーから広場を見下ろすと、追っ手の一人がトラックのボンネットから群衆の中へ飛び降りたところだった。ほかの二人の追っ手も、すでに人ごみの中に入り込んでいるが、黒いヘルメットをかぶっているため上からだとすぐに見分けがつく。一人がかがみこみ、何かを拾い上げた。踏みつぶされて汚れた白い帽子だ。男はいらだちを隠そうともせずに帽子を投げ捨てた。

これ以上の追跡は無理だと判断し、追っ手があきらめてくれないものかとグレイは期待していた。だが、そんなに都合よく事は運ばない。

コワルスキが群衆の間に飛び込んできた。上着はぼろぼろだ。手には何も持っておらず、頬から血が流れている。だが、何よりも目立つのはその体の大きさだった。人ごみの中から頭一つ分どころでなく、肩のあたりから飛び出して見える。手をかざして太陽の光を遮りながら、コワルスキは祭りの参加者たちを押しのけるように進み、周囲の様子をうかがっていた。

もはや水面下を進むサメではない。

ヘルメットをかぶった追っ手の一人が、コワルスキの方を指差している。どうやら気づかれてしまったようだ。三人の追っ手はそれぞれの位置からコワルスキの方へと接近し始めた。

このままではまずい。

グレイはバルコニーの方を振り返ったが、人数はさらに増えており、梯子にしがみついたまま見物している人たちもいる。今から通りへと下り、群衆をかき分けても間に合わない。

グレイは広場の側に向き直った。バルコニーの手すりによじ登り、真上にジャンプする。

頭上には、すぐ上の階のバルコニーから広場の上空へと太いワイヤーが張られていた。グレイは腕を高く上げ、杖の柄の部分をワイヤーに引っかけた。ワイヤーの中央部は粘土でできた大きなダヒハンディの壺の重さで垂れ下がっているため、飛びついた勢いと足の動きを利用するだけで、ワイヤーを滑り下りていくことができる。グレイは片手で杖をしっかりと握ったまま、もう片方の手を真下に向けた。

かかとがヘルメットをかぶった追っ手の真上を通過するタイミングを見計らって、グレイは両足の間から発砲した。ヘルメットがクルミの殻のように砕け、男は衝撃で地面に叩きつけられた。

次の瞬間、グレイは壺をつかみ取ろうとしていた人間ピラミッドの最上部に激突した。いちばん上に乗っていた若者が一段ずり落ち、グレイが頂上の位置を占める。だが、落ちないようもがくうちに、杖が手から離れてしまった。杖は人間ピラミッドの側面を落下していく。拳銃もいつの間にか手から消えていた。

大勢の人がグレイを見上げていた。

もちろん、残る二人の追っ手も。

反撃する武器を持っていないグレイは、すぐ下にいる男の肩の上に立ち、バランスを取りながら手を伸ばした。大きな粘土の壺の底をつかみ、ワイヤーから外すと、クリシュナに対して心の中で祈りを捧げながら、近い方の位置にいる追っ手を目がけて放り投げた。

グレイの祈りは通じた。

重い壺は上を向いていた男の顔面を直撃した。粘土の破片とバターが飛び散る。男はそのまま倒れ、地面に頭を打ちつけた。

残る一人の追っ手が手を上げた。拳銃を握っている。周囲の群衆が悲鳴をあげる中、男はグレイに向かって二発発砲した。だが、すでにグレイの姿は消えていた。人間ピラミッドが崩壊してしまったからだ。転げ落ちるグレイの頭上を、銃弾が二発、通過していった。

人間の体や手や足が絡まった上に、グレイは落下した。

グレイは立ち上がろうともがきながら、周囲を見回した。追っ手は人が折り重なって倒れている方へと近づいていた。すでに銃を構えている。だが、男が引き金を引くより早く、白いものが顔の前を横切った。男の頭が勢いよく後ろに倒れる。顔面にマスターソンの杖の柄が直撃したためだ。杖を回収したコワルスキが、柵越えを狙う打者のようなスイングで一発をお見舞いしたのだった。

顔面から血を噴き出しながら、男は背中から道路に倒れた。

男の手から拳銃を奪い取り、コワルスキは絡み合った人間の山へと杖を差し出した。グレイが先端をつかんだのを確認すると、コワルスキは杖を引っ張ってグレイを助け出した。

「バターが命取りになるとはな」コワルスキは言った。「なかなかうまいやり方だったぜ、ピアース。コレステロールには注意しなければいけないってことだ」

広場を埋めた群衆はパニックに陥っていた。人々は思い思いの方向へと逃げ惑っている。制服を着た警官が、人の波に逆らって広場の方へと近づこうとしていた。グレイとコワルスキは低い姿勢を取り、人の波に身を任せて広場を抜け、隣の通りへと脱出した。

苦労しながら数分間進むうちに、ヤムナー川の岸辺にそびえたつ巨大な赤い砂岩の砦が前方に見えてきた。城壁で囲まれた歴史のある建造物、アグラ砦は、市内ではタージ・マハルに次ぐ観光名所となっている。グレイとコワルスキは砦を目指して通りを横切った。

タクシーやバン、リムジンなどが、砦の前の道に停車している。

「ピアース！」呼びかける声がする。

シャイ・ロサウロが一台のリムジンの横で手を振っていた。白いクジラのような巨大なリムジンだ。グレイはロサウロの方に歩み寄った。開いた扉の脇にはルカが立っている。マスターソンとエリザベスはすでに車内に座っていた。

「目立たない車とは言い難いな」グレイはリムジンを眺めた。

「これなら全員が乗れるわ」ロサウロは説明した——その顔にいたずらっぽい笑みが浮かぶ。「それに、ちょっとぐらい贅沢な乗り物を利用してもいいでしょ？」

「話のわかる女性だぜ」そう言いながら、コワルスキは運転席の方へと向かった。「ちょっと俺に運転させてもらえないかな？」

「だめだ！」「だめよ！」グレイとロサウロは同時に答えた。

深く傷ついたような表情を浮かべながら、コワルスキはリムジンの後部座席へと乗り込んだ。

ロサウロも後に続く。

リムジンへと乗り込む前に、グレイは歩道と通りに目を配った。自分たちの方に注意を向けている人物は見当たらない。どうやら完全に追っ手をまくことができたようだ。グレイはリムジンの車体の向こうにある、川の蛇行部分に目を凝らした。

川の先には、白い大理石でできた霊廟が、太陽の光を浴びて輝いていた。穏やかに永遠の時を刻みながら、明るい川面の傍らで眠っている。

グレイはタージ・マハルに背を向けた。

平和な眠りが許されるのは、死んだ者たちだけだ。

グレイがリムジンの後部座席に入ると、マスターソンが怒りの声をあげた。「私の杖に何てことをしてくれたんだ！」

グレイは座席に腰を下ろした。十八世紀に象牙を削って造られた柄は、血で真っ赤に染まっていた。細部まで精巧に彫られていたツルは、より合わせたワイヤーにこすられたせいで無残な姿をさらしている。

「杖のことを心配している場合ではありませんよ、教授」グレイは告げた。

リムジンが縁石から離れても、マスターソンはグレイをにらみつけたままだ。

グレイは包帯の巻かれた教授の耳を指差した。「誰かがあなたの命を狙っています。ドクター・マスターソン、私が知りたいのは、その理由なんです」

10

九月六日午前七時四十五分
ワシントンDC

「未解決の問題だよ」トレント・マクブライドは説明した。「あちこちに残っているのだ」

ユーリはトレントと視線が合ったが、ひるんだりはしなかった。殺すなら殺せ。どうなってもかまうものか。今、ユーリは椅子に座っている。電極が取り外された後、服を着ることが許されたのだ。焼けつくような痛みを伴う拷問は二十分間ほど続いた。ユーリは事実を隠そうとはしなかった。子供たちの遺伝子について、彼とサヴィーナがアメリカ人に対して明かしていなかった秘密について、より詳細に明かした。

ロシア人がドクター・アーチボルド・ポークを仲間に引き入れることに反対しなかった理由までも、ユーリははっきりと認めた。ポークは遺伝子に関する秘密の核心に近づきすぎていたのだ。サヴィーナはポークがウォーレンに滞在している間に、事故を装って口を封じる手筈まで整えていた。

しかし、科学技術を巡るこの危険な駆け引きの中で、ポークの同僚でもあり友人でもある男が、子供たちの一人を連れ出すだけの目的で彼の逃亡を裏で操っていようとは、ユーリもサヴィーナも夢想だにしていなかった。

サヴィーナはその誘いに乗ってしまったのだ。マクブライドから渡された頭蓋骨を隠し持ってポークが逃亡したことなど、サヴィーナにとって痛くもかゆくもなかった。問題なのは、ポークが遺伝子に関する秘密の情報を握っていたことだった。そのことにあわてたサヴィーナは、ポークの追跡のためにユーリとサーシャを派遣した。まんまとアメリカ人の罠にはまってしまったわけだ。

「未解決の問題？」マップルソープの聞き返す声に、ユーリは我に返った。マップルソープは心配するまでもないとでも言いたげに首を振っている。「三つしかないと思うがな。少女、頭蓋骨、それとインドでのポークの足取り。三つ目の件はすでに手を打ってある。それに情報機関のルートを流れている噂によれば、行方不明になった頭蓋骨も近々姿を現す見込みらしい」

「いったいどんな手を使ったんだ？」マクブライドは訊ねた。

「適切な場所に圧力を加えれば、狙い通りの成果をあげることができるということさ」

「少女については？」

ユーリは返事を聞き漏らすまいとした。マップルソープがちらりと視線を送ってくる。自分がまだ殺されずにいるのは、サーシャのおかげだとわかっていた。マップルソープは自分を必要としている。サーシャの病状に関して、すべての子供たちに共通して見られる問題に関して、この男は知っているのだ。精神を操作されることで受けるストレスは、被験者に対して身体的な負担ともなる。二十代半ばまで生きられる被験者はまれで、サヴァンの能力が顕著なほどその傾向は強い。この問題を克服するためには、卵子と精子を選択して、最強の血筋を育てなければならない。

マップルソープはため息をついた。「日没までには少女の身柄を確保できるはずだ……それがぎりぎりの線だな」

〈それでも、もはや手遅れだ〉ユーリは心の中で思った。

この二人のアメリカ人は実におめでたい連中だ。拷問によって引き出した証言がすべてだと、疑問を抱くことなく思い込んでいる。ユーリの証言に嘘はなかったが、一つだけ彼らを欺いたことがある。伝えなかった事実があるのだ。質問されなかったことにまで答える必要はない。自分の方が優位に立っていると確信し、苦痛を与えればすべてを引き出せると信じ切っていたマクブライドの側が悪いのだ。

ユーリは表情を変えまいと努めた。アメリカ人は拷問によって気持ちを萎えさせようと考えたのかもしれないが、人生経験の長い自分は秘密を守ることに慣れている。拷問は来たるべき時へのユーリの決意を確固たるものとしただけだった。この数カ月間、ユーリはサヴィーナの立てた計画に対して疑問を抱き始めていた。

疑問を抱くのが当たり前だ。

億単位の人々が、無残な死を迎えることになるのだから。

新しく誕生する世界のために。

新しいルネッサンスのために。

マップルソープの口元に浮かんだ独りよがりの笑み。マクブライドの目つきからうかがえる過剰なまでの自信。ユーリは二人をじっと見つめた。

ユーリの心の中で、ためらいの気持ちは消えていた。

サヴィーナの計画は正しい。

この世界は一度、炎に焼き尽くされるべきだ。

午後二時五十五分
ウラル山脈南部

サヴィーナ・マートフ少将は何かがおかしいことに気づいていた。直観とでも言えばいいのだろうか、どことなく不安を感じるのだ。オフィスでじっと待っていることができない。確認をとる必要がある。

チェリャビンスク８８の地下洞窟は、旧ソヴィエト時代の団地跡が奥の半分ほどを占めている。無線を耳元に当てながら、サヴィーナは二人の兵士を引き連れて、団地の間にある暗く人《ひと》気《け》のない道を歩いていた。道の両側にそびえたつこれといった特徴のないコンクリートの塊は、鉱山や精錬《せいれん》所で働く囚人の住居として使用されていたものだ。ここで五年間働けばグーラグでの終身刑を免除するとの甘い言葉に誘われ、囚人たちはこの地下洞窟へとやってきた。もっとも、ここで五年目を迎えることができた者はいなかった。ほとんどの囚人は、放射線被曝の影響で一年を待たずして命を落としたのである。

割の合わない賭けだったが、希望の光を前にすると人は冷静な判断力を失う。そんな歴史を持つ工業団地を、サヴィーナは引き継いだ。自分への教訓とするために。

サヴィーナを残酷な女性と評する声もある。だが、それは必要に迫られた場合の話だ。子供たちは十分な食事が与えられているし、きちんと面倒も見てもらっている。人道的な見地から、苦痛は最小限に抑えるようにしている。

それでも残酷だと言うのだろうか？

サヴィーナは内部が朽ちかけた団地群を見回した。冷たく、暗く、幽霊でも出てきそうな建物。

これらもすべて、彼女にとって欠かせない存在だ。

耳元の無線が反応し、ボルサコフ中尉の声が聞こえてきた。これまで、この副官からは芳しくない報告しか入ってきていない。いまだに周辺の山地や丘陵地帯で子供たちを捜索中だ。捨てられた病院の寝間着を発見するなど、偽の臭跡に何度も惑わされている。

「二頭の犬の死体を発見しました」ボルサコフは報告した。「川のほとりです。ずたずたに引き裂かれていました。クマに襲われたものと思われます。けれども、強い臭跡を発見しました」

「それで、猫の方は？」サヴィーナは無線に向かって問いただした。

しばらく返事が戻ってこない。

「中尉」サヴィーナは強い調子で呼びかけた。

「はっきりとした臭跡が見つかるまで、使用を保留しているのです。トラが山地を移動することで、犬に無用な危険が及ぶ可能性もありますから」

ボルサコフは努めて事務的な口調で話しているが、サヴィーナはその声の裏にある張り詰めた調子に気づいていた。犬を口実にしているが、本当は子供たちの身を心配しているのだ。

どうしていつも自分が憎まれ役にならなければいけないのだろうか？

サヴィーナは言い訳を許さない口調で応答した。「強い臭跡を見つけたと言っていたわね、中尉？」

「はい、少将殿」

「それなら、結果を残しなさい」

「わかりました、少将殿」

サヴィーナは無線を切った。必要以上に厳しい口調になってしまった感は否めない。一時間前に別の気がかりな知らせが入っていたせいかもしれない。

隣町オジョルスクの作業員が、以前ウォーレンで使用されていた一台のトラックを発見した。カラチャイ湖の湖岸にあったウラン濃縮工場からの廃棄物を運搬するために使用されていたトラックだ。作業員はトラックの車内で、ドクター・アーチボルド・ポークの顔写真が付いた偽の身分証明書を見つけたのだった。

教授が逃亡した謎の答えとなる発見だ。

教授に手を貸す人物がいた。

では、教授を手引きした人物は誰なのか？　その答えを導き出すまでにそれほどの時間はかからなかった。ドクター・トレント・マクブライドに違いない。アメリカ人はいったい何を企んでいるのか？　依然としてユーリから連絡がないことを考え合わせると、ユーリと少女が囚われの身になったとしか思えない。教授の逃亡自体、その目的のために仕組まれたものだという可能性もある。

仮にそうだとしたら、マクブライドに一目置かざるをえない。

彼女と同じく、マクブライドも必要に迫られたのだ。

今になって思っても手遅れだが、そもそもアメリカと手を組むべきではなかったのだ。しかし、当時はほかに選択肢がなかった。ソヴィエト連邦崩壊後の混乱の中、サヴィーナのプロジェクトはすべての資金源を断たれてしまった。研究の継続のためには、新たな協力関係を築くしかなかったのだ。

アメリカは当座の資金を提供してくれた。情報収集能力を拡大する新たな可能性を見出したからだ。サヴィーナのプロジェクトは大いに有望だと見なされたのである。しかも、彼女のプロジェクトにはもう一つ、都合のいい条件が付いていた。サヴィーナはアメリカ政府に対して、「もっともらしい否認」を提供した。CIAの資金援助を受けた秘密の拷問施設がヨーロッパにあるのと同じだ。この新しい世界情勢の中では、軍事においても科学においても、容認される行動の範囲が曖昧になってきている。

「国内で行なわれていなければかまわない」が、アメリカの新たな信条となっている時代。

あの当時、それはサヴィーナにとっても願ったりかなったりだった。

ユーリとサーシャを失ったのは痛いが、修復は不可能ではない。予定を繰り上げれば済む話だ。当初、彼女が統括する「サターン」作戦は、ニコライがチェルノブイリで行動を起こした一週間後に発動する計画だった。その予定は変更され、二つの作戦は同時に開始される。

決行日は明日。

二つの作戦名——「ウラヌス」と「サターン」——は、第二次世界大戦中にソヴィエト軍がスターリングラードの戦いでドイツ軍を撃破した時の軍事作戦から命名された。スターリングラードの戦いは人類史上最も犠牲者の多い戦闘と言われており、多数の民間人を含む二百万人近くが命を失った。それでも、その戦闘でのドイツ軍の敗退が、大戦の転換点になったと考えられている。

母なるロシアにとって、輝かしい勝利だった。

歴史は繰り返す。ウラヌス作戦とサターン作戦は再びロシアを解放し、世界の歴史の流れを変える。

過去と同じように、そのためには犠牲が付き物だ。

必要に迫られれば、残酷になることも厭《いと》わない。

サヴィーナは地下洞窟の端に到達した。小さなトンネルがあり、厚い鉛の防護扉が開いている。チェリャビンスク８８へと通じる主トンネルをふさぐ扉を一回り小さくしたような造りだ。トンネルの入口のすぐ内側には、一編成の列車と車止めがある。ウォーレンとサターン作戦の心臓部との間に敷かれた電化された路線を、一編成の列車が行き来している。サターン作戦の心臓部は、カラチャイ湖の向こう岸に位置していた。古いトンネルは汚染された湖の下を通っており、ストロンチウム９０とセシウム１３７が高濃度に含まれる湖水からの放射線を浴びることなく、二つの地点間を高速で移動することができる。

列車はすでにサヴィーナを乗せる準備ができていた。

サヴィーナは鉛合板を貼り付けた客車に乗り込んだ。客車は先頭と最後尾の二両しかない。

間につながれた屋根のない四両の鉱石車は、備品、採掘道具、岩石などを積み込むために使用されている。

　車輪の回転音と火花の散る音とともに列車がゆっくりと動き出すと、背後の防護扉が閉まる。トンネル内は真っ暗になった。終点までは五分ほどかかる。サヴィーナは上に目を向けた。列車が加速する中、約四百メートルの岩盤を挟んだ上に存在する湖水へと思いを馳せる。

　この地域はソヴィエト連邦時代、ウランとプルトニウムの一大生産拠点だった。今ではほとんどが操業を停止しているが、かつてこの付近には七基のプルトニウム生産炉と三カ所のプルトニウム分離工場があった。いずれも杜撰《ずさん》な運営が行なわれていた。一九四八年以降、これらの施設から流出した放射線量は、チェルノブイリの事故と地球上で行なわれたすべての大気圏内核実験を合計した量の五倍に相当すると言われる。

　その放射線の半分が、今もカラチャイ湖に残っている。

　湖岸の放射線量は一時間当たり六百レントゲン。一時間の滞在で致死量に達する。

　サヴィーナはドクター・アーチボルド・ポークの乗り捨てたトラックがオジョルスクの作業員によって発見された場所を思い出した。

　カラチャイ湖の湖岸だったという。

　サヴィーナは首を横に振った。わざわざドクター・ポークの後を追う必要などなかったのだ。放っておいても死んでいたはずだ。

前方に光が見えてきた。

明るい未来への希望とともに輝く光。

サターン作戦の心臓部が近づいてきた。

午後三時十五分

「連中が何を企んでいるだと？」川岸を歩きながら問い返すモンクの声は、思わず大きくなった。

この一時間ほど、モンクと子供たちは流れの速い大きな川に沿って歩き続けていた。クマに遭遇したのと同じ川ではない。急流を横断するように連なっていた大きな岩を伝って向こう岸へと渡り、さらに下流へと向かっていたところ、深いモミの森の中を流れるこの大きな川に合流したのだった。モンクは何度も地形図を確認した。どうやらウラル山脈の分水嶺から東側斜面を流れる川沿いに下っているらしい。ウラル山脈の西側では、雨水や雪解け水を集めた川はカスピ海に注ぐ。一方、この東側では、何本もの大河や数百もの湖が広がる地域へと水が流れ込み、やがては北極海へと到達する。

〈ロシア人たちがそんなことを企んでいたとは……〉

モンクの声には受けた衝撃の強さがそのまま現れていた。

あまりの口調の激しさに、コンスタンティンは顔をしかめた。

「すまん」モンクは声を落として詫びた。山間部では声が遠くまで届く。子供たちには小声で話すようにと繰り返し注意していたのに、自分がこんなことではだめだ。自らが課した決まりに従って声を落としたものの、どうしても張り詰めた調子になってしまう。「記憶に欠落がある俺でも、連中の企みは狂気だということくらいわかるぞ」

「彼らは成功するよ」コンスタンティンは淡々と応じた。「難しくない。簡単な方法なんだ。僕たちは――」コンスタンティンはピョートルとキスカを指差してから、自分の背後の方角を手で示した。地下洞窟の中にいる自分のような子供たちのことを意味しているのだろう。「いくつものシナリオやモデルを実行し、起こりうる事態を推測し、地球規模の統計データを分析し、環境への影響を検証し、最終結果を計算してきた。単なる狂気じゃないんだ」

モンクは少年の話に耳を傾けた。十代の少年というより、コンピューターが音を出しているような声だ。モンクは改めて、コンスタンティンの耳の後ろに装着された金属製の機械に思いを巡らせた。子供たちには全員、同じ装置が取り付けられている。マータにさえも、耳の後ろの体毛の中に、親指大の機器が装着されていた。川に沿って歩きながら、コンスタンティンは計算能力の高さを実証してくれた。計算に精神を集中させたおかげで、コンスタンティンは落ち着きを取り戻していた。一方キスカは、鳴き声だけで鳥の名前を言い当て、寸分の狂いもなく同じ音程で真似てみせた。

ピョートルだけは、自分の能力を見せたがらない。

「エンパシーだよ」コンスタンティンは説明してくれた。「人の感情が読み取れるんだ。たとえ感情を押し殺していたとしても、気持ちとは正反対の行動を取っていたとしても。先生の話では、『人間嘘発見器』みたいなものなんだって。だからピョートルは動物たちと一緒にいるのが好きなんだ。ほとんどの時間をメナジェリーで過ごしている。マータも連れていくように言い張ったのは、彼なんだ」

モンクは年老いたチンパンジーと一緒に歩く小さな少年の姿をじっと見つめた。彼はずっとピョートルのことを気にかけていた。マータとの交流を観察していたのだ。彼らは無言で視線を合わせたり、眉を吊り上げたり、唇をすぼめたり、手を振ったりしながら、常にコミュニケーションを取っているようだ。

モンクの見ている目の前で、ピョートルが突然体をこわばらせて立ち止まった。マータも同じように動きを止めた。ピョートルはコンスタンティンのもとへと駆け寄り、早口でしゃべり始めた。恐怖に怯えた声だ。最初はロシア語で、次に英語で何かを伝えている。ピョートルの小さな瞳がモンクの方へと向けられた。救済の道を探し求めているような目だ。

「やつらが来た」ピョートルは小声でつぶやいた。

ピョートルが誰のことを意味しているのかは聞き返すまでもない。その声からにじみ出ている恐怖を聞けばわかる。

アルカディとザハール。

二頭のアムールトラだ。

「行け！」モンクは声を発した。彼らはいっせいに川岸を走り始めた。コンスタンティンが先頭に立って走る。ガゼルのように敏捷な身のこなしのキスカが、兄のすぐ後を追う。ブルーベリーの茂み、まばらに生えた低木、川岸に点々と続く大きな岩。どのルートを進めばよいかは、すべてコンスタンティンの判断に任せてある。モンクは背後を警戒しながら走った。足もとにも注意しないといけない。深い森の中から川岸へ向かって淡黄色をした細いトウヒの葉が密生していて、その上に足を乗せると氷の上を歩いているかのように滑る。

ピョートルがそんな葉の上で足を滑らせ、仰向けにひっくり返った。マータが素早く毛深い腕を差し出し、ピョートルが立ち上がるのに手を貸す。モンクはその後ろから彼らを急がせた。コンスタンティンとキスカは、すでにはるか前方を走っている。

そのまま五分間走り続けていると、疲労のために走る速度が落ち始めた。アドレナリンの力を借り、恐怖に駆り立てられたとしても、長時間走り続けることは難しい。さらに十分もすると、足を前に出して進み続けるのがやっとの状態になった。

モンクと子供たちは再び一団となっていた。

依然として追っ手が近づく音は聞こえないし、枝が折れる音もしない。トラがいる気配も感じられない。

激しい息づかいで顔を紅潮させながら、コンスタンティンはピョートルをにらみつけ、ロシア語で何やらまくしたて始めた。誤った警告を発したと言って非難しているのだろう。

モンクは手を振ってコンスタンティンを制止した。「彼が悪いわけじゃない」かすれた声でたしなめる。

ピョートルは傷ついたような素振りを見せたが、その表情はいまだに恐怖で歪んでいる。マータは静かに鳴き声をあげながら、コンスタンティンに体当たりをした。キスカもロシア語で兄のことを責めている。

ピョートルは距離の判断が苦手だということを、モンクは聞かされていた。読めるのは相手の心だけらしい。ピョートルを信じなければ、本当にトラが間近に迫った場合に——

——ピョートルが凍りついたかのように体を固くした。目を大きく見開いている。口を開くものの、あまりの恐怖に言葉が出てこない。

だが、言葉は必要なかった。

「来たぞ！」モンクは大声をあげた。

彼らは再び走り始めた。あらかじめ計画していた通り、流れの急な川へと真っ直ぐに向かう。モンクはピョートルをつかみ、しっかりと抱き寄せると、岸から大きくジャンプした。数メートル下流で水音が二度聞こえた。コンスタンティンとキスカが飛び込んだ音だろう。

モンクは氷のように冷たい水面から頭を出した。ピョートルはまるでツタのようにしっかりと首にしがみついている。岸の方を振り返ると、マータが枝を伝いながら木の上へと登っているのが見える。

森のさらに奥深くで……動くものが……かなり速い……黄色い影がよぎる。

モンクは水を蹴りながら川の深みへと、流れがいちばん速い地点へと向かった。マータは深い森の中で、木から木へと移動しながら進んでいる。チンパンジーは泳げないし、水に浮かぶこともできない。そのため、別のルートをたどる必要があった。

暗い森の影の中から、巨大な動物が飛び出した。前足を大きく開き、低い体勢で鼻先を水面につける。縞模様の尾はぴんと上を向いて立っている。

トラはモンクを目がけて川岸からジャンプした。

モンクは背泳ぎの格好で水を蹴ったが、バックパックと子供一人を抱えているために思うように体が進まない。ピョートルが首にしがみついているため、満足に呼吸もできない。

空中に飛び上がったトラは、足を大きく開き、黒い爪をむき出しながら、野生の雄叫びをあげた。

これ以上は速く泳げない。

だが、川の流れが力を貸してくれた。

トラはモンクからほんの数メートル離れた川面に着水した。

モンクは二つの大きな岩の間を抜ける流れの速い部分へと向かった。岩の間を通り抜けた先にある深みへと引き込まれたが、再び水面へと浮かび上がることができた。

水を飲んでしまったのか、ピョートルが咳き込んでいる。

モンクが体を反転させると、トラは上流に向かって泳いでいた。流れでできた渦に巻き込まれて、トラの体が回転している。ネコ科の動物は水を嫌うと言われるが、トラは必ずしも水を怖がるわけではない。だが、モンクに飛びかかったトラは岸を目指して泳いでいる。水中で獲物を襲うのは、トラ本来の狩りの方法ではない。

ネコ科の動物は、獲物を待ち伏せして襲う。

おそらく二頭のトラは、ずっとモンクたちの後をつけてきたのだろう。ピョートルが最初に発した警告に従って逃げた時も、静かに森の中を追跡していたに違いない。ピョートルの判断は正しかったのだ。狩りを行なう動物が持つ本能と知恵に従って、二頭のトラはモンクたちを追い、獲物が疲れるのを待って攻撃に移った。トラは短距離ではかなりのスピードを出すが、長距離を走るのは得意ではない。完璧な状態で獲物を襲うために、攻撃のタイミングを計っていたのである。

川岸にもう一頭のトラが姿を現した。獲物を逃したことに気づいているのか、川沿いを行ったり来たりしている。最初のトラが川から岸に上がった。全身がずぶ濡れだ。水に濡れた体を震わせると、周囲に水しぶきが飛び散った。

モンクは二頭のトラを観察した。筋肉質の体をしているが、餌が十分ではないのか、いくらか痩せているようにも見える。毛皮に覆われた体が、どことなくごつごつしているような印象だ。オオカミと同じく、頭部に金属製のキャップが装着されているのも確認できる。一頭のトラの片方の耳は、以前の狩りの際に負った傷のためにねじれていた。コンスタンティンの説明によれば、耳のねじれている方がザハールだということだ。二頭のトラは双子で、耳の傷でしか見分けがつかないらしい。

人間の耳には聞こえない口笛で呼ばれたかのように、二頭のトラは瞬時に向きを変え、森の暗がりの中へと姿を消した。

だが、これで終わったわけではない。

狩りはまだ始まったばかりだ。

下流へと目を向けると、コンスタンティンとキスカは川の蛇行部分を曲がって見えなくなった。モンクは横泳ぎで二人の後を追った。ピョートルは震えながらモンクにしがみついている。川の水の冷たさで震えているのではない。トラを恐れているせいでもない。大きく見開き、パニックの色を浮かべたその目は、川岸にではなく、周囲の水面に向けられている。

いったい何に怯えているのだろうか？

午後三時三十五分

ピョートルは大きな男にしっかりつかまっていた。両手を首に回し、両足で腰にしがみついている。周囲を流れる水が、次第に彼の感覚を支配していく。舌の先端で味を感じ、耳で音を聞き分け、鼻で甘さと緑の腐臭を嗅ぎ取る。水温の冷たさが体の芯にまで伝わってくる。

ピョートルは泳ぐことができなかった。

マータと同じだ。

ピョートルは後方へと流れていく川岸へと視線を向けた。友達はどこにいるのだろう?

自分が水を恐れるのは、マータの心が影響していることを、ピョートルはわかっていた。深い水はマータにとって死を意味する。今日、岩を伝いながら別の川を横切った時、ピョートルはマータの心臓の鼓動が速まるのをはっきりと感じた。あの時、マータは歯を食いしばり、うつろな目を大きく見開いていた。

マータの恐怖は、ピョートルの恐怖でもある。

ピョートルは大きな男にいっそう強くしがみついた。

けれども、マータが怯える本当の恐怖は、もっと根の深いところにある。ベッドの脇に来てくれたマータと初めて会った時、ピョートルはすぐにそのことに気づいた。あの時、マータはしわだらけの手をシーツの上にそっと乗せ、友達になろうと言ってくれた。ほとんどの人は、初めての手術を終えたばかりのピョートルをマータが慰めているのだと思ったに違いない。しかし、固唾をのんでマータの薄茶色の瞳をのぞき込んでいたあの時、ピョートルはマータの秘密を知った。マータがピョートルのベッドにやってきたのは、慰めてもらうため、ピョートルから安心感を得るためだったのだ。

その瞬間から、ピョートルとマータは恐怖と愛情の絆で結ばれた。

誰も知らない闇の秘密を通じて。

午後四時二十八分
インド　ニューデリー

「人は未来を見ることができるというのは知っていたかね？」コンピューターのキーボードを叩きながら、ドクター・ハイデン・マスターソンは訊ねた。

カップに残ったコーヒーをじっと見つめていたグレイは、その問いかけに顔を上げた。彼らはデリー・インターネットカフェ・アンド・ビデオの個室にいた。コワルスキはくもりガラスの扉に寄りかかり、室内をのぞかれないようにしている。その顎には絆創膏《ばんそうこう》が貼られていた。

コワルスキの切り傷の手当てを終えたエリザベスは、ワークステーションの隣にあるレーザープリンターから次々に吐き出される紙を整理していた。個室にいるのは四人だけだ。ロサウロとルカは、これから先の移動に必要なレンタカーの手配に出かけていた。

とはいえ、どこへ移動することになるのかは、グレイもまだよくわかっていない。

すべてはマスターソン次第だった。だが、教授は話をするような気分ではなかったようだ。ホテルでの襲撃から逃れることに成功して以降、彼はほとんど口を開こうとしなかった。情報を引き出そうにも、狙撃者のターゲットになった理由を聞き出そうとすればするほど、教授は自分の殻に閉じこもってしまった。

教授は傷だらけになってしまった杖の柄をじっと見つめるばかりだった。その目はうつろだったが、ショックのせいというよりも、何かを考え込んでいるように見えた。

エリザベスはグレイに向かって無言で首を振った。

〈無理に話を引き出そうとしてはだめ〉

やむをえず、グレイたちはアグラから北へ向かい、インドの首都ニューデリーを目指した。約百五十キロの移動の途中で、グレイは二度車を乗り換えた。

大勢の人でにぎわうニューデリーの郊外に入ったところで、マスターソンは初めて要望を出した。「コンピューターを使わせてくれ」

そのため、グレイたちはインターネットカフェの奥にある狭苦しい個室を使用することになった。マスターソンはすぐにムンバイ大学のウエブサイト上にある個人アドレスにログインした。アクセスするためには、三回にわたってパスワードを入力する必要があった。

「アーチボルドの研究だよ」そう説明すると、マスターソンは全ページを印刷し始めた。その後はずっと無言だったが、不意に人間は未来を見ることができるという謎めいた言葉を発したのだった。

「どういう意味ですか？」グレイは聞き返した。

マスターソンはワークステーションの画面から顔を離した。「多くの人はまだこの事実を知らないのだが、ここ数年の間に、人は短時間ならば未来を見る能力を持っているということが、科学的に証明されたのだよ。三秒かそこいらといったところだがね」

「たった三秒？」コワルスキは口を挟んだ。「どれだけ役に立つことやら」

「役に立つとも」マスターソンは答えた。

グレイはコワルスキをにらみつけてから、教授の方へと向き直った。「しかし、科学的に証明されたというのは、どういうことなのですか？」

「君はＣＩＡのスターゲイト計画について、どの程度知っているかね？」

グレイはエリザベスと視線を合わせた。「ドクター・ポークがかなりの期間、取り組んでいた研究ですね」

「その計画に参加していたもう一人の研究者、ドクター・ディーン・ラディンが、ボランティアの被験者を対象に繰り返し実験を行なった。彼は被験者に嘘発見器を取り付け、皮膚の伝導性を計測しながら、画面上に様々な写真を映し出した。目をそむけたくなるような写真と心和むような写真を、無作為に取り混ぜて表示したのだ。暴力的で露骨な写真を見せると、嘘発見器に強い反応が現れる。『電子的にたじろいだ』とでも表現したらいいかな。実験を開始して数分が経過すると、被験者は目をそむけたくなるような写真が画面に現れる前に、たじろぐようになった。ほぼ三秒前に反応が現れたのだよ。このような現象は繰り返し確認された。ノーベル賞受賞者を含むほかの科学者たちも、エディンバラ大学とコーネル大学でこの実験を行なったところ、同様の結果が得られたのだ」

エリザベスは信じられないというように頭を振った。「どうしてそんなことが？」

マスターソンは肩をすくめた。「私にもわからない。だが、実験は賭け事を楽しむ人に対しても行なわれた。トランプをしている時に、同じような方法で計測したのだ。彼らも同様のパターンを示し、トランプの札をめくる数秒前に反応を示し始めた。いい札が出る時にはプラスの反応が、悪い札の時はマイナスの反応が現れたわけだ。ノーベル賞を受賞したケンブリッジ大学のある物理学者は、この結果に大いに興味を引かれ、より大がかりな実験に着手した。脳の活動を調べるために、これらの被験者にＭＲＩスキャナーを接続した。実験の結果、このような予感の源は、どうやら脳の内部にあるらしいことがわかったのだ。このノーベル賞受賞者は——いいかね、素性のはっきりしないインチキ科学者とは違うぞ——ごく普通の人であっても短時間ならば未来を見ることができると結論づけたのだよ」

「驚きだわ」エリザベスは言った。

マスターソンは彼女をじっと見つめていた。「このことが君のお父さんを駆り立てたのだ」マスターソンは優しい口調になった。「どのような仕組みで、なぜ、こうした現象が起きるのか、彼は突き止めようとした。ごく普通の人でも三秒後の未来を見ることができるのならば、もっと先を見ることができる人もいるのではないか？　数時間、数日、数週間、あるいは数年単位の未来まで。物理学者にとって、それは決して現実離れした考え方ではない。あのアルバート・アインシュタインも、過去と未来の違いは『頑固なまでに消えることのない幻想』にすぎない、と語ったことがある。空間と同じように、時間も一つの次元にすぎないのだよ。歩いている道の前を見たり後ろを振り返ったりすることは、誰にでもできる。だったら、時間の前後で同じことができたとしても、おかしくないと思わないかね？」

グレイの脳裏にあの不思議な少女の姿が浮かんだ。少女は木炭を使ってタージ・マハルの絵を描いた。マスターソンの説明のように、人が時間を超えて物事を見ることができるとしたら、空間においても同じことができるのではないだろうか？　クロウ司令官が話していたように、ＣＩＡは遠隔透視の計画で一定の成功を収めていたのだから。

「そのために必要なのは」マスターソンは話を続けている。「普通の人よりも時間軸のさらに先を見ることができる、類まれな能力を持つ人たちを見つけ出すことだ。そうした人たちを研究するために」

〈言い換えれば、利用するために、ということだ〉グレイは少女の姿を思い浮かべながら、心の中でつぶやいた。

エリザベスはプリンターから印刷された最後のページを文書の山の上に乗せ、書類の束をマスターソンに手渡した。「私の父は……そのような類まれな能力を持つ人たちを探していたのね」

「いや、そうではないのだ。彼はただ探していたわけではない」

エリザベスの目に困惑の色が浮かんだ。

マスターソンは彼女の手にそっと触れた。「君のお父さんは、そうした人たちを発見したのだよ」

グレイは思わず反応した。「何だって？」

扉をノックする音で教授の説明は遮られた。コワルスキが体をひねり、外にいる人物を確認してから扉を開けた。

ロサウロが扉の陰から顔だけを見せた。グレイに向かってレンタカーのキーの束を差し出す。

「話は終わった？」

「まだだ」グレイは答えた。

小脇に大量の紙を抱えたマスターソンは、グレイを突き飛ばしながら扉へと向かった。「いいや、話は済んだ」

グレイは大きく目を見開きながら、ほかの仲間に合図をした。「行くぞ」

頑固な教授の後を追いながら、グレイは首を締め上げてでも情報を引き出したいという衝動に駆られていた。

コワルスキがグレイの隣に並んだ。「仕返しをしているつもりなんだろ」そう言いながら、コワルスキはマスターソンが書類を抱えていない方の手で握り締めている杖を指差した。「杖を台なしにされた腹いせだよ」

インターネットカフェの外に出ると、ルカ・ハーンがピューターグレーのメルセデス・ベンツG55SUVのボンネットに寄りかかっていた。戦車のような外見の車だ。

ロサウロは車のフロント部分を一回りした。グレイの反対意見を予期しているのか、すでに片手を上げて言葉を遮ろうとしている。「わかっているわよ。確かに、目立たない車とは言えないわ。でも、目的地がどこなのかわからないし、どれだけ早くたどり着く必要があるのかもわからないのよ」

コワルスキは自然と笑みが浮かぶのを抑えられない様子だ。「あるいは、小さな日本車を何台も押しつぶす必要があるかもしれないしな」

「四輪駆動でエンジンは五百馬力近くあるわ。それに……それに……」ロサウロは肩をすくめた。「いい車じゃない？」

コワルスキも車に近づき、じっと眺めている。「同感だ。これから移動の車はロサウロに選んでもらうことにしようぜ」

グレイはため息をつきながら、マスターソンの方へと歩み寄った。「今度はどこへ？」

教授は書類から目を離さずに、杖で北の方角を示した。どうやらまたへそを曲げてしまったようだ。グレイはより具体的な返事を待ったが、それ以上の反応は返ってこなかった。

エリザベスの警告が頭をよぎる。〈無理に情報を引き出そうとしてはだめ〉

グレイはあきらめてSUVを指差した。ここで議論をしている余裕はない。すでにニューデリーに長時間とどまりすぎている。目的地の場所を正確につかめなくても、動き続ける方が安全だ。ムンバイ大学のウエブサイトが監視下に置かれていたとすれば、すでにこのインターネットカフェを中心に包囲網が狭められている可能性もある。

「出発だ」グレイは指示した。

コワルスキが両手を差し出した。車のキーをよこせという合図だ。

グレイはキーをロサウロに向かって投げた。

コワルスキはグレイをにらみつけた。「おまえ、本当に性格の悪いやつだな」

午後五時六分

エリザベスはもう我慢できなかった。グレイに与えた忠告と反することは百も承知で、彼女はドクター・マスターソンの方に顔を向けた。「ハイデン、もういい加減にしましょう。私の父がそうした人たちを発見したというのは、いったいどういう意味なの？」

「言葉通りの意味だよ」

マスターソンはSUVの二列目の座席の中央に、エリザベスとグレイに挟まれて座っている。十分間ずっと、マスターソンは片手にペンを持ち、インターネットカフェで打ち出した書類の山と格闘していた。運転席のロサウロがちらりと視線を向けた。助手席に座ったコワルスキは、不機嫌そうに両腕を組んだまま身動き一つしない。

三列目の座席に座っているルカも、話を聞こうと身を乗り出してきた。

マスターソンは説明を始めた。「この十年ほど、君のお父さんはインドで最も見込みのあるヨガの行者や神秘主義者からDNAのサンプルを採取し、その比較を行なっていた。北から南まで、インド各地を回っていたよ。大量のデータを照合し、遺伝子コードの比較と検討を繰り返してきた。知能と遺伝的分散の関係を分析する統計モデルを作成していたのだ」

「父はルカの種族の人たちもテストしたんだわ」エリザベスは言った。

後ろの座席からルカの同意する声が聞こえた。

「彼らの種族がパンジャブ地方を起源としているからだ」マスターソンは言った。

「なぜそのことが重要なのですか？」グレイは訊ねた。

「言葉で説明するよりも見せる方が早い」教授は書類の山を三十秒ほど探した後、一枚の紙を取り出した。「エリザベス、君のお父さんは天才的な学者だった。仲間の研究者からの評価が低すぎたと言うべきだな。最も強い特徴を示す人々に共通していると思われる三つの遺伝子を、彼は特定することに成功したのだよ。歴史に残る科学上の大発見と同じように、この遺伝子の特定も優秀な頭脳と幸運のなせる業だ。彼がこれらの遺伝子に気づいたのは、最も見込みのありそうな人たちの多くが、程度の差こそあるものの、自閉症の傾向を示していると発見したことがきっかけだったのだ」

「自閉症ですか?」エリザベスは訊ねた。「どうして自閉症が?」

「なぜなら、精神に大きな障害を抱えている場合、社会性に関する機能が奪われている一方で、驚くべきサヴァンの能力を有しているケースがまれではないからだ」マスターソンはエリザベスの膝に軽く触れた。「歴史上の重要人物の多くに、自閉症の傾向があったという事実は知っていたかね?」

エリザベスは首を横に振った。

マスターソンは指折り数えながら名前をあげ始めた。「芸術の分野では、ミケランジェロ、ジェーン・オースティン、エミリー・ディキンソン、さらにはベートーヴェンにモーツァルト。科学者ではトーマス・エジソン、アルバート・アインシュタイン、アイザック・ニュートン。政治の世界ではトーマス・ジェファーソンがいる。あのノストラダムスも、いくらか自閉症の気があったのではないかと信じられている」

「ノストラダムスがですか？」グレイは訊ねた。「フランスの占星術師の？」

マスターソンはうなずいた。「そうした人々は歴史を変え、人類の進歩に貢献し、未来への道筋を示してくれた。アーチボルドが好んで引用していた言葉がある。自閉症に関する有名な著作があるドクター・テンプル・グランディンの言葉だ。『もし何らかの力で自閉症がはるか昔に地球上から姿を消していたとしたら、人間は今でも洞窟に住み、火のまわりに座って過ごしていることでしょう』私は彼女の言う通りだと思う」

「私の父もそう考えていたの？」

「もちろんだとも。君のお父さんは自分が取り組んできた直観および予兆に関する研究と自閉症との間に、明確な関連性が存在すると信じるようになった」

「そして彼はその関連性を発見したのですね？」グレイは訊ねた。

マスターソンはため息をついた。「自閉症の正確な原因はまだ解明されていないのだが、症状の発症に関与していると考えられる十個の遺伝子に関しては、多くの科学者の間で意見の一致を見ている。そこでアーチボルドは、その十個の遺伝子を自らの統計モデルと比較してみた。すると、そのうちの三個の遺伝子が、高い能力を示す被験者のすべてに含まれていることがわかったのだよ。それこそが彼の探し求めていた一大発見だった。彼は総人口の中でこれら三つの遺伝子マーカーが発生する頻度の地理的な分布状況を調べ始めた。その結果を記した地図がこれだ」

教授は膝の上に乗せた紙をエリザベスに渡した。インドの地図だ。地図上には数百もの小さな点が記入されている。

エリザベスは地図をじっと眺めてから、グレイにも見せた。

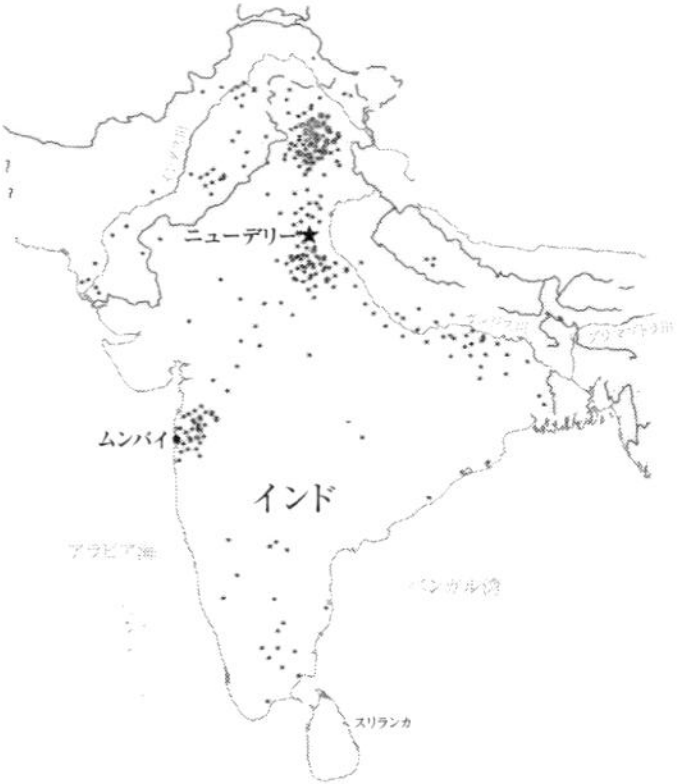

マスターソンは地図の説明を始めた。「地図上の一つの点は、該当する遺伝子マーカーを持つ人間一人を現している。地図をよく見るとわかるように、ニューデリーやムンバイなどの大

都市周辺に多くの点が集中している。そのような都市は人口が多いわけだから、当然の結果だと言えるだろう」

「でも、このあたりはどうなんです?」グレイは地図上で北の方を指差した。

エリザベスもグレイと同じことに気づいていた。多くの点が、正確にはほかのどの地点よりも多くの点が、大都市の存在しない北部地域に集中している。

「その通り。アーチボルドも同じ疑問を抱いた」マスターソンはグレイから地図を受け取り、点が密集している北部を指差した。「この三年間、彼はこの地域の研究に多くの時間を割いていた。なぜ北部のこの地域にこれほどまで集中しているのか、その理由を突き止めようとしていたのだ」

「そこには何があるのですか?」エリザベスは訊ねた。

「パンジャブ地方」エリザベスの後ろから、ルカ・ハーンがその質問に答えた。「我々ロマの故郷とも言うべき地だ」

「彼の言う通りだ。だからアーチボルドは、ヨーロッパやアメリカ国内にいるジプシーの種族と連絡を取った。預言や占いの歴史を色濃く持つ種族が、同じパンジャブ地方を起源としてヨーロッパへと広がっていったことは、単なる偶然の一致だとは思えなかったからだ。同じ遺伝子マーカーがジプシーたちの間にも存在するかどうか、確かめようとしたのだ」

「存在したのですか?」エリザベスはマスターソンとルカの二人に対して質問を投げかけた。

マスターソンが答えた。「ああ、存在した。だが、期待していたほど顕著に見られたわけではなかった。君のお父さんはその結果に気落ちした様子だったよ」

ルカが何事かつぶやいた。

エリザベスは彼の方を見た。「何なの？」

「それには理由がある」ルカは答えた。

グレイも後ろを振り返った。「どういう意味だ？」

「我々がドクター・ポークに協力を依頼したのは、そのためだ」

エリザベスはこの問題について、ジプシーのリーダーからまだ十分な説明を受けていなかったことを思い出した。飛行機の機内で説明を始めようとした時、乱気流のせいで中断され、そのままになっていたのだ。

「前にも話をしたように、ドクター・ポークは我が種族の中でも最も高い能力を持つショヴィハニから、血液サンプルを採取したいと考えていた。ショヴィハニは詐欺まがいの預言者ではない。本当に未来を見通す力を持っている。だが、我が種族の中には、今もそうした能力を有している者はほとんど残されていない」

「どうして？」

「なぜなら、我が種族の心の拠り所が盗まれてしまったからだ」

ゆっくりと、そして厳しい口調で、ルカは彼らの種族にまつわる深い秘密を語り始めた。何世紀も前から固く守られてきた、彼らの種族の中でも特別な、最もあがめられていたある一団にまつわる秘密だ。その一団の存在は、外部の人間に話すことすら禁じられていた。その特別な人たちは離れて生活し、外部の人間から姿を隠し、種族のほかの一団によって保護されていた。ジプシーの伝統である預言の力は、その一部の人たちの間で代々受け継がれてきたものだった。ごくまれに、そうしたショヴィハニの一部の人々が移動し、ほかの一団の村で暮らし、夫や妻を得てその能力を分け与えることがあったという。だが、ほとんどの場合、彼らはほかの一団と接触することなく暮らしていたらしい。ところが五十年ほど前、その一団の居住地が発見されてしまった。すべての大人は体を切り裂かれて殺害され、凍てついた大地に掘られた簡素な墓に埋葬された。

　ルカの口調はますます険しくなっていた。「しかし、多くの死体が埋められたその墓からは、子供の骨が見つからなかった」

　エリザベスはその事実が意味することを理解した。「何者かが子供たちを連れ去ったのね」

「誰の仕業なのか、いまだにわからない……だが、我々は決してあきらめなかった。DNAという新しい追跡方法を持つドクター・ポークならば、何十年も前の手がかりを見つけてくれるのではないかと思ったんだ」

「父は成功したの？」エリザベスは訊ねた。

　ルカは首を横に振った。「結果については聞かされていない。ただ、数カ月前に彼から奇妙な問い合わせがあった。不可触賤民、つまりインドのカースト制度から外れた存在であった我が種族の位置づけについて、もっと詳しく知りたいと言ってきたんだ」

ルカの発言が何を意味するのか、エリザベスは測りかねた。マスターソンに視線を向けたが、彼も肩をすくめるだけだ。だが、エリザベスはマスターソンの表情が変化したことを見逃さなかった。マスターソンはかすかに眉間にしわを寄せた。何かを知っているに違いない。

マスターソンは言葉で説明する代わりに、ペンを使って地図上に小さな×印を書き込んだ。

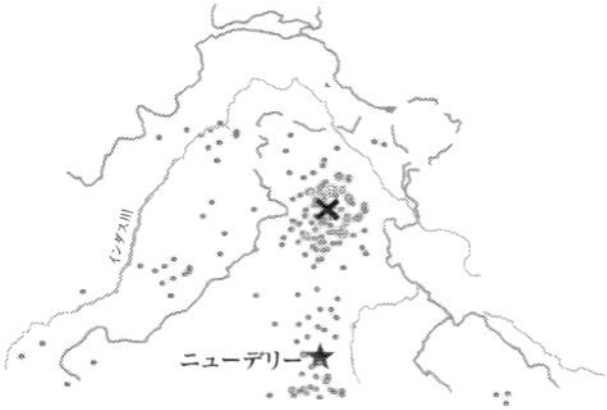

「それは何？」エリザベスは訊ねた。×印は点が密集したパンジャブ地方の真ん中に記されている。

「答えが必要ならば、次に向かわなければならないのはここだ」

「そこはどのような場所なんです？」グレイは訊ねた。

「アーチボルドが姿を消した場所だ」

11

九月六日午後五時三十八分
ウクライナ　プリピャチ

ニコライはゴーストタウンの遊園地を横切っていた。

古い黄色のバンパーカーが、腰までの高さに伸びた雑草に半ば隠れて、よどんだ緑色の水たまりの中に停まっている。乗り物の屋根はずいぶん前につぶれてしまい、赤く腐食した骨組みだけが残っていた。前方には、「北斗七星」と名付けられた巨大な観覧車が見える。西の空に低く傾いた太陽を背にした観覧車のシルエットが、夕闇の迫りつつある空に浮かび上がっていた。黄色い屋根の付いた座席が、錆びついた骨組みから吊るされている。チェルノブイリでの事故後に残されたこの廃墟の、象徴であると同時に記念碑とも言うべき存在だ。

ニコライは歩き続けた。

遊園地は一九八六年のメーデーの式典に合わせて建設された。だが、式典の一週間前、労働者とその家族四万八千人が暮らしていたプリピャチの街は、大量の放射性物質が降り注いだために死の街となった。一九七〇年代に建設されたプリピャチは、エナジェティック劇場、宮殿のように豪華なポリッシアホテル、最先端の設備を揃えた病院、数多くの学校を備えており、ソヴィエトの建築技術と都市生活の輝かしい模範とされていた。

現在、劇場は廃墟と化している。ホテルの屋根を突き抜けてシラカバの木が何本も伸びている。学校はかろうじて外観が残っている状態で、校舎内にはかびの生えた教科書、古い人形、積み木などが散乱していた。ある教室の中で、ニコライは使用済みのガスマスクが大量に遺棄されているのを発見した。死体から切り取られたたくさんの顔が、生気のない目で見つめているかのようだ。かつては活気に満ちあふれていた都会も、今では割れたガラス、倒壊した壁、古いベッドの枠組み、剥がれたペンキばかりが目につく。伸びるに任せて放置された雑草や木々が、人間の建設したものを破壊しつつあった。現在、この廃墟を訪れるのはツアーの観光客だけだ。一人四百ドルを支払えば、このゴーストタウンを探索することができる。

こうした事態を引き起こした元凶は……

ニコライは手で太陽の光を遮りながら彼方を眺めた。三・五キロほど離れた水平線上に、もやにかすんだ塊がかろうじて見える。

チェルノブイリ原子力発電所。

四号炉の爆発で上空に舞い上がった有害物質は、地球全体を包み込んだ。しかし、この街に避難命令が発令されたのは、事故発生から三十時間後のことだった。プリピャチ周辺の森は、放射性粉塵で赤く染まった。三・五キロ離れた地点でプルトニウムが燃焼しているとは夢にも思わず、プリピャチ市民はポーチやバルコニーに積もった塵をほうきで掃除していたという。

ニコライは悲しげに首を左右に振った。夜のニュース番組用の素材映像を撮影中のクルーが、後ろからついてきていることを意識しての動作だ。ニコライは大股で遊園地を通り抜けた。アスファルトで舗装されたばかりの道路が廃墟となった街の中を通っている。ニコライは道路から外れないようにとの注意を受けていた。荒地と化したこのかつての都市内では、草地に足を踏み入れると放射線レベルが跳ね上がる。危険度の高い地域は、三角形の黄色い標識で仕切られていた。新しい舗装道路は、著名人、政府高官、マスコミのために建設されたものだ。腐食が進んだコンクリート製の防護壁の上に鋼鉄製の新しい石棺を設置する式典に参加するため、世界各地から大勢の人々がチェルノブイリを訪れている。

今夜、ポリッシアホテルはかつての華やかだった日々を取り戻すことになる。ホテル内の舞踏室は急造の改装工事が行なわれ、清掃と除染も終わり、今夜は黒の蝶ネクタイ着用のパーティー会場として使用される。屋根を突き抜けて伸びていたシラカバの木も、パーティーに合わせて伐採された。

国際色豊かな来賓《らいひん》には、最高のもてなしが必要だ。世界各国から出席者が訪れ、ハリウッドの映画俳優も何人か姿を見せる予定になっている。プリピャチは一晩だけ、再び光り輝く。放射性物質に汚染された廃墟の中心で、にぎやかな宴《うたげ》が開催される。

ロシアの大統領と首相をはじめとして、連邦議会の上院および下院からも、多くの議員が出席する。すでにプリピャチへと到着した議員も多い。変化や改革といった言葉が飛び交っているが、この世界的な注目を集める機会を利用して政治活動資金を捻出しようと企んでいるのが見え見えだ。

真の変化が必要だと最も声高に主張しているのが、ニコライ・ソロコフ上院議員だった。しかも、半日前に暗殺未遂事件があったばかりのため、否が応にも人々の注目は彼に集まることとなる。

テレビカメラが撮影する中、ニコライはアスファルトの舗装道路から離れ、近くにある壁の前に歩み寄った。壁の表面には、おもちゃのトラックで遊ぶ二人の子供の姿が黒い影で描かれている。噂によると、精神に異常を来たしたフランス人男性がプリピャチに一カ月間滞在し、街のあちらこちらで影の芸術を作成したとのことだ。命を奪われた子供たちの霊を表現したこれらの絵は、強烈な印象を与えると同時に、見る者を不安に陥れる。

ニコライに影のように付き従うエレーナは、舗装道路の上から彼のことを見つめていた。最も人の心に訴える絵としてこの場所を選んだのは、エレーナだった。事前にこの付近を探索し、放射線レベルが安全であることも線量計で確認済みだ。

すべては今晩のテレビ映りを考えてのことだ。

ニコライは壁に片手をついた。指で子供の姿をなぞりながら、もう片方の手首で目頭を押さえる。エレーナが背広の上着の袖に、アンモニアを一滴たらしてくれている。その強い刺激のおかげで、この場面に欠かすことのできない涙が流れ落ちた。

ニコライはカメラの方に向き直った。指は絵の子供の頬に触れたままだ。「我々が変わらなければならない理由は、これなのです」そう言いながら、手で街の方向を示す。「この荒れ果てた街の光景を見て、偉大なる我が国が新たな時代へと進まなければならないと思わない人などいるでしょうか？　我々はこうした過去と決別しなければならないのです――でも、決して忘れてはいけません」

ニコライは頬をぬぐい、厳しい表情を浮かべた。涙は効果的だが、弱いという印象を与える危険もある。ニコライは意識して大きな声でマイクに向かって語りかけた。「この街を見てください！　人間が破壊したものを、自然が取り戻そうとしています。この街のことを『チェルノブイリが作ったエデンの園』と呼ぶ人もいます。街をのみ込んだ緑は美しく見えませんか？　鳥のさえずりが聞こえます。相当数のシカが生息していることも確認されています。でも、オオカミも戻ってきたことを忘れてはなりません」

ニコライは薄暗くなりつつある地平線を見つめた。「目の前の美しい景色にだまされてはならないのです。美しいように見えても、いまだに放射性物質に汚染された地なのです。半径三十キロの立入禁止区域に入るために、我々は軍による二カ所の検問を通過しました。チェルノブイリで発生した火災の消火活動に使用された、二千台の車両も目の当たりにしました。消防車、救急車、飛行機などは、今も放射線量が高いために近づくことすらできません。我々は全員、線量計を身に着けています。だまされてはいけないのです。自然は戻りましたが、子孫の代にまで影響が残ることでしょう。健康で元気に見えるとしても、実際は違うのです。これは再生ではありません。単なる見せかけの希望です。真の再生のために、我々は新しい方向を目指す必要があります。新しい目標を定め、新しいルネッサンスを実現させるのです」

ニコライは再び子供の絵に視線を向け、首を横に振った。

「それが我々の務めなのです」ニコライは悲しげに締めくくった。

道路の方から拍手の音が聞こえた。

カメラから顔をそらし、ニコライは笑みを浮かべた。カメラのフラッシュがいっせいにたかれ、子供たちに思いを馳せながら決意を新たにする彼の姿を照らし出すと、ニコライの影が壁面に描かれた子供たちの影と重なる。十分な間を置いてから、ニコライは壁面から視線を外し、アスファルトで舗装された道路へと戻っていった。

ニコライはホテルへと帰った。エレーナがすぐ後ろからついてくる。角を曲がると、ポリッシアホテルの正面が騒がしくなっていた。大きな黒いリムジンが一台、ホテルの正面に横づけされており、その周囲を防弾仕様のセダンが何台も取り囲んでいる。セダンから黒いスーツ姿の男たちが降りると、リムジンのまわりに壁を作った。リムジンから一人の男性が姿を現す。ホテルの周辺にいた人たちに向かって、片手を上げて見せている。

カメラとビデオが集中し、その光で男性の横顔が浮かび上がった。

誰もが知っている有名人の到着だ。

アメリカ合衆国大統領。

ロシアとアメリカとの間の重要な核協定への支持を表明するために、この地を訪れたのだ。

プリピャチの除染が徹底的に行なわれた大きな理由は、このような各国の著名人を招待するためだった。

アメリカ合衆国大統領の前では、ニコライの存在もかすんでしまう。大統領一行がホテルのロビーへと姿を消すのを見届けてから、ニコライは自らもホテルへと向かった。

役者はすべて揃った。

太陽が地平線へと傾き、日没が近づく中、ニコライはチェルノブイリ原子力発電所の方角に目を向けた。

明日の今頃には、新しい世界が産声をあげているはずだ。

午後五時四十九分
ウラル山脈南部

モンクは尾根の上に立ち、低く連なる山並みを見渡していた。太陽が沈みつつあるため、眼下に広がる盆地は影の中に埋もれている。

「ここを横断しないといけないって？」モンクは訊ねた。「ほかに行き方はないのか？」

コンスタンティンは地図を折りたたんだ。「迂回したら何百キロも遠回りになるから、何日も余計にかかっちゃう。カラチャイ湖の向こう岸にある僕たちが行かなければならない鉱山は、この谷を横切ればほんの二十キロの距離なんだよ」

モンクは沼が広がる盆地を見下ろした。彼らが流された大きな川は、この尾根の少し先から目の前に広がる広大な盆地へと注いでいた。この盆地にはほかにも無数の川が流れ込んでいる。西に傾いた夕陽に照らされて、大小様々な滝がまるで水銀のように輝いていた。しかし、周囲を取り巻く低い山々の陰になった窪地には、アシなどの草に縁取られた真っ黒な湖面と、湿地の中に半ば水没した森が広がっている。ここを横断するのは容易なことではないし、完全に日が暮れたら方角すらわからなくなってしまう。

モンクは大きくため息をついた。この湿地帯を横切るほかに選択肢はない。彼は丸太の上に座っているキスカとピョートルを振り返った。二人とも、溺死寸前のところを救助された子猫のように見える。川を下っていたのは距離にして四百メートルほどだったが、あまりの水の冷たさに耐えられなくなったため、岸へと上がったのだった。モンクはトラがいたのとは反対側の岸に子供たちを上陸させた。川の水が臭跡を消してくれるはずだし、山岳地帯を下流へと進むにつれて川幅も広くなっている。臭跡を再び見つけるためには、二頭のトラは川の横断という難関を乗り越えなければいけないことになる。

この二時間ほど、ピョートルは無言だった。マータのことを心配しているのだろう。だが、少なくとも恐怖に怯える様子は見られない。トラが近くにいない証拠だ。

川から上がると、モンクは子供たちに服を脱ぐように指示し、何度も絞ってできるだけ水気を切ってから、再び服を着させた。それから二時間、まだ日の高い時間帯に歩き続けたおかげで、服はほとんど乾いていた。しかし、湿地帯を横断すれば再び水に濡れることになる。しかも、日没の時間が近づいていた。夜はかなり冷え込みそうだ。

だが、コンスタンティンの提案に従うより仕方がない。今は歩き続けることが大切だ。二頭のトラが山岳地帯の森の中をうろついているのを承知のうえで、この尾根にとどまるという危険を冒すわけにはいかない。湿地帯ならば身を隠す場所もあるだろう。

モンクは尾根から下る険しい道を歩き始めた。モンクがピョートルに手を貸し、コンスタンティンは妹の手をしっかりと握っている。年少の二人の子供は、体力がほとんど尽きかけていた。四人はひとかたまりになって、太陽の光が当たる暖かい尾根からひんやりとした日陰へと下っていった。

このあたりは木々が密生している。マツやシラカバが多いが、網の目のように流れて沼地へと注ぐ細い川沿いには、ヤナギも生えていた。先端が水面に触れるほど枝を垂らしたその姿は、肩を落として呆然と立ちつくす人間のように見える。

　モンクは木々をかき分けながら先へ進んだ。足もとにはトショウの茂みやベリーの類がある。視界を遮る緑が次第に少なくなるにつれて、地面がぬかるんできた。ついには群生した苔を飛び石のように伝いながら歩かなければならなくなった。苔の生育状態がいいため、その方が安定していて歩きやすい。緑色の絨毯《じゅうたん》のように繁茂した苔は、地面から露出した岩を覆い、シラカバの幹を伝って上へと伸びていた。あらゆるものを地面の下へと引きずり込もうとしているかのようだ。

　モンクと子供たちの進むペースが落ちてきた。歩くたびに地面から濁った水がしみ出てくるため、どうしても足を取られてしまう。

　頭上で甲高い鳴き声が響く。モンクは空を見上げた。一羽のワシが、大きな翼を広げて上空を通過していった。翼はモンクが両手を広げたくらいの長さがありそうだ。

　ワシは狩りをしているのだろう。

　自分たちが追われる身だということを改めて思い出す。

　モンクは急ぐように子供たちを促した。このあたりの地形には体の小さな子供たちの方が適しているように思える。体重が軽いおかげで、子供たちはぬかるんだ地面に引きずり込まれることもないが、モンクの場合は一歩ずつ注意しながら踏み出さないと足を取られてブーツが脱げそうになってしまう。

その後一時間ほど、彼らはのろのろとしたペースで進んだ。モンクの計算では、一キロ半も進んでいないはずだ。ぬかるみの中を移動するヘビを何匹か目撃した。キツネが一匹、岩から岩へと飛び移りながら素早く視界を横切って姿を消した。モンクはかすかな物音も聞き逃すまいとした。重量感のある音を立てながら何かが湿地帯を横断していった。泥の上に二本の角の跡が残されていたことからすると、大きなヘラジカが通ったのだろう。

いつの間にか、モンクたちは足首まで水につかりながら歩いていた。湿地帯に浮かぶ島から島へと移動しながら、ジグザグに進んでいく。冷たい空気は湿気が多く、藻とかびのにおいがする。周囲からはひっきりなしに虫の鳴き声が聞こえる。太陽が山の端へとさらに近づくにつれて、あたりはいっそう暗さを増していく。

モンクのペースはさらに落ち、まさに足取りも重く歩いている状態になった。

コンスタンティンはモンクの横を歩いている。彼はまだキスカの手を握っていた。少女は歩き続けているものの、まぶたが今にもくっつきそうだ。

ピョートルはモンクの腰にぴったりとしがみついていた。水深のある地点を横切る時には、モンクが肩車をしてやらなければいけなかった。

突然、ピョートルがモンクの手をつかみ、きつく握り締めてきた。

何かが木々の間を移動する音が聞こえる。音は彼らの方へと真っ直ぐに近づいてくる。

〈まずい……〉

接近するものの正体を察したモンクは、大声で叫んだ。「行け！　走るんだ！」

モンクはピョートルを抱え上げようとしたが、ピョートルは激しく抵抗して叫び声をあげた。

コンスタンティンは膝を高く上げて水を跳ね上げながら、妹を引きずるようにして走っている。

モンクの左足がふくらはぎまで水に沈んだ。引き抜こうとしても、足はまったく動かない。まるでセメントの中に足を突っ込んでしまったかのようだ。

枝がこすれ、折れる音が、彼らの方へと近づいてくる。

モンクはピョートルを前方へと放り投げると、体を反転させて攻撃に備えた。ピョートルが水面に落下した音が聞こえる。しかし、ピョートルは逃げずにモンクの方へと戻ってきた。

「だめだ！　ピョートル、逃げろ！」

だが、ピョートルはモンクを無視してさらに前へと進んでいく。木々の間から大きな影が姿を現し、水しぶきをあげながら沼へと飛び込んできた。ピョートルと影は一つになって、再会を喜び合った。

マータだったのか。

モンクは激しい動悸を抑えながらつぶやいた。「ピョートル、次からは……ちゃんと予告してくれ」

チンパンジーはピョートルを抱き締めると、水面から高々と持ち上げた。コンスタンティンとキスカも水を跳ね上げながら戻ってくる。マータはピョートルから手を離し、二人のこともしっかりと抱き締めた。マータは次にモンクの前にもやってきた。両手を大きく広げている。モンクは前かがみになって、チンパンジーからのハグを受け入れた。マータの体はほてってい て、激しく息をしている。若くないのにかなり無理をしたのだろう、疲れで体が震えていた。モンクもマータにハグを返した。自分たちと再会するためにこの老いたチンパンジーがどれほど頑張ったか、痛いほどわかったからだ。

その一方で、ハグを終えたモンクは背中を伸ばしながら、マータがどうやって自分たちを見つけることができたのか不思議に思っていた。追いついたこと自体は不思議でもなんでもない。泥と水の中を這うようにして進んできた自分たちとは違い、マータは沼地に生えた木々の枝を伝いながら、距離を縮めていたのだから。だが、このチンパンジーはどうやって正確な居場所を突き止めることができたのだろうか？

モンクは闇に包まれつつある沼地をじっと見つめた。

マータが追跡できたということは……

「さあ、歩き続けるぞ」そう言いながら、モンクは湿地帯の中央を指差した。

マータとともに、四人は湿地帯の奥へと進んだ。マータとの再会で子供たちはいくらか元気を取り戻したものの、ぬかるみを歩き続けることは体への負担が大きい。息づかいが荒くなり、足取りも重くなる。コンスタンティンは少し前を歩いていた。ピョートルはモンクの隣にいる。マータは木々の枝を伝いながら、水面につま先が触れそうな低い位置で移動している。

ゆっくりと太陽が山の陰に姿を消し、周囲がいっそう暗くなっていく。コンスタンティンの姿はかろうじて確認できるかどうかという程度だ。左手の方角から、フクロウの鳴き声がした。長く伸ばしたその音は、間もなく完全に夜の帳が下りることを予告しているかのようだ。

ヤナギの林の間から、コンスタンティンがそっと呼びかけた。緊張した様子の声だ。「イズバだ！」

モンクには何のことだかわからなかったが、声の調子からするとうれしい知らせではなさそうだ。コンスタンティンのいる方へと近づくにつれて、水深が次第に浅くなっていく。

垂れ下がったヤナギの枝をかき分けながら進むと、その先には湿地帯のあちこちに存在する小さな島があった。だが、ほかの島とは違い、小高い丘の頂上には短い支柱の上に小さな小屋が建っていた。丸太を組み合わせただけの雑な造りで、屋根は苔で覆われている。窓が一カ所だけあるが、明かりは漏れていない。人が住んでいる気配はない。煙突からも煙が出ていない。コンスタンティンは島の端に密生している丈の高いアシに身を隠すようにして、モンクたちを待っていた。

モンクはコンスタンティンのもとへと歩み寄った。

少年は小屋を指差した。「猟師の寝床だよ。同じような小屋は、このあたりの山の中にもたくさんある」

「様子を見てくる」モンクは告げた。「ここで待っていろ」

モンクは丘を登り、小屋の裏側に回った。狭い小屋で、煙突は石を積み上げただけの簡単な造りだ。草が腰くらいの高さまで茂っている。見たところ、もう何年も使用されていない様子だ。窓は一カ所しかないが、内側からよろい戸が閉じられている。短い桟橋を発見したが、船はつながれていない。しかし、平底の小船――船首部分がとがった筏《いかだ》に毛の生えた程度の船が、桟橋近くのアシの茂みに引き上げられていた。ほぼ半分は苔で覆われているものの、何とかまだ使えそうだ。

モンクは小屋の正面へと戻った。扉を開けようとしたところ、鍵はかかっていない。だが、板が歪んでしまっていたため、開けるには少し力が必要だった。錆びついたちょうつがいの耳障りな音とともに、扉が開いた。小屋の内部は暗く、かびくさい。しかし、乾いているだけでもありがたかった。小屋には部屋が一つしかない。床はマツ材の上に干草が敷かれている。家具らしいものは小さなテーブルと四脚の椅子だけだ。一つの壁の全面には簡単な棚が吊られていたが、台所らしき場所は見当たらない。料理の際には暖炉が使用されていたようで、鋳鉄《ちゅうてつ》製の鍋が暖炉の近くにいくつも積み重ねてあった。乾いた薪《たきぎ》も置かれている。十分な量だ。

モンクは扉まで戻ると、子供たちに手を振って中に入るように合図した。

正直なところ、立ち止まることは気が進まないが、少しは休息も必要だ。窓のよろい戸を閉じておけば、少しくらい火を使っても見つかる心配はないだろう。服や靴を乾かせれば助かるし、一日のうちでもいちばん気温が下がる時間帯に暖炉の火に当たることができるのもありがたい。一休みして服や靴が乾いてから、夜明け前に出発すればよい。筏が使えれば道程も楽になるはずだ。

キスカとピョートルは床に座り込んでマータに寄りかかっていたが、コンスタンティンはモンクが火を起こすのを手伝ってくれた。コンスタンティンが見つけてくれた防水性の箱に入ったマッチを使うと、乾燥した薪は炎が触れただけで簡単に燃え上がった。炎が大きくなるにつれて、木のはじける音が聞こえてくる。煙は煙突の中へと吸い込まれていく。

モンクが新しい薪をくべている間に、コンスタンティンは棚にあるものを調べた。釣り道具、灯油が少し残っている錆びついたカンテラが一つ、大型のボウイナイフが一本。散弾銃用の弾が入った箱も一箱見つかったが、半分ほどはすでに使用されていた。ただし、銃は見当たらない。コンスタンティンはページの縁が丸まった雑誌も何冊か見つけたが、裸の女性の写真ばかりが載っていたため、モンクは雑誌を没収して暖炉の中へと放り込んだ。いちばん上の棚には、すっかり色のあせた四枚の厚手の毛布がきちんとたたんで置いてあった。

毛布を手渡しながら、コンスタンティンは床の上に置かれたモンクのバックパックを指差した。モンクはコンスタンティンの指が示す先に目を向けた。放射線量をモニターする線量計がある。色はすでに白から薄いピンク色へと変わっていた。

「放射線か」モンクはつぶやいた。

コンスタンティンはうなずいた。「処理工場のせいでカラチャイ湖が汚染されたんだ」コンスタンティンは北東の方角を指差した。「湖の水が少しずつ、地面にしみ込んでいるんだよ」〈そしてその水が、地下水を汚染している〉モンクはコンスタンティンの意図を理解した。この付近の山から流れ出た水がどこへ流れ込んでいるかというと……モンクは内側からふさがれた窓の方に視線を向けた。窓の外に広がる湿地帯が頭に浮かぶ。

モンクは首を横に振った。

心配しなければならないのは、人食いトラの襲撃だけではない。

午後七時四分

ピョートルは裸の体を厚い毛布でくるみ、暖炉の火の前に座っていた。靴は暖炉の上に並べて、服は釣り糸に引っかけて乾かしているところだ。釣り糸は細くて見えないため、自分たちの着ていたシャツやズボンが空中に浮かんでいるかのようだ。

ピョートルはぱちぱちと音を立てながら揺れ動く炎に見入っていた。けれども、煙は苦手だった。煙突へと吸い込まれていく煙は、まるで炎の中から誕生した生き物のように思える。

ピョートルは体を震わせると、背中を明るい炎へと近づけた。

学校の先生は、魔女のババ・ヤガの話をよく聞かせてくれた。ババ・ヤガは暗い森の中にある丸太小屋に住んでいる。小屋にはニワトリの脚が生えていて、子供たちを追いかけることができる。ババ・ヤガに捕まった子供たちは食べられてしまうという。ピョートルはこの小屋が乗っている四本の支柱を思い浮かべた。ここが魔女の小屋だったらどうしよう？　爪は地面の下に隠れているのかもしれない。

　ピョートルは疑いの眼差しで煙をじっと見つめた。

　先生の話では、魔女には目に見えない手下がいるらしい。

　ピョートルは小屋の中を見回した。怪しい動きをしているものはなさそうだ。けれども、炎のせいで壁や天井のあちこちに影が揺らめいているから、はっきりと断言することはできない。

　ピョートルは暖かい炎へとさらに体を近づけた。それでも、視線は渦を巻く煙に向けたままだ。

ピョートルは気持ちを落ち着かせるために、ゆっくりと体を揺すり始めた。マータがやってきて隣に座り、優しく手を回してくる。ピョートルはマータにもたれかかった。力強い腕が、ピョートルの体をぐっと引き寄せる。

〈怯える必要はないわ〉

でも、ピョートルは怯えていた。頭蓋骨の中がむずむずするからわかる。無数のクモが這い回っているような感覚。ピョートルは煙をじっと見つめた。あの煙の中には、本当の危険が存在している。煙突を伝うあの煙は、家の中に子供たちがいるとババ・ヤガに教えているに違いない。

ピョートルの心臓の鼓動が速くなった。

魔女が来る。

僕にはわかる。

煙を見つめるピョートルは目を大きく見開いた。危険を見つけないと。

そんなピョートルを安心させようと、マータが耳元で優しくささやいた。だが、それも効果がない。魔女が僕たちを食べにやってくる。僕たちに危険が迫っている。子供たちに危険が迫っている。炎のはじける音でピョートルはびくっとした。その時、ピョートルにはわかった。

子供たちが危険なのではない。

危険なのは一人の子供だけ。

ここにいる僕たちではない。

別の子供。

ピョートルは煙を凝視し続けた。暗闇を追いやり、真実に目を凝らす。煙が煙突へと吸い込まれていくと、ピョートルの目は危険が迫っている人物の姿を映し出した。

姉のサーシャ。

午前十一時七分
ワシントンDC

「DICよ」リサは少女のベッドの脇で説明を始めた。
キャットは説明についていこうと必死だった。彼女は両腕を体の前で組んだ姿勢で立ったま
ま、ベッドの上に横たわる少女を見つめていた。もともと小柄で細いのに、病院のガウンに着
替えるとさらに小さく見える。手すりの付いたベッドで寝ている姿は、シーツと枕の間に埋も
れてしまっている。シーツの下から垂れ下がるコードは、壁面に沿って設置された機器へと接
続されていた。血圧と心拍数を測定する装置だ。点滴で生理食塩水と薬剤が投与されていた。
それでもこの数時間のうちに、少女の青白い顔はさらに血色が悪くなり、唇は紫色を帯び始め
た。
「DICとは播種《はんしゅ》性血管内凝固《ぎょうこ》症候群の略よ」リサから具体的な病名を聞かされても、
キャットにはちんぷんかんぷんだった。
モンクならば医学の心得があるから、リサの話を理解できたのに……キャットはその思いを
頭から振り払った。少女の描いた絵のショックがまだ残っているようだ。少女はキャットのた

めにその絵を描いてくれただけなのだ。二人の間には絆のようなものが生まれていた。絵本を読み聞かせていた時の少女の瞳でわかる。少女はほとんど反応らしい反応を示すことがなかったが、何度かその小さな瞳でキャットを見上げたことがあった。その瞳の奥には、キャットへの信頼が、キャットの存在を受け入れてくれたと言ってもいいくらいの何かが輝いていた。そんな少女の瞳を見て、キャットの心は温かい気持ちに包まれた。自分にも生まれたばかりの子供がいる。母性本能と女性ホルモンが高まっている状態にあるのだろう。そのうえ夫を失ったばかりなので、少女の無垢な瞳に胸がいっぱいになる。

「詳しい説明をしてくれないか？」ペインターがリサに頼んだ。

ペインターはベッドを挟んでリサの向かい側に立っていた。インドにいるグレイから連絡が入ったために席を外し、ちょうど戻ってきたところだった。グレイたちは何者かの襲撃を受けたが、現在は無事にインド北部へと移動中だという。待ち伏せの背後にいる人物が誰なのか、ペインターはすでに調査を開始していた。教授の暗殺未遂が偶然の出来事だということはありえない。グレイたちがインドに向かったことを知っていた人物がいる。その謎の調査を進める必要があるものの、司令官はリサの報告を聞くために時間を割いて戻ってきたのだった。

リサはいくつもの血液検査をすでに終えていた。

ペインターの質問に対する答えが返ってくるより先に、ドクター・ショーン・マクナイトが病室に入ってきた。背広の上着は脱ぎ、ネクタイも外している。ワイシャツの袖は肘までまくり上げていた。グレイからの報告を受けた後、ショーンも何カ所かに連絡を入れるためにこの部屋を離れたのだった。ペインターはショーンの方に目を向けた。片方の眉を吊り上げて何か聞きたそうな表情を浮かべたが、ショーンはリサに向かって説明を続けるように合図した。ショーンはベッド脇の椅子に腰を下ろした。さっきまで一時間ほど、ショーンは同じ椅子に座って少女の様子に見入っていた。今もシーツの上に片手をそっと添えている。キャットはショーンとずっと話をしていた。ショーンには二人の孫がいるらしい。

リサは軽く咳払いをした。「DICとは血液が体内のいたるところで微小な血栓になる病気のことよ。人間の体が本来持っている血液凝固因子が不足するため、内出血を引き起こす可能性がある。原因は様々だけど、主要な疾患の二次的な症状として現れることが多いわね。ヘビの毒、癌、重度の火傷、強いショックが引き金となることもある。でも、最も一般的な原因は髄膜《ずいまく》炎だわ。特に敗血症性髄膜炎の場合ね。高熱を出していたことと……」

リサは少女の側頭部に取り付けられた装置を指差しながら、心配そうに唇をきっと結んだ。

「検査結果はどれも診断を裏付けるものだったわ。血小板の減少、フィブリノーゲン分解産物の増加、出血時間の延長。DICであることはほぼ間違いないわ。血小板を輸血しているし、アンチトロンビンとドロトレコギンアルファも投与中だわ。しばらくは安定させることができるけれど、DICを引き起こす原因となった疾患を治療しないことには、完治は難しいわ。でも、その原因がわからないのよ。あの子は敗血症を起こしてはいない。血液検査や脳脊髄液の培養結果も陰性だった。ウイルス性の疾患かもしれないけれど、何か別の要因があるような気がしてならないの。私たちが知らない何かが、あの装置と関連した何かが原因じゃないかしら」

キャットは体を震わせながら深く息を吸い込んだ。「でも、それがわからないままだと……」

リサも両腕を組んで、キャットと同じような姿勢を取った。「容体は悪くなる一方ね。進行を抑える努力はしたけれど、もっと情報が必要だわ。医学関係者の間では、病名の略号――DICには、もう一つの意味合いがあるのよ。Death Is Coming、つまり『死期が迫っている』ということ」

キャットはペインターの方を向いた。「何とかしなければ」

ペインターはうなずくと、ショーンの方に目を向けた。「選択の余地はありません。答えが必要なんです。時間をかければ、我々の力だけでもこの病状を解明できる可能性はあります。でも、詳しい情報を握っている人物がいます。バイオテクノロジーに通じていて、この少女に何が行なわれたかを具体的に知っている人物がいるのです」

ショーンはため息をついた。「慎重に事を運ばなければならん」

キャットはショーンとペインターの間で、すでにこの件に関する話し合いが行なわれていたことを察した。「何の話ですか？」

「この子の命を救おうと思ったら」ペインターは抱き締めれば壊れてしまいそうな少女の姿を

じっと見つめている。「我々は敵に対して身も心も開かなければならなくなるということだ」

午前十一時三十八分

トレント・マクブライドは人気のない長い廊下を歩いていた。ウォルター・リード陸軍研究所のこの一角は、近々改装工事が行なわれる予定になっている。廊下の両側に並ぶ病室はまったく手入れがされていない状態で、壁にはかびが生えているし、漆喰《しっくい》にはひびが入っていた。トレントの目的地である精神病患者用の独居房は、廊下のさらに先にある。壁はセメント製で、窓には鉄格子がはめられ、鋼鉄製の扉には小さなのぞき窓があるだけだ。

トレントはいちばん奥の独居房へと近づいた。警備員が一人、扉の前に立っている。念には念を入れないといけない。警備員は脇にどくと、トレントに向かって鍵の束を差し出した。

トレントは鍵を受け取り、扉ののぞき窓から室内の様子をうかがった。服を着た姿のユーリが、ベッドの上で大の字になっている。トレントが鍵を開けると、ユーリはベッドの上に体を起こした。高齢の割には筋肉質で、肌のつやも悪くない。アンドロゲンをはじめとするアンチエイジング効果のあるホルモンを、欠かさず注射しているのだろう。もっとも、ロシア人のドーピング好きは今に始まった話ではない。

トレントは扉を大きく開いた。「仕事の時間だぞ、ユーリ」

ユーリは期待を込めた目つきでトレントを見ながら立ち上がった。「サーシャは？」

「来ればわかる」

ユーリが扉へと近づいてくる。トレントはユーリの表情からうかがえる固い決意が気に入らなかった。どうも様子がおかしい。あれほど痛めつけてやったのに、ユーリからは鋼のような強さが感じられる。熱して打ち延ばされた剣の刃が、ますます切れ味を増しているかのようだ。この老人の強さの源は、尻に刺す注射針のほかにもあるのかもしれない。

だが、いくら決意を固めていようとも、ユーリは言いなりになるしかないはずだ。

そう思いながらも、トレントは警備員に対して一緒に来るように合図した。トレントは自分一人でユーリに同行するつもりでいた。身長は百八十センチ以上で、体重もユーリの二倍はある。護衛が必要になるとは思っていなかった。しかし、ユーリの目に浮かぶ鋭い光を、甘く見てはいけないような気がする。

三人は病棟から外へ出た。

「どこへ行くのかね？」ユーリは訊ねた。

〈アーチボルド・ポークの痕跡を完全に消しに行くのさ〉トレントは心の中で答えた。彼は友人でもあるアーチボルド殺害のお膳立てをしたが、今度はアーチボルドが残した輝かしい業績の一つにも終止符を打つつもりでいた。アーチボルドの発案で生まれた組織。ジェイソンズの一員として、アーチボルドがこの世に生み落とした機密組織。

殺しの訓練を受けた科学者の一団。

銃を手にしたジェイソンズとでも言うべき存在。

だが、アーチボルドをこの世から消したトレントには、友人が創始したその組織の息の根も止める必要があった。任務の遂行のためには、シグマにも消えてもらわなければならない。


（下巻へ続く）

シグマフォース シリーズ4

ロマの血脈　上

The Last Oracle

２０１３年5月３０日　初版第一刷発行

著…………………………………………ジェームズ・ロリンズ
訳………………………………………………………………桑田 健

編集協力………………………………株式会社オフィス宮崎
ブックデザイン…………………………橋元浩明（sowhat.Inc.）

発行人………………………………………………………後藤明信
発行所………………………………………………株式会社竹書房
〒102-0072　東京都千代田区飯田橋２－７－３
電話　03-3264-1576（代表）
03-3234-6208（編集）
http://www.takeshobo.co.jp
振替：00170-2-179210
印刷・製本……………………………………凸版印刷株式会社

ISBN978-4-8124-9481-3　C0197
Printed in JAPAN